le retour de Martin Guerre

PRÉFACE

L'histoire de Martin Guerre est une histoire vraie, qui donna lieu en 1560 à un des procès les plus célèbres du XVIᵉ siècle, évoqué par Montaigne, qui sans doute y assista, dans son chapitre Des boyteux.

Nous connaissons cette histoire grâce à un magistrat toulousain, Jean de Coras, Conseiller à la Cour et rapporteur général du procès. Dans son Arrest memorable du Parlement de Tholose, *qui connut à partir de 1561 plusieurs éditions, il raconta toute l'affaire avec d'importantes annotations. C'est le livre d'un homme droit, attentif et précis, qui semble animé par la seule recherche de la vérité, dont la devise est* « A raison cede ».

Cette affaire fut reprise plusieurs fois sous diverses formes. Pasquier l'inscrivit dans son Recueil des causes célèbres. *Au tout début du XIXᵉ siècle, on trouve trace d'une pièce de théâtre qui s'inspire de l'aventure de Martin Guerre. En 1941, Janet Lewis, une romancière américaine – qui ne connaissait pas l'ouvrage de Jean de Coras et ne prenait ses sources que dans Pasquier – écrivit un roman,* The Wife of Martin Guerre (1).

Enfin, en 1981, nous en avons fait un film en

---

(1) *La Femme de Martin Guerre*, collection « Pavillons », Éd. Robert Laffont, 1947.

essayant de suivre d'aussi près que possible le compte rendu de Jean de Coras, devenu lui-même un des personnages de notre récit. À quatre siècles de distance, l'histoire nous semble toujours aussi riche et intéressante, à la fois familière et incroyable, pleine de mystères et de clartés. Dans l'avertissement de l'éditeur aux lecteurs, qu'on trouve en tête du livre de Coras, on relève ces phrases : « Voire ne vous repentirez aucunement d'avoir employé quelque temps à la lecture d'iceluy : attendu qu'il ne vous est ici présenté un conte aventureux ou fabuleuse invention, mais une pure, vraie histoire... »

L'auteur de ces lignes ajoute : « Contenant presque une tragi-comédie. » Il est en effet très rare de rencontrer, dans la réalité, dans une « pure, vraie histoire », une intrigue aussi solidement construite, avec surprises, doutes, affrontements et coups de théâtre, conduisant à un « singulier exemple de la juste vengeance de Dieu sur les méchants ».

Cette intrigue, il va de soi que nous l'avons respectée jusque dans le détail. Mais pour rendre vivants les personnages principaux, le mari et la femme, pour que le secret de leurs gestes et de leurs démarches nous apparaisse, nous avons dû, par les moyens qui sont les nôtres (des scènes, des comportements, des dialogues), imaginer, retrouver, inventer ce qui peut-être s'est passé dans l'intimité et que la sécheresse du texte juridique ne dit pas. Dans un cas comme celui-ci, où la fiction se lance à l'assaut de la réalité, on voit que l'écriture dramatique peut être un moyen de pénétration, d'exploration, de description d'un quotidien probable. Les auteurs, et ensuite les acteurs, sous la conduite du metteur en scène, doivent à tout prix nous donner une image vraie, acceptable et touchante, sinon le récit tout entier s'écroule, excercice de style futile et du même coup ennuyeux. Pour atteindre cette image vraie, difficile à saisir, toujours fuyante et

6

menacée, tous ceux qui participaient à ce film devaient, à leur façon, réinventer l'histoire.

Par une série de hasards où, dans une autre époque, on aurait vu le doigt de Dieu, Emmanuel Le Roy Ladurie, au courant de notre projet, nous mit en rapport avec l'historienne américaine Natalie Z. Davis, brillante spécialiste du XVIe siècle français.

Il se trouva qu'elle connaissait impeccablement les avatars de Martin Guerre et qu'elle préparait une étude à ce sujet. Aussitôt séduite par l'idée du film, elle nous apporta son érudition, son enthousiasme et son précieux regard de femme. Nous avons travaillé ensemble. Elle est devenue la conseillère historique du film. Aujourd'hui, nous présentons ce livre avec elle.

Ce que nous voudrions, c'est montrer comment deux chemins différents, la fiction, sous forme d'un film, et la recherche proprement historique, peuvent approcher le même événement et l'éclairer de lumières complémentaires, parfois diverses mais rarement contradictoires. Ce qui nous a frappés, par exemple, c'est de voir que notre méthode, l'écriture d'un scénario, pleine de risques et de suppositions, et la méthode de l'historienne, plus attachée aux révélations des documents, permettaient de faire apparaître une véritable histoire d'amour, allant jusqu'au danger de mort, dans un siècle qui, au moins dans le monde paysan, nous a transmis peu de passions.

C'est pour essayer de montrer le cheminement parallèle de ces deux méthodes que nous avons fait ce livre, composé de deux textes. Le premier est un récit des événements proprement dits. Placé dans la bouche d'un des personnages omniprésents, la servante Catherine Boëre, il suit de très près, presque scène par scène, le déroulement du scénario. Mais il n'est pas le scénario lui-même, objet trop technique. Il est un récit, un conte, qui relate une histoire vraie par les artifices de la fiction.

Le second texte, dû à Natalie Z. Davis, prenant le fait divers d'un tout autre point de vue, donne un exemple approfondi de recherche historique et nous parle de Martin Guerre comme le film, ou le récit tiré du film, ne pouvait en parler. Ainsi, à propos d'un cas précis, limité dans l'espace et le temps mais dont les échos sont infiniment prolongés, nous avons essayé de faire apparaître quelques relations nouvelles entre fiction et réalité, sœurs ennemies d'un vieux débat, qui sont pour nous l'histoire et le cinéma.

Jean-Claude CARRIÈRE et Daniel VIGNE.

PREMIÈRE PARTIE

LE RETOUR DE MARTIN GUERRE

récit

par Jean-Claude CARRIÈRE et Daniel VIGNE

Le notaire est arrivé en retard, je m'en souviens. Il venait du Fossat, à trois lieues de là. Que de coups de pied dans le ventre elle a dû recevoir, sa triste mule! Un homme toujours vêtu de noir, ce notaire, avec le menton comme un vieux sabot et des taches d'encre sur les doigts. Quand il vient dans les villages, il a toujours l'air de nous regarder de haut, comme si nous avions besoin de lui, ce qui ne l'empêche pas de lever le coude à chaque occasion. Quand il repart, c'est encore bien heureux que sa mule connaisse le chemin.

En arrivant, il s'est rendu directement à l'église, où la messe de mariage était commencée. Un dimanche d'août, au cours de l'année 1540. Le roi était François Ier, j'en suis sûre. Moi, j'allais déjà vers mes trente-cinq ans et je servais dans la famille des Guerre, à Artigat, depuis bientôt vingt ans. Je m'appelle Catherine Boëre, et je parle comme je parle. Je suis d'une famille de gens sans fortune, sans biens, et nous avons toujours servi chez l'un, chez

9

l'autre. À cette époque-là ma pauvre mère servait chez un marchand d'étoffes, à Foix, un homme méchant comme le péché, qui se levait la nuit pour compter ses coupons. Elle est morte à cinquante-quatre ans, un jour de grande faiblesse. J'ai deux frères de par le monde. Dieu seul les connaît.

Donc, ce dimanche-là, à Artigat, on mariait Martin Guerre et Bertrande de Rols. Les gens les disaient bien jeunes pour convoler. Mariage d'impubères, mariage de l'enfer. Ils pouvaient avoir quatorze ou quinze ans, je ne sais plus. Bertrande venait du hameau de Rols, tout proche d'Artigat, et n'avait plus que sa mère Raymonde. Une fille brune aux yeux noirs. On aurait pu croire qu'elle prenait racine de l'autre côté de la montagne. Presque une Espagnole.

Martin, je l'avais vu naître. Le seul garçon de la famille Guerre, fils de Mathurin Guerre et de Brigitte, son épouse, frère de quatre sœurs. Un garçon grand et fort, au fond assez brave, mais souvent timide et renfermé, comme s'il avait peur de dire ses pensées. Moi, je me figurais déjà qu'il était de ceux pour qui les villages sont trop petits, de ceux pour qui sont faits les longs chemins.

Je me rappelle encore les phrases qu'ils ont prononcées ce dimanche-là :

– Je, Martin, donne mon corps à toi, Bertrande, en loyal mari.

Et la petite brune qui répondait, en lui donnant aussi son œil brillant :

– Je le reçois. Je, Bertrande, donne mon corps à toi, Martin.

– Je le reçois.

Après quoi, au moment où le notaire crotté pénétrait dans l'église, un acolyte faisait passer le plateau avec les alliances, les doigts cherchaient les doigts et finalement le curé (il s'appelle Dominique

10

Caylar et je ne l'aime pas beaucoup, j'aurai l'occasion de dire pourquoi) prononça les paroles sur lesquelles on ne revient pas :

– Je vous unis en mariage au nom du Père et du Fils et du Saint-Esprit.

Juste après la messe, le notaire a retrouvé toute la famille à la maison, pour discuter du contrat de mariage. Ce contrat, ça ne regardait que les grandes personnes. Assis côte à côte sur un banc, dans la salle commune, Martin et Bertrande n'avaient rien à dire. Tout se décidait sans eux. La plume dans une main et le gobelet de vin dans l'autre – un gobelet que je devais toujours tenir à moitié plein – le notaire énumérait lentement tous les articles du contrat. Elle ne venait pas sans rien, Bertrande.

– Et Bertrande de Rols, comme vos parents l'ont décidé, apporte en dot trente arpents de blé et quarante arpents de seigle au lieu-dit la Pomarède, une paire de bœufs de labour, ainsi que le bois de Roussas, qu'elle tient de son père Laurent de Rols, décédé. Ainsi que trois robes, un lit avec deux coussins de plume.

Et autre chose encore, que j'oublie.

Tout le monde s'était mis d'accord depuis longtemps. Aucune discussion de dernière minute ne vint troubler ce beau dimanche d'août. On trinqua, on signa. La plupart signaient d'une croix, comme les jeunes mariés, ou d'une double croix. Raymonde, la mère de Bertrande, savait dessiner une poule. On la connaissait à cette marque.

Un des témoins était Pierre Guerre, le frère de Mathurin, c'est-à-dire l'oncle de Martin. Pierre Guerre a toujours été un personnage silencieux, sachant ce qu'il voulait et possédant le sens de la famille, de la maison. On le verra revenir souvent tout au long de l'histoire que je raconte. Il en est même un des personnages principaux. Je ne peux pas dire que je l'aime, mais je reconnais quelquefois que ses arguments sont bien plantés. Il a du sang d'homme fort dans les veines. Il ne parle pas comme graine au vent.

Ce dimanche-là, comme je leur servais à boire, il m'a bien semblé que Pierre Guerre et Raymonde de Rols, la mère de Bertrande, se regardaient plus longuement qu'à l'habitude. Je n'en ai parlé à personne. Plus tard j'ai bien vu que j'avais bon œil.

À la fin des signatures, alors que le gobelet commençait à trembler dans sa main, le notaire rangea les papiers du contrat dans sa poche en disant :

— C'est une bonne affaire. Ça me paraît bien emmanché.

On le raccompagna jusqu'au devant de porte. Pierre et Mathurin l'aidèrent à se hisser sur le dos résigné de sa mule qui, avec deux claques sur la croupe, reprit docilement le chemin du Fossat, écartant au passage la volaille et les porcs qui traînaient entre les maisons. Le contrat de mariage se trouvait à l'abri, dans la sacoche brune qu'une courroie liait au côté gauche de la selle.

Au mois d'août les jours raccourcissent déjà. Le notaire ne serait pas de retour au Fossat avant la nuit.

Chez nous, à Artigat, ce fut un mariage comme un autre. Le cornemuseux, le violoneux et le joueur de tambourins, qui venaient d'autres villages, firent danser la jeunesse et rêver les moins jeunes. L'estrade des musiciens se dressait dans la grange. En ce qui concerne les poulets, les lapins qui tournaient sur les broches, les Guerre ne lésinèrent pas. Vinrent même des pauvres, qui tous reçurent chopine et viande.

Après le repas du soir, selon l'usage, on conduisit

les nouveaux époux jusqu'à leur chambre, à l'étage. J'avais disposé dans l'escalier une traînée de feuilles de laurier. Les parents, les cousins, quelques invités proches composaient un petit cortège pour accompagner jusqu'à leur chambre les deux jeunots, un peu intimidés. Certains s'étaient barbouillés de farine, d'autres de charbon. C'est une coutume, chez nous. De même il faut jeter des grains de blé dans l'escalier et dans le lit, pour assurer bon ensemencement. Et faire embrasser les bébés.

Moi, Catherine, je les ai conduits dans la chambre, j'ai marché la première, j'ai ouvert le lit, je leur ai dit de se coucher. Puis je les ai bordés, pendant que la famille et les proches venaient les embrasser, laissant sur leurs visages roses des traces de charbon, de farine, et plaisantant comme à l'ordinaire.

– Et tâchez bien de ne pas être trop sages! Si vous êtes fatigués, vous dormirez demain! C'est pas le moment maintenant!

Le curé – tout rouge de peau comme chaque dimanche – bénissait les draps, bénissait l'oreiller en disant :

– Que le Seigneur marque ce lit du signe du salut! (Puis il ajoutait, avec son gros sourire sot :) Et n'oubliez pas : les jardinets, ça s'arrose la nuit!

Je n'avais qu'une idée, les laisser tranquilles. Finalement j'ai poussé tout le monde hors de la chambre et je suis sortie la dernière en leur disant :

– Ce qui vous reste à faire, vous pouvez le faire sans moi. (J'ai ajouté, je crois bien :) Quand vous voudrez, il faudra venir manger et danser.

Mais quelque chose me disait qu'il était trop tard, qu'ils ne descendraient plus. En apparence il s'agissait d'un mariage comme un autre. Deux paysans qui se marient pour unir leurs biens, avoir des enfants, au bruit de la cornemuse et des arquebuses. Pourtant quelque chose ne se passait pas comme dans les autres noces. J'étais peut-être la seule à m'en rendre compte. Par exemple, en sortant, juste avant de refermer la porte de la chambre, j'ai bien vu que Martin s'était retourné contre le mur et que ses épaules s'agitaient doucement, comme s'il pleurait.

Plus tard certains devaient affirmer que cette histoire d'aiguillette n'avait aucune importance et que le cours des choses, de toute manière, n'aurait pas changé. Moi je dis le contraire. Je dis qu'une femme doit être aimée par son homme, je dis qu'il doit la prendre dans ses bras et jouir d'elle, et elle de lui, aussi souvent que Dieu rend cet amour possible. Moi qui suis restée fille parce que c'est ma destinée, je ne crois pas que Dieu nous a donné des sexes pour les cacher et pour les oublier.

Pendant des années Martin eut l'aiguillette nouée et Bertrande resta pucelle. Pendant trois ans, au moins. Ce sont des choses qu'on ne peut pas dissimuler à une servante. Dès le lendemain des noces, en faisant le lit, je sus que l'affaire n'allait pas bien. J'attendis quelques jours pour en parler à la jeune Bertrande (je savais que sa mère ne s'en mêlerait pas, elle s'en moquait). Bertrande fit comme si rien ne clochait. Je n'insistai pas. Du temps passa. Aucun enfant ne s'annonçait. Des rumeurs se mirent alors à courir d'une maison à l'autre, on en parlait même hautement, si bien que malgré son indifférence, Raymonde, la mère, ne put pas faire autrement que de demander une rupture de mariage, pour raison d'empêchement viril.

Mais Bertrande refusa. Sur le moment, elle ne dit pas ses vraies raisons. Plus tard, au cours du procès, elle devait répondre au juge qu'elle se sentait « mariée et liée à son mari », ce qui fut considéré comme une réponse honorable, en tout cas suffisante.

Pourtant dans le village sa position devenait difficile. On sait comment sont les jeunes. Chaque occasion leur est bonne pour crier, pour se moquer, pour violenter, avant que la vie se charge de leur enseigner le silence – et à quelques-uns la pitié.

Bertrande et Martin devinrent leur cible. Je ne vais pas raconter ici tout ce qu'ils ont dit, tout ce qu'ils ont fait, car il me faudrait des pages et des pages, mais je dirai quand même ce qui s'est passé le jour de la Chandeleur. D'ailleurs Bertrande elle-même l'a raconté au juge, plus tard, au commencement du procès.

Nous avons coutume, chaque année, d'organiser pour la Chandeleur une chasse à l'ours dans le village. Dans d'autres villages ils font une chasse au loup. À Artigat, c'est une chasse à l'ours.

On désigne un jeune homme du village, on l'habille d'une peau d'ours et pendant une heure ou deux les autres jeunes, couverts de branches d'arbres, de plumes, de fruits secs, de tout ce qu'ils peuvent trouver, se lancent à sa poursuite et le traquent dans les rues du village. L'ours doit faire peur à tout le monde, on ferme les portes et les fenêtres sur son passage et finalement il se laisse abattre et dépouiller. On range la peau chez le cordonnier jusqu'à l'an prochain.

Cette année-là ils désignèrent Martin pour faire l'ours. En plus de la peau ils lui attachèrent à la taille un gros os de vache, en forme de sexe d'homme, et deux vessies de porc gonflées qui semblaient deux énormes couilles. Et le voilà parti dans les rues, le malheureux, gesticulant et ballottant, essayant de faire peur à d'autres garçons tout habillés en filles et barbouillés de rouge et de noir, pendant que tout le village tapait sur des boîtes en

15

fer et des casseroles en criant : « Charivari! Charivari! À la Bertrande et à son mari! »

Au détour d'une rue, l'ours tomba sur le groupe des chasseurs, groupe mené par Nicolas, une mauvaise herbe, qui avait toujours jalousé Martin. Au milieu du vacarme des casseroles et des crécelles, les chasseurs, conduits et excités par Nicolas, se jetèrent sur Martin comme des Arabes et commencèrent à lui taper sur les épaules à très rudes coups de bâton. Il voulut se défendre, il tomba, il se releva, il tomba de nouveau parmi des hurlements de joie qui faisaient mal.

Alors Nicolas se pencha vers lui et, avec de gros ciseaux de tonte, il lui coupa ses attributs, l'os de vache et les deux vessies. Immédiatement on vit s'organiser une sorte de procession ridicule et criarde, qui vint jusqu'à la maison des Guerre. Nicolas marchait en tête, il dansait, il brandissait la fausse verge et les fausses couilles et il répétait en hurlant : « Si tu veux pas dormir la nuit, Bertrande, change de mari! » Et d'autres stupidités grossières.

Les autres se tortillaient et se gondolaient comme des putains saoules. Je me tenais à côté de Bertrande sur la galerie de la maison, avec Raymonde de Rols, sa mère, et Mathurin, le père de Martin. Celui-ci dut prendre quelques pièces de monnaie dans sa bourse et les jeter aux chasseurs, pour les calmer un peu. Une vraie honte sur toute la maison.

Plus tard j'ai su que Martin, embarrassé dans sa peau d'ours et souffrant de toute son âme humiliée, s'était réfugié dans une étable. Là, seul, il tomba sur le sol et se mit à griffer la terre avec ses ongles. On en retrouva les traces. La terre de l'étable, disait-on, fut même mouillée de ses larmes.

À l'accoutumée, quand il se produisait quelque

16

nouement de l'aiguillette, on parlait d'un sort jeté sur les parties nobles de l'individu. Jeté par qui? Les envieux ne manquaient pas. Martin apparaissait plutôt bien fait de sa personne, il appartenait à une des deux ou trois familles les plus riches et les mieux installées d'Artigat, et enfin il venait d'épouser une jeune femme charmante, aux yeux noirs, qui lui apportait des terres, un bois et deux bœufs de labour. On peut devenir jaloux à moins que ça.

Pour lutter contre ce mauvais sort qui lui paralysait le membre et lui fraîchissait les humeurs, je conseillai de l'emmener un soir chez l'aveugle du moulin. Je proposai même de l'accompagner. L'aveugle, nommée Jaquemette, était une femme de la génération de ma mère, peut-être plus vieille, qui vivait comme elle pouvait dans un moulin tout démoli, près de la rivière. On allait la chercher, quelquefois, pour les accouchements, pour certaines fièvres, pour essayer de voir quelque chose dans l'obscurité de demain.

A la nuit tombée, Martin entra chez elle. Elle vint d'abord vers lui les mains tendues, elle lui toucha les traits du visage et les épaules en lui disant:

– Ainsi tu es Martin. Martin Guerre. Viens par ici, mon petit. Allonge-toi et n'aie pas peur.

Une pièce voûtée, humide et sombre. Le bruit de l'eau tout proche. Le vent. Dans un coin, un homme entrelaçait à toute allure ses joncs, indifférent aux visiteurs.

L'aveugle fit allonger Martin sur un vieux banc. Dans un sac accroché à sa taille, elle prit quelques brins d'herbe sèche et des racines écrasées qu'elle plaça d'abord dans la bouche de Martin, puis qu'elle éparpilla sur son corps, et plus particulièrement sur son pauvre membre engourdi. En même temps elle lui disait à voix basse:

– Ne tremble pas, petit. Ce sont de mauvaises

pensées. On les a jetées en toi par magie, mais je vais te les enlever.

On racontait que l'aveugle connaissait les secrets de toutes les herbes de la région et même d'autres herbes, que des colporteurs lui apportaient d'Espagne et peut-être d'Afrique. Elle les reconnaissait toujours à l'odeur, sans se tromper. Elle disait : « Il y a plus de vertus dans les herbes que dans le cœur des hommes. »

Lentement, à plusieurs reprises, elle passa ses mains au-dessus du sexe de Martin, en faisant le signe de croix et en disant :

– Bénite aiguillette, je te dénoue! Bénite aiguillette, je te délie! Bénite aiguillette, je te repousse!

Après quoi elle nous demanda un peu d'argent – très peu, ce qui prouve qu'elle n'était pas sûre d'elle – et nous dit que Martin pouvait s'en retourner tranquille. Au retour il pleuvait. Nos sabots glissaient dans la boue du chemin.

Ça ne donna rien. Des semaines passèrent et Bertrande gardait toujours sa tête basse, son visage fermé. On voyait bien qu'elle n'était pas satisfaite. Martin de son côté montrait toujours son air buté, son mauvais silence. Souvent il regardait au loin, comme s'il voulait voir au delà des montagnes.

J'ai parlé à Brigitte, la mère de Martin, et à Raymonde, la mère de Bertrande. Toutes les trois, nous avons rendu visite au curé, qui connaissait notre problème, évidemment. Tout ce qu'il sut promettre, ce fut de dire quelques messes, moyennant notre bel argent. Les a-t-il dites? Je n'en sais rien. J'ai tendance à croire que les curés ne sont pas des menteurs, puisqu'ils punissent le mensonge chez les autres. Un jour, il apporta aussi des fouaces bénites, que nous fîmes manger à Bertrande d'abord, à Martin ensuite. Il les confessa, il leur parla. Que sais-je encore? Il pria, sans doute.

Rien ne venait. Alors le curé décida d'employer les grands moyens. Il hésitait un peu, parce que cette méthode n'était pas vraiment recommandée par l'évêque de Pamiers. S'il apprenait la chose, il risquerait de faire les gros yeux. Notre curé avait entendu dire par un de ses amis, curé en Languedoc, que pour réveiller les ardeurs endormies rien ne vaut une bonne et franche flagellation. Mais on comprend qu'il hésitait à utiliser un pareil moyen. Si cela venait aux oreilles mal disposées, que n'irait-on pas raconter? Et puis, à dire franchement, on sentait bien quelque odeur de diable là-dessous.

Un soir donc, cédant aux prières de la famille, le curé reçut Bertrande et Martin dans la sacristie. Il les fit passer, entre chien et loup, par la vigne qui se trouve juste derrière l'église, il leur ouvrit lui-même la porte et la referma, en demandant sans cesse : « Vous êtes sûrs que vous êtes bien seuls? »

Ce qui s'ensuivit, Bertrande me le raconta d'elle-même, quelques années plus tard. Le curé les fit mettre nus et les attacha face à face à un pilier de la sacristie. Il leur fit d'abord réciter deux ou trois prières, implorant la bénédiction de Jésus-Christ et de sainte Catherine, puis il revêtit une étole, un surplis, et se mit à tourner autour d'eux en leur fouettant ardemment, avec des branches de saule bénites, les épaules, le dos, les reins. Il les fouettait vraiment, à toute la force de la main, si bien que leurs corps se striaient de rouge, et tout en fouettant, couvert de transpiration, il s'écriait :

– Toi, maudit démon, retire-toi de ce serviteur! Dieu de miséricorde, confère ta grâce à Martin, qui souffre en son corps! Confère ta grâce à Bertrande, qui souffre en son corps! Amen!

Après un bon quart d'heure de ce traitement que

n'aurait pas aimé (dit-on) l'évêque de Pamiers, le curé, qui avait perdu souffle, les délia et les conduisit vers une étroïte soupente attenante à la sacristie. Là, il avait préparé une couche de paille, du vin, du pain et quelques fruits.

– Venez par ici. Allez, vite, entrez.

Il avait l'air pressé, comme craignant de voir faiblir l'effet souverain des branches de saule bénites.

Il leur dit :

– Je reviendrai vous ouvrir dans deux ou trois heures. Et mettez tout le soin possible à la chose. Je vais prier, de mon côté.

Il referma la porte à double tour de clé. On entendit son pas s'éloigner dans la sacristie, puis dans l'église. Bertrande et Martin restèrent seuls.

Ils burent d'abord un peu de vin. Tout leur corps souffrait. Tandis qu'ils reprenaient haleine, étendus l'un près de l'autre sur la paille, Bertrande – ainsi du moins me le raconta-t-elle – vit que la nature de Martin venait soudainement de s'éveiller. Elle en fut heureuse et un peu craintive, ne connaissant ce mystère de l'homme que par ouï-dire. Elle me dit aussi, en me le racontant, que lorsqu'elle posa la main sur la cuisse de son mari, celui-ci, qui gémissait encore, ne s'était même pas rendu compte de son bonheur.

Ils eurent un fils et ils l'appelèrent Sanxi, car on trouvait une ascendance basque dans la famille. Tout semblait rentré dans le bon ordre et pourtant je sentais bien, moi qui veillais à toutes choses, qu'il restait une ombre menaçante sur le jeune couple. Cela venait du caractère de Martin. Toujours taciturne et chagrin, toujours semblant reprocher aux autres sa condition de paysan (paysan né, paysan à jamais), il restait à l'écart. On le voyait mal à l'aise avec ses quatre sœurs, qui cependant l'aimaient avec tendresse, surtout les deux plus grandes. Son enfant, qui tétait et grandissait sous le toit commun, il le regardait du coin de l'œil, tel un enfant tombé du ciel, laissé là par un étranger. Son père Mathurin, il ne pouvait pas le supporter. A chaque réprimande, Martin serrait les dents, serrait les poings. On sentait bien que quelque chose ne tarderait pas à éclater, pour le malheur des uns et des autres. Je me suis toujours demandé ce qu'on peut faire contre les forces qui apportent, comme le vent apporte la tempête, ce malheur-là.

Bertrande le sentit venir comme moi. Quelquefois même, du bout des lèvres, il nous arrivait d'en parler. Elle essayait tout pour retenir Martin, pour le calmer, pour lui donner un certain goût de vivre, un sens du devoir. Peine perdue. Bouderies et querelles se suivaient comme un jour suit l'autre. Si bien que Bertrande me dit une fois :

– Je crois qu'au fond il n'aime pas la terre.

Oui, mais que peut-on aimer d'autre ?

On nous raconta que trois soldats de passage, des routiers de mauvaise troupe, l'accostèrent un jour sur le chemin du haut, alors qu'il nous apportait à boire (nous étions tous au travail sur les terres de l'Escalette et Pierre Guerre, le frère de Mathurin, poussait pesamment la charrue).

D'abord ils se montrèrent assez malins pour lui faire tirer un coup d'arquebuse, vraie arme de guerre. Ils le félicitèrent pour son adresse, lui firent tâter du vin de leur gourde, sans doute quelque lamentable piquette, et firent miroiter devant ses yeux ronds une pièce d'or. D'où venait-elle ? Que Dieu nous le dise.

Il n'y a que les guenilleux pour attirer vers la guenille. Il me semble que je les entends d'ici : « Mais qu'est-ce que tu moisis dans ce trou perdu ?

Toi qui pourrais devenir un tireur de première ligne! Ta paille au cul, tu ne vas pas te la garder toute la vie, quand même! Il y a du bon à boire et des filles partout! Et tu sais combien tu touches à l'engagement? Quatre livres! »

Ce genre de discours, je l'ai bien trop souvent entendu. Il nous a privés de quelques-uns des nôtres. On croit toujours que les cerises sont plus grosses de l'autre côté de la rivière. Mais en fin de compte, à rouler sa bosse, on ne rencontre que la misère des grands chemins, les vents inconnus et bien souvent la mort, qui trouve son homme n'importe où.

Ce jour-là, je suis quasi certaine que les trois compagnons d'arquebuse ont dû donner à notre Martin quelque mauvais conseil et quelque bonne adresse. Sans doute aussi lui ont-ils soutiré une pièce, bue au cabaret d'Artigat. Engeance de peu. Si par miracle il n'y avait plus de soldats, je me dis quelquefois, qui ferait encore la guerre?

Martin s'en vint donc en retard, chargé de sa cruche d'eau.

– Tu veux donc nous faire mourir de soif? lui cria son père, dès qu'il le vit.

Pierre reposa la charrue et s'approcha de la cruche en compagnie d'Antoine, son fils. Je n'ai pas encore parlé de celui-là, parce qu'il n'y a pas grand-chose à en dire. C'est un garnement, et puis voilà tout. Tout juste bon à jeter des crapauds sous les jupes des filles quand elles reviennent de la messe.

Le petit Sanxi – il pouvait avoir six, sept mois – se balançait doucement dans son sac accroché à la branche basse d'un pommier.

Bertrande et Raymonde, sa mère, s'approchèrent de la cruche en même temps que Pierre et Antoine. Le dernier fut Mathurin, qui semait et qui devait d'abord vider sa besace. Quand je vis qu'il revenait en passant près du chariot dételé et que, du regard, puis du doigt, il comptait les sacs de semence, je sentis que quelque chose allait de travers. Bertrande aussi le sentit, tout comme moi. Elle offrit à Martin une pomme qu'elle venait de cueillir, mais Martin refusa et détourna la tête.

Mathurin, donc, compta et recompta les sacs. Puis il se dirigea tout droit vers son fils. Martin semblait s'y attendre. Il fit deux pas en arrière et leva les bras pour se protéger le visage. Il avait dix-huit ou dix-neuf ans, à ce moment-là, et se comportait encore comme un enfant qui a peur des coups. Et surtout des coups qu'il a mérités.

Son père Mathurin ne commença pas par le frapper. Il lui dit d'abord :

– Il manque deux sacs de semence. Tu les aurais pas vus, des fois? C'est toi qui as chargé, ce matin! (Et comme Martin ne répondait rien :) Tu m'écoutes quand je te parle? Ces sacs, c'est toi qui les as pris, oui ou non?

– Non.

– Ne dis pas non! Tu les as volés en venant ici! Avoue-le!

Les gifles se mirent à tomber. Dans la famille Guerre, on a facilement la main lourde. Martin recula, se protégea, mais il n'osa pas riposter. On endure la correction donnée par un père, on ne la rend pas.

– Je vais t'en faire perdre le goût du pain, moi! criait Mathurin. Chez les Guerre, il n'y a pas de voleurs et ici, tu m'entends? ici, tant que je suis vivant, c'est moi qui commande!

Tout le monde s'était arrêté de boire et de travailler. Antoine essuyait l'eau qui coulait sur son menton. Bertrande était la seule à détourner la tête.

Quand l'orage se fut un peu calmé, Raymonde, qui se trouvait auprès de Martin, lui dit sans aucune douceur :

— Toi, tu ne feras jamais rien qui vaille.

On n'a jamais retrouvé les sacs. Martin coupable ? On ne l'a jamais prouvé. Peut-être songeait-il déjà à s'en aller à ce moment-là et cherchait-il un peu d'argent pour le voyage. On sait bien que dans les villages nous n'avons rien de plus précieux que la semence. On en manque toujours. C'est une précaution contre les années pauvres. Rien de plus facile que d'en vendre à un laboureur de rencontre, d'un autre village de préférence. Les acquéreurs du nécessaire, ça court les bois.

À trois ou quatre jours de l'algarade, un soir, toute la famille se trouvait réunie pour la veillée autour de la cheminée, dans la salle commune. On frissonnait aux premiers froids de la fin octobre. Chacun s'occupait, presque sans parler, sauf Martin qui ne faisait que regarder les flammes. Assise près de lui, Bertrande mettait le dernier fil à une belle paire de chausses blanches doublées de taffetas. J'insiste sur ces chausses, car elles joueront un rôle dans les malheureux événements qui nous attendent.

Je montai, car j'avais quelque chose à faire au premier étage (je ne sais plus quoi) et un moment plus tard je vis monter Bertrande, qui tenait son mari par la main et lui souriait. Il la suivait, toujours boudeur. En haut, elle lui fit cadeau des belles chausses blanches. Martin les prit, les posa sur sa cuisse et dit :

— Tu vois bien que tu les as taillées trop grandes ! Pourquoi tu te donnes tout ce mal pour rien ?

Ils ne me voyaient pas, car je me trouvais dans l'ombre. Mais moi je les voyais, et j'ai bien cru que

Bertrande n'allait pas savoir retenir ses larmes. Elle se détourna la tête basse, alla soigneusement ranger les chausses dans un coffre, sur le palier, puis elle se retourna vers Martin et lui dit :

– Martin, sois gentil, cesse de toujours me reprocher.

Il lui sourit alors vaguement, la prit entre ses bras, poussa du pied la porte de la chambre. Je vis qu'il l'entraînait vers le lit et que Bertrande souriait d'aise.

Mais que peut faire une femme quand son homme est pressé par l'appel incessant du voyage ? Rien. Elle ne peut rien faire. Ni son amour, ni ses enfants, ni tous ses soins, ni toutes ses hardiesses ne pourront jamais le retenir. Celui qui doit partir, tôt ou tard il s'en va.

Ce soir-là, par exemple, j'ai refermé la porte de la chambre. En la refermant j'ai bien vu que Bertrande avait déjà la gorge nue, qu'ils riaient tous les deux, que Martin la pressait contre le lit, la renversait. Je voyais bien qu'ils se plaisaient ensemble, que dans le quart d'heure ils s'accoupleraient.

Pourtant c'est cette nuit-là qu'il est parti.

Dans un village, un jeune et vigoureux garçon qui s'en va, surtout s'il est le seul garçon d'une famille, c'est une infortune. Les vieux sont obligés de travailler davantage, sans même savoir pour qui ils travaillent. Je ne parle même pas de la mère, de la femme, de l'enfant, de la tristesse de se sentir abandonnés, des regards de fausseté et de commisération qu'on vous jette, des allusions, des ragots, des critiques. Je parle simplement de ce sentiment qui anime toute femme délaissée quand elle se retrouve seule et qu'elle se dit : « Pourquoi n'ai-je pas pu le retenir ? »

Au début Bertrande ne pouvait pas croire qu'il

était parti pour de bon. Elle pensait que, chassé par la peur de son père, il allait revenir dans quelques jours, dans une semaine tout au plus. Elle l'attendait. A tout moment elle tournait la tête vers le chemin du bas, elle écoutait les bruits du bétail dans le lointain, les aboiements des chiens. La nuit, elle dormait à peine. Elle se réveillait avec l'aurore et son premier regard allait à la fenêtre.

Pour Mathurin, la fin était venue. Pendant quelques mois, lui aussi, il crut encore que son fils, son seul fils, reviendrait. Il s'avançait jusqu'à la sortie du village, en compagnie de son vieux chien. Là, il s'asseyait sur une pierre, toujours la même, à la fin de chaque journée, il baissait la tête et de temps en temps on le voyait glisser un regard, lui aussi, vers le chemin du bas, où jamais il ne vit surgir la silhouette qu'il attendait. Il finit par se laisser mourir de chagrin. Sa femme, Brigitte Guerre, un an plus tard, mourant aussi discrètement qu'elle avait vécu, le rejoignit au cimetière, où sa place était préparée.

Il se produisit alors un grand changement dans la famille. Je ne veux pas me faire passer pour celle qui en sait toujours plus que les autres, mais je dois dire en belle franchise que je le sentais venir, ce changement. Pierre Guerre, le frère de Mathurin, épousa tout simplement Raymonde de Rols, la mère de Bertrande. Cette union nouvelle entre les deux familles paraissait remplacer le mariage brisé par le départ de Martin Guerre. Ainsi toutes les terres se trouvaient réunies. Pierre et Raymonde, bien entendu, prirent au premier étage la chambre de Martin et de Bertrande. Celle-ci dut partager la couche des sœurs, en bas. Dans la maison vivaient aussi Antoine, fils d'un premier mariage de Pierre, un garçon au cœur tout de travers, et puis aussi les quatre sœurs de Martin, qui grandissaient. Jeanne, l'aînée, n'allait pas tarder à se marier, elle aussi. Son fiancé s'appelait Augustin, un brave garçon d'Artigat. Ainsi dès le berceau les uns poussent les autres, et ainsi de suite, sans fin.

Peu de choses séparait les travaux de Bertrande des miens. Comme moi elle trimait aux champs et à la maison, elle fermait les bêtes tous les soirs, elle se levait avant le jour pour donner aux poules, elle s'occupait de Sanxi, son fils, et aussi de la plus jeune des sœurs de Martin. Elle n'avait guère que la messe, le dimanche, où elle pouvait se reposer un peu. A la campagne, quelle que soit l'heure, quelle que soit la saison, on a toujours quelque chose à faire. Pas question d'être faible ou malade. Les bêtes se rappellent à vous dès qu'on les oublie. Et les plantes jaunissent et se dessèchent vite.

Toute ma vie j'ai connu tant d'occupations que je n'ai jamais eu le temps de me demander, je crois, si notre pays est beau. Il me semble que tous les pays sont beaux. En tout cas, chacun fait ses délices du coin de terre dont Dieu l'a pourvu. Il n'en voudrait pas changer pour le paradis de Babylone. Artigat est un village d'une trentaine de feux, pareil à beaucoup d'autres, ou presque pareil : des collines que les cultures ont morcelées, faisant remonter les bois jusqu'aux crêtes, des prairies et quelques jardins dans le fond du val, près de la rivière, une méchante route qui prend la direction de Foix, puis de Toulouse, des cabanes, des moutons, des nuages. Ce qui me plaît par-dessus tout, les jours de ciel clair, c'est d'apercevoir au midi les hautes montagnes des Pyrénées qui barrent complètement l'horizon, roches et neiges éternelles qui nous protègent, dirait-on, des vents d'Espagne qui soufflent l'invasion.

Sur notre maison pleine de femmes, où Antoine ne comptait pas pour grand-chose, Pierre Guerre régnait en souverain maître. Il ne parlait pas beaucoup, mais chacune des paroles qui sortait de sa barbe était écoutée et obéie. A près de cinquante ans il restait fort et travailleur, ne pensant jour et nuit qu'au rapport, qu'à l'accroissement de son bien. Les autres villageois venaient souvent lui demander conseil, pour ceci, pour cela, pour fixer la date des vendanges, pour savoir qui devait relever un mur écroulé, pour emprunter un outil et même de temps en temps quelque argent. On évitait de lui parler de l'absence de son neveu, pensant que cela pourrait blesser sa fierté. Au début Jeanne, la sœur aînée, raconta qu'elle avait reçu des nouvelles de son frère par un marchand de couteaux venant de Pamiers. Gros mensonge qui ne trompa personne et que Pierre Guerre réprimanda très sèchement, un soir, en envoyant sa nièce se coucher sans souper.

Bertrande et Pierre se parlaient le moins possible. Du fait qu'il avait épousé sa mère, devenant ainsi le beau-père de Bertrande, il possédait quelques droits sur elle et sur son enfant. A mon sens il se montra assez équitable pour ne jamais faire prévaloir ces droits. Bertrande accomplissait sa tâche quotidienne, cela suffisait. J'ajoute, mais tout le monde le savait, jamais le moindre soupçon ne vint voler sur ce chapitre, j'ajoute que Bertrande resta d'une honnêteté sans reproche. Les galants, certes, ne lui auraient pas manqué. Mais il était clair qu'elle les rebutait par son attitude, avant même de les voir monter à l'attaque. Elle garda l'exactitude de son honneur. Pas la plus frêle médisance à ce propos. Dieu sait pourtant si la vertu des jeunes femmes procure fréquentes démangeaisons aux mauvaises langues, en toute saison.

Tous les jours, ou presque, elle prenait le temps d'une courte prière à sainte Catherine, dont elle portait toujours l'image auprès de son cœur. Quelquefois, quand nous lavions le linge par exemple, ou quand nous ramassions les fruits, elle me demandait :

– Tu crois qu'il reviendra?

– Mais oui, il reviendra. C'est sûr.

– Mais tu crois qu'il reviendra avant que je sois une vieille femme? Tu crois qu'il pourra me faire d'autres enfants?

– Je le crois, oui, je le crois bien.

– J'ai entendu dire que lorsqu'une femme reste longtemps sans connaître d'homme, son ventre se ferme et se durcit, et qu'elle ne peut plus se retrouver grosse.

Je lui répondais que tout cela n'était que balivernes et qu'à Saint-Michel, pas loin de chez nous, on avait vu une femme de quarante-cinq ans devenir mère après dix-huit années de veuvage et de solitude. Mais Bertrande ne me croyait qu'à moitié. Je voyais, à chaque jour qui s'ajoutait aux jours, l'humiliation marquer sa face plus encore que la fatigue. Et je ne savais que lui dire, sans même parler de la mort possible du fugitif. Partout dans le nord de l'Europe la guerre appelait les hommes pour les détruire. Martin pouvait appartenir déjà au royaume de ceux qui ne reviennent pas.

Quand il revint, c'était un jour d'automne. Huit ou neuf ans s'étaient ajoutés au passé.

Les premiers qui le virent, et qui plus tard le racontèrent maintes fois, furent Jacques et André, André le Grêlé, les deux fils d'Étienne. Ils labouraient une petite terre près du chemin du bas quand ils entendirent une voix qui les saluait de loin. Ils s'arrêtèrent et virent un homme qui s'avançait à pied sur le chemin, un fort bâton à la main, deux larges besaces croisées sur la poitrine.

L'homme s'approchait en faisant des signes, comme à des amis. Il semblait fort dépenaillé.

Ils ne le reconnurent pas tout de suite. L'homme franchit la clôture en souriant et en disant :

– Salut, vous autres !

Jacques et André ne bougeaient pas et le regardaient venir par le pré. La boue, la terre couvraient ses chausses et son triste manteau. Les joues creuses, une barbe vieille d'une semaine.

J'oublie de dire qu'un enfant se trouvait là, un des fils d'André. Lui aussi, il regardait venir l'inconnu.

– J'ai soif. Tu aurais pas un peu d'eau pour moi ?

Il venait de s'adresser au Grêlé, le plus proche de lui, qui lui demanda, plein de méfiance :

– Qui, toi ?

– Tu me reconnais pas ?

– Non.

– Regarde-moi bien.

Le nouvel arrivant, tout sourire, se mit à tourner autour des deux frères, pour bien faire voir son visage.

– Je t'ai déjà vu ? demanda André.

– Je pense bien.

Le Grêlé regarda attentivement, et tout à coup la lumière :

– Mais tu n'es pas le fils de Mathurin Guerre ?

L'autre hocha la tête en riant.

– Alors c'est bien toi, Martin ?

– Eh pardi !

L'autre frère, Jacques, s'approcha en tendant une gourde. Martin la saisit et se mit à boire comme pour remplir d'eau tout son corps. Jacques lui disait, pendant ce temps :

– Alors tu es de retour ?

– Tu vois. Je reviens au pays.

Il avait l'air content et ne cessait de rire. Prenant

brusquement le Grêlé par les épaules, il lui dit :

– Tu ne m'as pas reconnu, mais moi si. Tu es Jacques, le fils d'Etienne.

– Non, Jacques, c'est mon frère, c'est lui.

– Ah oui! Tu es André, André le Grêlé!

Ils se connaissaient tous les trois depuis l'enfance mais toutes ces années d'absence embrouillaient un peu les mémoires. Maintenant, les souvenirs leur revenaient, les parties de pêche à la main dans la rivière, le temps où ils servaient la messe, et même le fameux charivari de la Chandeleur. Selon les deux fils d'Etienne, c'est Martin qui en parla le premier, pour bien montrer qu'il n'en voulait à personne. Il leur dit :

– Vous vous souvenez encore de la chasse à l'ours, quand Nicolas me les avait coupées?

Il tordit entre ses doigts la joue de Jacques en disant encore :

– Toi, tu n'étais pas le dernier à me faire des misères.

Et ils riaient tous les trois en évoquant le temps passé.

L'enfant s'était mis à courir vers le village pour annoncer la grande nouvelle, pendant que Martin buvait encore à la gourde et que le Grêlé lui disait :

– Tu sais que ton père est mort? Et aussi ta mère?

– Oui, je l'ai su. On me l'a dit il y a longtemps déjà.

– Comment l'as-tu su?

– Par des marchands.

– Et toi, tu vas bien?

– Je vais bien, oui.

– Tu as forci, on dirait.

Il éclata de rire et donna une grande bourrade à Jacques en lui répondant :

– C'est la guerre!

L'enfant courait déjà dans toutes les rues d'Artigat en criant de toute sa gorge :

– Martin Guerre est de retour! Martin Guerre est de retour!

Les gens se montraient sur le seuil des maisons. La plupart haussaient les épaules, ne pouvant pas croire le gamin. Quand celui-ci parvint devant la demeure des Guerre, il rencontra d'abord Raymonde, la femme de Pierre Guerre, et Guillemette, une des sœurs de Martin. Il leur cria :

– Martin Guerre est de retour!

– Qu'est-ce que tu racontes? demanda Raymonde.

– Martin Guerre est là, je viens de le voir!

– Où l'as-tu vu?

– Dans le pré. Il venait par le chemin du bas! Il parle avec mon père et mon oncle! Il arrive!

Pierre Guerre apparut sur ces entrefaites et demanda :

– Tu es bien sûr que c'est lui?

– Oui. Il a dit qu'il revenait au pays. Il arrive.

– Va vite le dire à Bertrande! s'écria Guillemette. Elle est au lavoir!

L'enfant s'éloigna, toujours courant, et parvint quelques instants plus tard au lavoir, où une dizaine de femmes lavaient leur linge de famille, enveloppées dans la vapeur de la lessive.

Là encore l'enfant cria :

– Martin Guerre est de retour! Martin Guerre est là, il arrive!

Les femmes abandonnèrent aussitôt la buée – c'était la plus grande nouvelle depuis longtemps – et se pressèrent, en s'essuyant les mains à leurs tabliers, vers la place du village. Bertrande n'eut pas la force de les suivre, comme si elle craignait quelque chose, d'apercevoir tout à coup un fantôme, un homme de brume, une apparition qui s'effacerait dès qu'elle poserait les yeux sur lui.

L'enfant lui répétait :

— Bertrande, ton mari arrive! Je l'ai vu! Viens!

Cependant, elle restait debout près de sa bassine, un peu tremblante, le souffle précipité par l'émotion. Elle fut incapable de quitter le lavoir. Elle resta seule.

Martin se trouvait déjà bien entouré quand il arriva sur la place. Une dizaine de ses amis s'étaient groupés autour de lui, en joyeuse escorte. On vivait enfin le retour de l'enfant prodigue, fête qui surpasse toutes les fêtes.

Pour le recevoir, toute la famille Guerre se réunit devant la maison, autour de Pierre, sans oublier le petit Sanxi, qui avait déjà dix ans, et les quatre sœurs. Quand Martin arriva, on peut dire que presque tout le village se trouvait rassemblé sur la place, sauf quelques-uns qui travaillaient au loin – et sauf Bertrande.

A la vue de sa famille qui l'attendait, d'abord il s'arrêta, cessa de rire et se cacha le visage dans les mains. Il resta un court moment dans cette position, puis il écarta doucement ses mains en souriant. Sa sœur aînée, Jeanne, fut la première à se détacher du groupe et à lui dire :

— Martin, Martin... tu es enfin là!

— Bonjour Jeanne, bonjour mes sœurs.

Alors tout le monde commença à rire et à s'embrasser. Martin reconnaissait toutes les personnes de la famille, en disant aux plus jeunes, à ses sœurs, que le temps les avaient bien changées. Il fit la connaissance d'Augustin, le mari de Jeanne, et salua d'une grosse accolade Antoine, le fils de Pierre, qui par le fait se trouvait être son cousin.

Il tendit les mains vers son fils en l'appelant :

— Sanxi?

33

Le petit garçon parut d'abord vouloir s'éloigner de son père. Il gardait en lui, à son tour, quelque chose de renfermé, de méfiant. Un gamin qu'on ne voyait jamais sourire et qui se tenait à l'écart des autres gamins du village. Il hésita devant les mains tendues de son père, qui lui disait :

— Viens, Sanxi. Viens près de moi, n'aie pas peur. Je suis ton père...

L'enfant n'hésita pas longtemps et se laissa envelopper par les larges bras qui l'appelaient. Ils restèrent un moment serrés l'un contre l'autre.

— Sanxi, comme tu es fort...

Alors Pierre Guerre, qui n'avait encore rien dit, s'avança calmement, le visage sévère, vers le nouveau venu. Celui-ci sentit venir le moment inévitable des reproches. Il reposa son fils à terre. Pierre lui dit :

— Bonjour, Martin.

— Bonjour, mon oncle.

— Tu nous as abandonnés pendant longtemps.

— C'est vrai, j'avais envie de voir du pays. Je vous demande pardon pour ce que j'ai fait.

Devant tout le village réuni, en disant ces mots, il posa genou à terre, saisit l'une des mains de son oncle et la porta à ses lèvres. La famille, les amis, les voisins, tous regardaient en silence.

— Tu sais que ton père et ta mère sont morts? demanda Pierre.

— Oui, je l'ai appris et j'ai prié pour eux.

Jetant un regard vers Raymonde :

— Je sais aussi que vous avez marié Raymonde, ma belle-mère. J'en suis bien content.

— Ma pauvre fille s'est bien désolée, dit Raymonde. As-tu tourné au bien, maintenant?

Il hocha la tête et se releva. Ils s'embrassèrent et c'est à ce moment-là qu'il me vit. Je revenais avec deux autres femmes de faire du petit bois près de la

34

rivière. Mon fagot à peine posé, ou plutôt jeté sur le sol, tant j'avais de hâte, je m'avançai vers lui en riant. Il ne mit guère de temps à me reconnaître. Depuis sa naissance nous avions les meilleures relations, lui et moi, malgré son humeur.

– C'est toi, Catherine?

– Martin, c'est bien toi? C'est bien toi?

Je ne pouvais pas me retenir de lui bourrer la poitrine à coups de poing, tant je me sentais contente. Et je m'émerveillais de le retrouver si fort, les épaules comme une table, si ouvert et aimable, et cherchant le pardon de tous.

– Catherine, me disait-il, tu n'as pas changé! Sacrée Catherine!

Il me donna des baisers, que je lui rendis. Et je lui disais encore, devant tout le monde assemblé :

– Je pensais : il ne reviendra donc jamais, le misérable? Et tu es là entier et vivant. Je te vois et je te touche.

Nous restions tous à rire et à répéter les mêmes mots : tu es là, tu n'as pas changé, je suis de retour, bonjour à tous. Nous nous prenions les mains et nous nous embrassions à bouche que veux-tu.

Soudain il demanda :

– Où est Bertrande?

Il se fit un silence. Chacun regardait autour de soi, cherchant des yeux la femme. Ce fut Guillemette qui répondit :

– Elle est restée au lavoir, viens, elle t'attend.

Guillemette le prit par la main et l'entraîna vers le lavoir. Tout le monde suivit. On ne voulait pas manquer le beau moment des retrouvailles.

Bertrande, restée seule dans la vapeur du lavoir, regardait venir le cortège, qui s'arrêta à une dizaine de pas. Martin alors s'avança seul, avec ses lourdes besaces et son gros bâton. Il s'avança et pénétra dans le lavoir en disant :

– Bertrande, c'est moi. Bonjour.

Elle ne lui répondit pas sur l'instant et recula de deux ou trois pas, les yeux fixés sur lui. Huit ou neuf années sans le voir, sans même avoir quelques nouvelles, et le voilà qui revenait. Bertrande ne savait trop que faire, surtout devant tous ces témoins qui l'épiaient.

Il s'avança presque timidement vers elle et dit :

– C'est moi, Martin.

En silence, face à face, ils se regardèrent un moment. Ils avaient trop à dire pour parler. Lentement, au milieu du lavoir, Bertrande s'agenouilla devant l'homme qui revenait, elle serra ses genoux dans ses bras et elle lui dit :

– Bonjour, Martin.

Il la releva doucement et la prit dans ses bras. Il l'enlaça sans une parole puis il l'écarta de lui, se pencha sur le côté pour bien la voir à la lumière et murmura :

– Mon Dieu, que ma femme est belle...

Elle lui souriait.

Alors il la prit par la main et ils revinrent vers les gens du village.

Au passage, sur le chemin de la maison, il chargea sur un de ses bras son fils Sanxi. Bertrande s'accrochait à son autre bras. Elle riait et pleurait à la fois.

Les cloches de l'église sonnaient à pleine volée.

En chemin ils furent rejoints par le curé – toujours le même, celui qui les avait mariés. Sa vue ne cessait de baisser et il tenait toujours à la main ses bésicles. Passant au milieu des gens, il s'avança vers Martin, le regarda et lui dit, heureux comme tout le monde :

– C'est un don de Dieu que tu sois de retour !

Avec les curés, tout est toujours un don de Dieu, ou bien le contraire, un effet de la colère de Dieu. N'aurait-il rien à faire que s'occuper de nous?

Toutes les langues se déliaient. Autour de moi j'entendais dire que Martin revenait des troupes du Nord, qu'il avait fait la guerre en Picardie, contre les Espagnols. Tout le monde le saluait de la voix et du geste. Il répondait à tous.

Soudain un homme de son âge se mit en travers de son chemin et lui cria :

— Ho, Martin!

— Ho!

— Tu me reconnais pas?

Martin fit un effort pour le reconnaître, puis :

— Non. Qui tu es?

— C'est moi, Nicolas.

— Ah, Nicolas... Je m'y perds, à tous vous revoir.

Sans lâcher son fils, assis sur son bras, Martin saisit Nicolas par les épaules et le secoua, tout en riant et lui disant :

— Sacré Nicolas. J'ai oublié l'ours depuis longtemps, tu sais. J'ai vu pire.

Il lâcha Nicolas et continua sa marche lente vers sa maison, portant son fils, tenant sa femme, entouré par la joie des siens. Je sentais mes yeux couverts de larmes chaudes. Cette joie n'était pas seulement la nôtre, je le sentais, pas seulement le bonheur d'une famille, le contentement des amis. C'était la joie de tout un village, de tout un pays, c'était la joie des arbres, des pierres et de la fontaine, la joie sans égale de la terre qui retrouvait son enfant perdu.

Le premier soir, il y eut grande veillée dans la maison des Guerre. Une bonne dizaine de voisins curieux vinrent grossir les rangs de la famille. Martin mangea et but avec avidité, l'estomac creusé par la marche et par le plaisir d'être là. Les autres mangeaient aussi en le regardant et en l'écoutant. Je crois bien que Pierre Guerre vit disparaître tout un jambon en une soirée, et deux ou trois barricots de bon vin.

Bertrande se tenait debout, près des sœurs de Martin. Tous les regards le fixaient.

Il commença par prendre dans une besace quelques tissus brodés, rapportés des Flandres, il donna le plus beau à sa femme, comme il est bien normal, les autres à ses sœurs et même à la servante Catherine. Il ne m'avait pas oubliée, là-haut, dans les grandes plaines froides du Nord.

Tandis que nous comparions nos tissus, il prit dans son autre besace un livre imprimé, avec des images qui représentaient des squelettes en train de danser, et le montra à Pierre Guerre. Celui-ci saisit le livre avec respect, le feuilleta du bout des doigts et demanda à son neveu, non sans quelque vieille méfiance :

– Tu as appris à lire ?

– Oui. Et à écrire aussi.

– A écrire ? demanda Bertrande.

Martin la regarda, la bouche pleine, et lui sourit en hochant la tête.

Elle regarda à son tour le livre illustré. Raymonde dit à Martin :

– Et qu'est-ce que tu as fait pendant tout ce temps ?

Il s'était levé. Avant de répondre, il resta un moment debout contre la cheminée, à contempler les flammes. Puis il dit, en revenant s'asseoir, le visage soudain plus sombre :

– J'ai fait la guerre. Je suis même allé en Espagne. Et puis j'ai eu envie de vous revoir, tous.

Augustin, le mari de Jeanne, demanda :

– C'est comment, l'Espagne ?

– C'est sec.

Martin donna un coup de poing sur la table, qui fit rejaillir des gouttes de vin.

– Et Paris? demanda ͠ne des sœurs. Tu as vu Paris?

– Oui. C'est grand, Paris. Il y a du monde partout et je m'y suis perdu. On y vole beaucoup, la nuit.

Il riait à chaque propos.

Chacun se plaisait à souligner combien Martin était devenu fort. A son départ, disait Raymonde, il n'avait pas encore poil en barbe. Et il ne buvait pas autant, disait un autre.

– Maintenant je bois comme un moine! s'écriait Martin en entrechoquant son gobelet.

Je le regardais de tous mes yeux et je me disais: quel étonnement, ce que la vie peut faire d'un homme. Il est parti craintif et peu aimé, tremblant devant son père, rêvant de traverser des montagnes nouvelles. Il revient homme fait, puissant, rieur. Il raconte ses aventures et chacun l'écoute, lui qui ne disait jamais rien, lui le cachottier, lui le solitaire. Est-il donc vrai, comme certains le disent, que les voyages forment l'intelligence et le caractère? Est-il vrai que la guerre, servante de la mort, peut apporter des lumières à toutes les choses de la vie?

Ou bien faut-il croire ceux qui disent que pierre qui roule n'amasse mousse, que les vents étrangers ne soufflent que malheurs et que mieux vaut rester à l'abri dans le trou qui nous a vus naître? C'est une ancienne discussion que nous nous tenons à la veillée. Chacun donne des exemples du pour et du contre. Selon les jours, mon opinion vacille. De toute manière, me dis-je pour finir, le problème ne se pose pas pour toi, Catherine Boëre. Née ici, tu mourras ici. Ta place est déjà tracée sous l'herbe du cimetière. Les voyages, bienfaits ou dangers, sont pour les autres, et tu ne dois te préoccuper que du coin de terre où la Providence t'a mise. En t'en allant, tâche de le rendre meilleur qu'il était quand tu l'as reçu.

Raymonde, un moment plus tard, monta pour préparer le lit dans la meilleure des deux chambres du haut, qu'on rendait ainsi à Martin. Celui-ci posait son regard heureux sur tout ce qui l'entourait, les objets, les meubles, les gens.

– Après la guerre, la paix, disait-il. Ça fait du bien de revenir chez soi.

Il se leva pour ouvrir un placard, paraissant chercher quelque chose.

– Qu'est-ce que tu veux? lui demanda Raymonde.

– Une chandelle.

– Elles sont là-bas, dit-elle en montrant un autre placard.

– Vous les avez changées de place?

– Non. Elles ont toujours été là.

– Alors j'ai oublié, dit Martin en se dirigeant tranquillement vers le placard indiqué par Raymonde.

Il alluma sa chandelle aux dernières flammes du feu.

Pierre lui demanda sérieusement:

– Tu es décidé à rester, cette fois?

– Oui, pour de bon. Je ne partirai plus.

– Tu seras besogneux?

– Je travaillerai avec vous, comme mon pauvre père aurait voulu.

Bertrande lui posa une main sur l'épaule et lui dit à ce moment-là:

– J'espère que cette fois tu feras un bon mari.

– Elle a beaucoup pleuré à cause de toi, ajouta quelqu'un.

Martin se mit alors en face de Bertrande et la regarda un moment, souriant. Elle souriait elle aussi, sans détourner un instant son visage. Chacun savait à quoi sans doute ils pensaient l'un et l'autre, au lit qui les attendait, aux draps propres et parfumés, à cette longue nuit que personne ne pouvait à présent leur voler.

Martin dit tout à coup :

– Bertrande, tu te rappelles? Va me chercher mes chausses blanches, que tu avais rangées dans le coffre, là-haut.

– Tu te souviens de ça?

– Bien sûr! Des chausses doublées de taffetas. Va me les chercher, si elles y sont toujours.

– J'y vais.

Chacun montrait quelque surprise de la mémoire du revenant et se disait : Faut-il que femme et maison lui aient manqué, pour qu'il se souvienne de tout!

Guillemette dit à Bertrande, qui passait près d'elle pour aller chercher dans le coffre :

– Tu as retrouvé ton sourire!

– Oui, dit Bertrande en souriant.

Elle se mit à grimper le long de l'escalier, puis elle changea soudainement d'idée, se retourna vers Martin et lui fit signe de venir la rejoindre. Tous les assistants regardaient en silence, et bien sûr avec une espèce d'envie. Nous sentions que le grand moment venait d'arriver, un moment qui n'était pas fait pour nous, qui leur appartenait tout entier, un moment mérité par toutes ces années d'absence et que Dieu lui-même ne songeait pas à leur enlever.

Martin alla rejoindre sa femme, qui lui tendait la main à mi-hauteur de l'escalier. Il prit cette main dans la sienne et devant tous les yeux ils montèrent ensemble.

On entendit qu'ils ouvraient le coffre, que Bertrande farfouillait sous les piles de linge et que, trouvant au fond les belles chausses de son mari, elle les lui tendait en lui disant :

– Elles sont toujours là. Comme moi, elles t'ont attendu. Tiens, prends-les. Tu les mettras dimanche.

Au bruit de leurs pas, on devinait alors qu'ils passaient dans la chambre, où un petit crucifix, placé par Raymonde, les attendait sur l'oreiller près d'une branche de buis bénit.

Je montai pour refermer le coffre, tandis que les voisins commençaient à sortir, en pensant déjà aux travaux de la première heure.

– Allez, disait quelqu'un, quand le merle retrouve son nid, la forêt ne dort pas de la nuit.

– Comme il a changé, Martin, disait un autre. (Et c'était l'impression générale.) Tu as vu ses bras? Et maintenant il a une voix d'homme.

Tous félicitaient Pierre Guerre d'avoir retrouvé des bras pour travailler – et quels bras! Certains regardaient encore le livre où des squelettes entraînaient vers la mort, en dansant, prélats, marchands et grandes dames.

– Puisqu'il est revenu, disait Pierre Guerre en saluant tous ceux qui se retiraient, que Dieu protège notre charrue!

Et tous de lui promettre abondance de biens.

Martin et Bertrande, au premier étage, avaient laissé la porte de leur chambre entrouverte. Je les aperçus au passage, debout l'un contre l'autre auprès du lit, serrés, enlacés.

– Combien de fois je t'ai voulu, disait Bertrande.

Et Martin répondit à voix basse, dans le cou de sa femme où il avait posé ses lèvres :

– Et moi, c'est pour toi que je suis là.

Je refermai doucement la porte.

J'eus le temps de voir que le crucifix et le buis

bénit ne se trouvaient plus sur l'oreiller. Une main les avait retirés prestement, pour les jeter sur le plancher, sous le lit. Dans ce geste que je devinai, quelque chose me chagrina, je ne sais quoi, et me fit une sorte de peur.

Le temps reprit sa marche, certains disent sa course. Les journées après les journées, les saisons suivant les saisons. Le grand événement qui nous avait secoués, le retour de Martin, s'oubliait petit à petit, comme si les années d'absence finissaient par ne plus compter. Tout rentrait dans l'ordre et ne bougeait plus. Martin retrouvait sa place naturelle à la maison et dans chaque travail des champs. D'ailleurs, il travaillait dur sans se faire prier, avec même de l'initiative. Tous devaient reconnaître que les terres des Guerre n'avaient jamais autant donné.

Avec Bertrande, il s'agissait d'un bon accord. D'un très bon accord cette fois. D'évidence il ne restait de l'aiguillette qu'un souvenir presque effacé. On entendait le bois du lit craquer presque toutes les nuits et dans la journée, quelquefois, ils s'en allaient en courant vers la rivière et disparaissaient un moment, pour revenir les joues un peu plus rouges. On voyait bien qu'ils se plaisaient ensemble, et moi j'aimais ce beau plaisir. L'absence ramenait un homme amoureux, bien débarrassé de toutes ses craintes, un homme solide et vivant. Toute la maison se ressentait de leur joie commune. Ils eurent d'abord un enfant qui ne vécut que quelques heures puis une petite fille qui se portait bien et qui est toujours vivante. Elle devait avoir onze ou douze mois au moment où les fameux événements se produisirent, ces événements que j'ai dû conter si souvent tout au long de ma part de vie.

Un jour, trois ans après le retour de Martin, des

vagabonds passèrent par le village et demandèrent asile. On leur accorda la grange des Guerre. Il y avait là un mendiant sommeillant, un colporteur d'images, de reliques, de clochettes bénites, et puis un soldat de misère, hâve et clopinant, qu'accompagnaient une femme vêtue de hardes et un gamin. Tristes gens de rien, sans autre patrie que la route, allant de pauvreté à dénuement, récriminant sans cesse contre le genre humain, auquel ils n'étaient point sûrs d'appartenir.

En compagnie de Martin, d'Antoine et du curé, j'allai dans la grange apporter aux manque-de-tout des écuelles et un peu de soupe où trempaient des morceaux de couenne. Le colporteur, les joues creuses comme la terre après l'orage, s'efforçait de rafistoler ses vieilles chaussures qui bâillaient. La femme, silencieuse, épouillait l'enfant qui geignait. Le soldat vautré dans la paille regardait toutes choses et gens, comme si la charité lui faisait peine.

Tout à coup il prit trois dés dans une de ses poches et les jeta sur le sol de la grange en disant à Martin :

— Une partie ?

Martin secoua la tête.

— Mais si, fit le soldat. Allez, juste une partie en quinze points.

— Non, non, moi je rentre. Je ne joue pas.

— Alors, dit le colporteur en exhibant sa marchandise, achète-moi une image de saint Roch ou une relique du bon saint François !

— Par le sang du diable, reprit Martin fort irrité (il était rare de le voir ainsi irrité, mais il est juste de dire que depuis son retour il jurait souvent), je n'en ai que faire, de tes reliques ! Nous avons le curé, ça suffit bien !

— Martin ! dit le curé en lui faisant les gros yeux,

car il n'aimait pas l'entendre jurer ou médire de la religion.

Martin baissa la tête, acheva de servir la soupe et ne dit plus rien. Antoine, en revanche, qui ne pouvait pas résister chaque fois qu'une occasion de mal faire se présentait, accepta la partie en quinze points avec le soldat maussade et béquillard. Et même le curé se laissa tenter. Les voilà qui renversent une comporte et qui se mettent à lancer les dés à tour de rôle. Le curé surveillait bien toutes les lancées avec ses bésicles, car il craignait les tricheries.

— En quinze points seulement, disait le soldat.

— C'est ça, en quinze points.

Martin sortit de la grange pour s'en retourner à la maison. Je remarquai avec quelle vivacité le soldat le suivait des yeux, tandis qu'il sortait. Et je me sentis prise d'une appréhension, sans savoir pourquoi.

Un moment encore je restai pour aider la femme à épouiller le gamin. Cette femme-là ne dit pas un seul mot. Peut-être une étrangère, ou une muette.

Soudain le soldat demanda au curé :

— C'est qui, celui-là?

— Qui?

— Celui-là.

Le soldat montrait du menton la porte de la grange, par où Martin venait de se retirer.

— C'est Martin, répondit le curé.

— Martin qui?

— Martin Guerre. Celui qui est parti et qui est revenu.

— Comme l'enfant prodigue, ajouta le colporteur.

Le soldat cessa de jouer pour un instant, réfléchit, se gratta la tête, puis il dit :

— C'est pas Martin Guerre, ça.

Quelque chose me traversa la tête et le corps à ce moment-là. Je m'arrêtai de soigner l'enfant et je gardai mes yeux fixés sur la terre de la grange. Le silence dura. On n'entendait plus rouler les dés. Puis le soldat répéta :

– C'est pas Martin Guerre.

Personne n'osait l'interroger. Il réfléchit puis il continua :

– Martin Guerre d'Artigat, je l'ai bien connu. Je l'ai connu à la bataille de Saint-Quentin. Même qu'il y a laissé une jambe.

Il fit un bruit avec sa bouche et il ajouta :

– Oui. Même qu'il y a laissé une jambe, à Saint-Quentin. Je crois bien que c'était la jambe droite. Coupée tout net par un boulet.

Alors le curé sembla se réveiller. Il s'écria :

– Mais si, c'est lui, Martin, le fils des Guerre. Je le connais bien, je l'ai marié !

– C'est pas Martin Guerre, répéta le soldat. Lui, c'est... Comment déjà ?

Il avala deux cuillerées de soupe, cherchant à se souvenir d'un nom.

– Je l'ai vu lui aussi à la guerre. C'est...

– C'est Martin ! dit Antoine. On est de la même famille !

– Mais non, c'est pas Martin, je vous dis, c'est...

Et tout d'un coup une lueur dans sa pauvre cervelle et il s'écria :

– C'est Pansette ! C'est ça, Pansette ! Il est du hameau de Tilh, par là-bas. C'est pas Martin, je le savais bien. Moi, j'ai la mémoire, pour les visages.

– Pansette ? demanda Antoine.

– Oui, Pansette. Je l'ai connu, lui aussi, en Picardie. Il était par là-bas, Pansette.

Il avala encore une cuillerée de soupe, puis il demanda :

– Mais qu'est-ce qu'il fait ici ?

46

Personne ne pouvait lui répondre. Le curé et Antoine se regardaient. Le colporteur finissait sa soupe dans un coin. Moi, je m'étais remise à trier les poux du gamin.

Depuis que Martin était revenu, revenu de loin, souvent le soir nous l'écoutions raconter ce qu'il avait vu. Je ne sais pas si tout ce qu'il disait participait de la vérité, quelquefois je me sentais peine à le croire, mais nous l'écoutions toujours de bon cœur. Même Sanxi restait là jusqu'à 10 ou 11 heures. Il mangeait son père des yeux quand celui-ci parlait de l'Espagne ou des autres contrées lointaines. Je me rappelle, par exemple – il nous le raconta au moins dix fois, avec des détails nouveaux qui faisaient rire et qui faisaient rêver –, je me rappelle l'histoire des Indiens qu'il avait rencontrés dans une foire, où on les exhibait. Deux hommes ramenés à travers les océans, venus des forêts profondes qui s'étendent là-bas, sur les terres nouvelles, deux hommes enchaînés qu'on faisait monter sur une estrade et qu'on obligeait à danser dans les villes froides du nord de la France.

– C'est à Arras que je les ai vus, disait Martin, deux habitants de la terre du Brésil, ils avaient la peau toute peinte avec des plumes sur la tête. Ces plumes, il paraît qu'ils en sont fiers comme nous d'un habit de soie. On dit que chez eux ils vont aussi nus qu'au sortir du ventre de leur mère.

– Tout nus ? demandait quelqu'un qui ne pouvait pas croire une chose pareille.

– Tout nus.

– Même les femmes ?

– Même les femmes.

– Mais c'est Cocagne, ton pays ! disait Antoine, ou bien un autre.

– Quand ils font des prisonniers à la guerre,

continuait Martin, ils les sacrifient et mangent leurs
cœurs, et les prisonniers tiennent cette mort pour
heureuse et digne.

– Mais ce sont des humains? demanda Bertrande
une fois. Ils ont une âme?

– Les moines disent que oui. Oui, il paraît que ce
sont des humains et qu'ils ont une âme comme
nous. Mais on raconte que dans certaines tribus ils
mettent leurs terres et leurs femmes en commun, et
que dans d'autres, c'est les femmes qui font la
guerre et décident de tout!

Des éclats de voix et des rires accueillaient ce
genre d'affirmation et il se trouvait toujours quelqu'un pour dire, soit parmi la famille, soit parmi les
voisins qui venaient écouter Martin :

– Ici, le jour où les femmes commanderont, ce
sera la fin du monde!

Ce qui mettait tout le monde d'accord.

Un soir, deux ou trois jours après le passage du
soldat, Martin sortit avec Bertrande. Il leur prenait
envie quelquefois de descendre jusqu'à la prairie,
les nuits d'été, et de s'asseoir côte à côte dans
l'herbe en regardant les étoiles. Bertrande me rap-
portait presque toujours ce que Martin lui racontait, ces nuits-là. Il disait par exemple que dans tous
ses déplacements, de l'Espagne aux Flandres, il
avait toujours vu les mêmes étoiles, mais des navi-
gateurs affirmaient qu'en se dirigeant toujours vers
le sud, une fois passé le ventre de la terre, on voyait
surgir d'autres astres, qui agrandissaient le ciel déjà
si vaste.

Bertrande et Martin, certaines nuits, voyaient
fumer le cercle des fées, tout en bas de la prairie.
De la vapeur blanche semblait monter de la terre et
former une large couronne de brume, lentement
balancée par les courants d'air de la nuit. Les
vieilles gens disaient aux enfants, qui faisaient sem-

blant de les croire, que cette couronne de vapeur blanche annonçait la venue des fées, qui tenaient conciliabule dans la prairie, au milieu du cercle. Ces fées, jamais personne n'a pu les voir, ce qui ne veut pas dire qu'elles n'existent pas. Mais peut-être, si elles existent, si elles se réunissent dans la prairie, peut-être n'ont-elles aucune espèce de souci pour le genre humain, qu'elles laissent à l'abandon, ne se préoccupant que des délicats problèmes des fées et des autres créatures de la nuit.

Ce qu'il y a de sûr, c'est qu'au retour de leurs promenades Bertrande enlevait des brins d'herbe de sa coiffe et du dos de sa robe. Un bon accord, je l'ai déjà dit, qui sautait aux yeux. Les sourires en dessous et les plaisanteries ne leur manquaient pas, mais tout les laissait dans l'indifférence. Ne comptait pour l'un que l'avis de l'autre.

Un soir donc, après le passage du maudit soldat – le diable n'aurait pas pu lui prendre l'âme, à Saint-Quentin? –, Antoine racontait à Pierre Guerre, lequel, je m'en souviens, remplaçait les dents d'un râteau, lui racontait les derniers enflements de cette incroyable rumeur :

– On dit qu'il serait du Tilh, qu'il s'appelle Arnaud. On le surnomme Pansette. Tout le monde le connaît sous le nom de Pansette et le tient pour un pas grand-chose. On dit aussi que Martin serait toujours vivant, mais avec une jambe en moins.

Pierre Guerre resta silencieux un bon moment, tout attentif à son travail. On le voyait réfléchir, et tout le monde comprenait l'importance de ce qu'il allait dire.

Finalement il demanda :

– Il venait d'où, ce soldat?

– Des garnisons de Picardie, répondit Antoine.

Encore un silence chez Pierre, qui arrangeait les

dents de son râteau, puis il dit de sa voix calme et grave :

– Il ne faut pas croire ce que racontent les étrangers, ni les ivrognes, ni les coquins.

Nous ne pouvions qu'approuver cette déclaration de Pierre. D'ailleurs tout le monde se sentait un peu soulagé qu'il ait choisi de défendre Martin. Moi la première, je ne mesurais pas ma joie, je m'en souviens. Je dis même aux sœurs de Martin :

– Votre oncle a raison. A beau mentir qui vient de loin.

Pierre se leva et posa son râteau contre le mur. Il nous regarda tous un après l'autre. J'allai recouvrir les cendres dans la cheminée, pour conserver la braise jusqu'au lendemain. Jeanne commençait à éteindre les chandelles. Pierre dit encore :

– Nous, on le connaît bien, Martin.

Malgré l'assurance de son attitude et de ses paroles, je le sentais inquiet à l'intérieur. Il se donnait l'air d'affirmer et cependant je peux dire que quelque chose le tourmentait secrètement. Un poison s'était faufilé dans la maison, dans la famille. Pierre Guerre sentait l'odeur de ce poison autour de lui (en lui peut-être) et s'efforçait de la chasser, en l'ignorant. C'est pourquoi ce soir-là il dit encore, avec un effort de fermeté :

– Si quelqu'un le connaît bien, c'est nous tous.

Ce qui mit fin à la veillée.

Bertrande me raconta, le jour suivant, tout apeurée, que deux hommes du village, dissimulés sous des branches et des feuilles, les avaient attaqués cette nuit-là dans la prairie. L'un des deux n'était autre que Nicolas, qui criait sans vergogne :

– Alors, Pansette ? Qu'est-ce que tu fais par ici, hein, Pansette ? Tu cherches ton chemin ? Tu repars quand ?

Martin se précipita sur les deux hommes et réussit à culbuter Nicolas sur le sol.

– Ah, c'est toi! Ça ne m'étonne pas! dit-il en le reconnaissant.

Nicolas se dégagea avec l'aide de son compère. Remis debout, les deux hommes se reprirent à invectiver Martin, comme voleur en foire:

– Alors, hein, Pansette? Tu t'es pas trompé de village? Tu es sûr que tu as frappé à la bonne porte? Elle te plaît, ta maison, au moins? Et ta femme, elle te plaît aussi sans doute? Sinon, tu serais déjà reparti! Sacré Pansette!

Et comme Martin se démenait toujours et les jetait par terre à tour de rôle – mais l'un se relevait comme l'autre tombait, Bertrande restant à l'écart – ils disaient encore en riant comme des loups:

– Ah, qu'il est fort, Pansette! C'est pas comme ton Martin, hein, Bertrande? Ça au moins, c'est un homme! Ça doit être bon de l'avoir dans un lit tout chaud!

– Fichez-nous la paix! criait Martin.

– On s'en va, on s'en va. On a dit ce qu'on avait à dire. Allez, adieu, Pansette! Tu as bonne mine mais mauvais jeu. Méfie-toi!

Martin fit semblant de les poursuivre. Ils disparurent en courant dans la nuit, sautant par-dessus un petit mur de pierre.

Bertrande, le cœur tremblant, se jeta dans les bras de Martin. Elle ne savait qu'imaginer. Pansette? Pourquoi Pansette? Elle évitait de poser des questions. Quelles questions d'ailleurs? Qu'est-ce qui troublait le village, depuis le passage de ce soldat? Après trois ans de vie heureuse, quelle tempête s'annonçait? Quelle toile obscure tissait le diable?

Souvent, jusqu'à 2 ou 3 heures du matin, Bertrande et Martin gardaient la chandelle allumée dans leur chambre. Et quelquefois je les entendais parler, à voix rapide, en pleine nuit.

Ce fut une semaine plus tard, pour les fenaisons, que, profitant d'une pause, au pré de l'Hortdescamps, Martin s'approcha de son oncle et lui dit :

– Il faudra me rendre mes comptes un de ces jours.

– Quels comptes ?

– Ce que mon bien vous a rapporté pendant que je n'étais pas là.

– De quoi tu me parles ?

– Quand je n'étais pas là, vous vous êtes occupé de mon bien et je vous en remercie. Mais ça a rapporté, pendant huit ans. Je sais compter. Maintenant j'ai besoin de cet argent. J'ai calculé, à peu près. Vous me devez plus de six mille livres.

Plus tard, au procès, on devait parler et parler de cette réclamation de Martin. D'abord, l'avait-il vraiment faite *après* le passage du soldat ? Sur ce point, j'affirme que oui. Et Bertrande est de mon avis. Au moins dix jours après le soldat.

Certains ont trouvé cette réclamation maladroite. Ils ont dit que Martin mettait le feu aux poudres et qu'il aurait mieux fait d'attendre, de laisser venir. D'autres pensaient au contraire que Martin se montrait habile, que d'un seul coup il forçait la situation à s'éclaircir, qu'il mettait son oncle au pied du mur et que de toute manière il avait pleinement raison de demander versement de ses droits.

La querelle de l'Hortdescamps fut des plus violentes. Pierre Guerre répliqua tout de suite :

– Tu oses me demander des comptes, à moi ? Moi qui ai élevé ton fils pendant que tu te promenais ! Moi qui ai nourri et protégé ta femme ! Moi qui t'ai accueilli à ton retour, et qui t'ai pardonné !

Pierre Guerre parlait haut et fort. Mais il avait en

face de lui un homme mûri par les voyages qui ne voulait pas s'en laisser conter et qui répliquait, plus fort encore :

– Vous n'avez fait que votre devoir ! Moi j'étais à la guerre, j'ai droit à ce que mon bien a rapporté !

– Tu n'as aucun droit puisque tu es parti !

– Si fait, j'ai la loi pour moi et je le sais ! Je me suis renseigné et j'irai devant la justice s'il le faut !

– Devant la justice ? Tu veux aller devant la justice ?

– Oui ! Et je vous ferai condamner !

– Tu menaces ton oncle, maintenant ?

– J'en ai besoin, de cet argent, et tout de suite !

– Et pour quoi faire ?

– Je veux vendre le pré de la Croix d'Or et acheter aux Pujol celui du Bouriech, pour le mettre en orge.

– Tu veux vendre le pré de la Croix d'Or, hein ?

Martin venait d'asticoter la corde la plus sensible de Pierre Guerre, qui ne pouvait pas supporter la simple idée de vendre un arpent. Martin avait raison, pourtant, me semblait-il.

– Il est trop en pente, ce pré, la terre y tient pas.

– Eh pardi ! s'écria Pierre Guerre. Tu commences à dilapider notre bien ! Mais je m'y attendais, je te sentais venir depuis longtemps, ça ne m'étonne pas ! Et je te préviens : Martin ou pas Martin, ça ne se passera pas comme ça !

– Qu'est-ce que vous dites ?

Emporté par la querelle au delà de toute raison, Pierre venait de prononcer quelques mots dangereux : Martin ou pas Martin. Ça montrait qu'il se trouvait au courant des rumeurs et même qu'il ne les rejetait pas d'un seul coup d'épaule, comme il aurait dû.

Martin blême répéta :

– Qu'est-ce que vous avez dit? Dites-le encore pour voir!

En même temps il se jetait sur son oncle et le prenait des deux mains à la gorge. Ils tombèrent sur les épis coupés. Antoine et Augustin accoururent pour les séparer. Ils criaient, ils s'insultaient, il se distribuaient des coups de pied, des coups de poing.

De nouveau la discorde dans la famille. Et cette fois au plein cœur des hommes. Pendant des jours et des jours, au repos comme au travail, Pierre et Martin n'arrêtèrent pas de se disputer et de se frapper, si bien qu'on ne pouvait les laisser seuls. Martin réclamait l'argent rapporté par son bien, Pierre refusait net et répétait ses malveillances, ajoutant par exemple : « Qui me prouve que tu es mon neveu? Tout ce que tu veux, c'est notre argent, et avec notre argent, nos terres! D'où viens-tu, va-nu-pieds? Et sur quels naïfs croyais-tu tomber? »

A longueur de journée, Pierre se rendait chez l'un et chez l'autre, il disait que Martin n'était pas son neveu, qu'il s'agissait d'un fourbe, d'un imposteur. Au début, comme tout le monde au village, les bonnes manières et la belle faconde du nouvel arrivant l'avaient séduit. Séduit et trompé, comme Raymonde, comme Bertrande. Maintenant, depuis le passage du soldat, le masque du simulateur gisait à terre et Pansette apparaissait le visage nu, montrant sa cupidité et son ambition.

Cependant les gens du village ne l'entendaient pas tous de la même oreille. Ils connaissaient bien Pierre Guerre, sa rudesse et sa ladrerie. Ils lui faisaient remarquer qu'il avait attendu les réclamations de Martin touchant son dû pour mettre en doute sa personne et le renier comme son neveu. Cela paraissait suspect à plus d'un. Peut-être saisissait-il le premier prétexte – les divagations d'un soldat vagabond – pour se débarrasser d'un gêneur. Jusque-là, tant que Martin ne réclamait rien, il l'avait accueilli et même défendu.

Quelques semaines, deux mois peut-être après les fenaisons, alors que toute la famille foulait aux pieds le raisin de septembre, une discussion générale opposa sur la place deux groupes de personnes, les partisans et les adversaires de Martin. Déjà le village se partageait, non pas selon les convictions (à quelques exceptions près, je l'accorde), mais simplement selon les sympathies.

Le Grêlé, par exemple, celui qui le premier avait reconnu Martin à son arrivée, disait à Pierre Guerre :

– Mais quand il est arrivé, nom de Dieu, tu l'as reconnu, toi aussi! Tout le village l'a reconnu!

– Et vous l'avez accueilli, ajoutait un autre. Regardez Bertrande, elle ne se plaint pas!

Bertrande se trouvait là, en train de fouler dans une autre cuve, avec Jeanne et Guillemette. Elle gardait la tête basse, comme tout entière dans son travail, et ne disait rien.

– Elle a même jamais été aussi jolie! disait en riant une autre femme.

Il faut dire que depuis quelques semaines les quolibets les plus violents, à toute occasion, tombaient sur Bertrande. Question de jalousie, au fond, d'envie noire. Elles en crevaient toutes, de voir un couple heureux. Aussi se moquaient-elles de Bertrande chaque fois qu'elles pouvaient, au lavoir comme à la fontaine, parlant de Pansette qui faisait si bien jouir les belles, de Pansette le courailleur, la fine langue, qui avait su trouver le nid de ses rêves et n'en partirait pas pour l'empire des Turcs.

Une fois même Bertrande se fâcha et dit tout fort :

– La première qui dit que ce n'est pas Martin, je la tue !

Bref, ce jour-là, pendant le foulage du raisin (et en l'absence de Martin qui coupait du bois à Roussas), Pierre Guerre soutenait une discussion générale. Comme il était malin, sous son air farouche et malaisé, il s'en tirait sans trop de peine. Raymonde sa femme l'aidait. Tout de suite, après la querelle au sujet des six mille livres, elle s'était mise du côté de Pierre, fermement, à perdre son âme.

– Quand il est revenu, disait Pierre aux gens du village, il était parti depuis bien longtemps ! Et si on s'était tous trompés, hein ? Vous y avez songé ? Et puis il avait bien changé, oui ou non ? Reconnaissez au moins qu'il avait bougrement changé ! Tout le monde l'a dit !

– Alors pourquoi on l'a reconnu, s'il avait changé ?

– Celui qui sait lire et écrire, disait Raymonde, peut bien être capable de toutes les malices.

Certains se mettaient de leur avis, disant qu'on ne prend jamais trop de précautions contre les rusés et que les astuces des malfaisants sont comme une corde sans fin.

D'autres au contraire s'opposaient à Pierre Guerre. Le cabaretier lui disait par exemple :

– Avoue-le, ça t'écorche, de lui donner son argent ! On te connaît, rapiat comme personne ! A moi, tu me dois encore trois livres !

– Et depuis quand je te les dois ?

– Depuis Pâques.

– Je t'ai signé un papier, par hasard ?

– Non, tu es bien trop malicieux pour ça.

– De ce point de vue-là, il ne changera jamais, disait à son tour le Grêlé.

Ce à quoi Pierre répliquait :

– Je l'ai tout prêt, l'argent. Oui, les six mille

livres, je les ai. Mais je vous le demande : et si c'est pas lui? Hein? Si c'est pas lui? Qu'est-ce que je répondrai à mon vrai neveu, quand il reviendra et qu'il me demandera son argent? Mettez-vous un moment à ma place au lieu de toujours m'insulter!

Et il ajoutait, habile comme un confesseur :

– Et puis, méfiez-vous, vous aussi! Oui, méfiez-vous! Après moi, ce sera peut-être votre tour! Il vous torchera le cul à tous et il vous prendra votre chemise!

Cette menace provoqua un grand silence sur la place. On n'entendait plus que le bruit du raisin écrasé et du moût coulant dans les cruches.

Pierre était lancé :

– Il vous plumera et il repartira! En vous laissant les yeux pour pleurer. Oh, il saura bien le trouver, votre argent, où qu'il soit caché! Il vous laissera nus comme des vers! Comme ça vous la connaîtrez, cette race d'hommes!

Bertrande s'arrêta sur-le-champ de travailler, essuya ses jambes pleines de jus de raisin et abaissa sa robe. Elle semblait bouleversée et Guillemette, qui se trouvait tout près d'elle, l'imitait au moindre geste. Elles sortirent toutes les deux de la cuve, malgré Pierre Guerre qui leur criait :

– Bertrande! Guillemette! Le travail n'est pas fini!

Elles s'en allèrent bien droites et juste avant de quitter la place Bertrande se retourna pour dire à très haute voix :

– Mon oncle, vous me faites honte!

Je pensais de même.

Une semaine plus tard, alors que les esprits du village s'échauffaient tant et plus, chacun prenant parti de plus en plus nettement, ce qui entraînait des brouilles au sein des familles, brusquement Pierre Guerre parut changer d'avis et céder aux justes demandes de Martin. L'accostant un jour dans la rue, devant le monde, il lui dit :

– J'ai à te parler.

– Qu'est-ce que vous voulez? demanda Martin, qui se tenait sur ses gardes, le visage attentif et fermé.

– J'ai réfléchi, viens.

– Où ça?

– Viens, je te dis.

Ils s'éloignèrent tous les deux et firent quelques pas dans la rue, cibles de maints regards curieux. Quand ils furent à peu près seuls (c'est une scène à laquelle je n'ai pas assisté, je la reconstitue selon ce que Bertrande m'a raconté), Pierre lui dit avec un vrai sourire :

– Tu as raison, tu sais. Je t'accorde que tu as raison. On va en finir avec cette histoire, j'ai réfléchi.

– Et alors? demanda Martin.

– Alors écoute-moi : l'argent, je l'ai. Je te le dois et je vais te le donner.

– Quand?

– Tu sais où ton père le cachait, l'argent?

Martin réfléchit un instant et répondit :

– Non. Je n'en sais rien. Il ne me l'a jamais dit.

– C'est dans la grange, au-dessus de l'écurie, reprit Pierre Guerre. Sois-y demain au chant du coq. Je te donnerai ce qui te revient.

Il confirma ses dires avec deux claques sur les larges épaules de Martin, qui le regardait avec défiance, puis il recommanda :

– Et ces choses-là, ça reste entre nous.

Martin promit le secret. Il n'en parla même pas à Bertrande. Celle-ci me paraissait de plus en plus sombre et inquiète. Depuis son algarade avec Pierre, le jour du foulage, elle marchait presque toujours la tête basse et ne parlait que rarement, quand nécessaire. J'essayais de lui remonter les humeurs, je lui répétais que toutes ces calomnies s'envoleraient comme brouillard au grand soleil d'été, mais je n'étais pas assez convaincue pour la convaincre. Je sentais bien que le ver qui rongeait le fruit grossissait d'heure en heure, et que bientôt rien ne pourrait le tuer.

Assez souvent dans la journée elle se rendait à l'église, quoique je l'eusse mise en garde contre le curé, et elle écoutait ses remontrances. Depuis quelques semaines le curé se déclarait ouvertement contre Martin et le traitait presque publiquement d'imposteur, pour la simple raison qu'il ne l'aimait pas. Bien entendu il ne perdait aucune occasion, en confession ou ailleurs, d'en parler à Bertrande. Il lui représentait le pire côté des choses, lui disant par exemple :

— Tu sais que si cet homme n'est pas ton mari, tu vis en état de péché mortel depuis trois ans? Tu sais que tu es en train de te damner?

Dans nos campagnes on a l'habitude de la mort rapide. Une fièvre vous saisit, sans savoir pourquoi, et vous emporte en quelques jours. Ou bien alors c'est un accident, une chute d'un arbre, une noyade ou un coup de pied de cheval. Il faut toujours avoir l'âme prête à la mort. Pour une personne vraiment pieuse, il n'y a pas de plus grand danger que de vivre en état de péché mortel, avec cette menace de mourir à chaque instant et de se voir précipiter dans les ténèbres ardentes, pour y souffrir mille morts à jamais. Le curé connaissait bien cette peur que nous avions tous. Il en jouait avec une grande habileté quand il disait à Bertrande (une fois je l'ai entendu, à l'église) :

— Tu sais que si tu meurs tu suivras cet homme jusqu'au fond de l'enfer? Et tu sais ce que c'est, l'enfer? Tu y as songé? Là-bas les pleurs ne servent à rien, ni les plaintes, ni les remords. Personne ne t'entend gémir, pas même Dieu. Ta peau brûlera, tes yeux tomberont. Tes membres seront perpétuellement rôtis et cassés. Chaque jour ils repousseront pour souffrir de nouveau. Là-bas on ne voit rien. Là-bas il n'est plus temps de faire pénitence. Tu n'as pas peur, Bertrande?

Elle hochait la tête. Elle tremblait. Qui n'aurait pas eu peur, à sa place? Et le curé continuait:

— Par moments il me semble que tu as des doutes, toi aussi. Si c'est vrai, si tu te poses des questions sur cet homme qui vit avec toi, alors pourquoi tu ne m'en as jamais parlé en confession? Tu aurais dû le faire, au moins pour te soulager, pour montrer au Seigneur ta bonne foi, ta sincérité de cœur. Tu es sûre que tu ne me caches rien?

— Non. Je vous ai tout dit.

— Méfie-toi, Bertrande, du jour où les morts viendront chercher les vivants, pour le Jugement!

Il prenait sa grosse voix, pour dire ça. Il montrait même les peintures de diables qui sont sur les murs de l'église, de vieilles peintures rouges qui effrayent les petites filles et les obligent à fermer les yeux, le dimanche.

Heureusement, malgré ses craintes bien naturelles, Bertrande possédait une âme ferme. Jamais elle ne plia. Jamais elle n'admit publiquement que des doutes l'avaient troublée. Elle continuait de dire que Martin était bien Martin, son mari, et qu'elle le savait mieux que personne.

Moi je lui disais, pour la consoler:

— Il faut vraiment que les gens n'aient rien dans le crâne pour raconter des histoires pareilles. C'est tous des envieux.

— De nous voir contents tous les deux, ça les fait pisser du vinaigre.

On ne parlait plus que de nous, comme si le problème de la famille Guerre avait envahi, avait accaparé Artigat. On en parlait même dans d'autres villages, tout autour, et chacun donnait son avis. Seul Martin gardait son calme, continuant à affirmer que les esprits se calmeraient, que les choses s'arrangeraient d'elles-mêmes. Au soir de sa rencontre avec Pierre Guerre, après que celui-ci lui eut promis l'argent du bien, Martin se sentait même complètement rasséréné. Il estimait partie gagnée. Dans la chambre, il fabriquait de l'encre, avec des produits achetés à un colporteur, et il apprenait l'écriture à Bertrande.

Il lui saisissait doucement la main droite, y glissait une plume d'oie trempée dans l'encre. Puis, lentement, avec des gestes tendres et doux, il plaçait la main de sa femme dans la sienne en lui disant (ils faisaient plaisir à voir à ces moments-là) :

– Tiens, donne-moi ta main. Laisse-toi guider.

Elle se laissait guider. Sa main, emprisonnée dans la main de Martin, traçait des caractères sur une feuille de papier placée devant eux, sur la table. Très lentement quelque chose naissait. Je m'approchai pour contempler les signes et je demandai à Martin :

– C'est son nom ?

– Oui, répondit Bertrande avec fierté, toute souriante. Oui, c'est mon nom.

Le lendemain, Martin sortit au chant du coq, comme convenu. Son oncle l'attendait déjà dans la grange, sur l'écurie. Lui montrant du doigt un vieux coffre posé contre le mur, il lui dit :

– Tu vois, c'est là-bas. L'argent y est, très bien compté. Tu peux le prendre.

Martin s'avança, confiant, vers le coffre quand

soudain surgirent de la paille deux hommes armés de fléaux, qui lui barrèrent le chemin. L'un n'était autre qu'Antoine, fils de Pierre, et l'autre Nicolas, le chenapan, toujours prêt pour les mauvais coups.

Martin se trouvait encerclé par les trois hommes, sans rien pour se défendre. Antoine lui disait méchamment :

– Ah, tu le réclamais, hé? Tu le voulais, ce qu'on te devait? Eh bien tu vas l'avoir, ton argent! Tu vas l'avoir comptant! Comme ça, tu ne le réclameras plus!

Martin, agile et fort, essaya d'échapper à la bastonnade. Mais les deux autres le frappaient de mille coups, sur les épaules, sur le dos, sur le ventre. Pierre Guerre les encourageait de la voix :

– Frappez fort, vous autres! Tu vas voir un peu, tu vas être servi, Pansette! Ça te fera regretter de t'être arrêté par ici! Allez, frappez! Il a la peau dure, cet animal!

Martin se mit à crier, tout en voulant toujours se défendre. Il tomba, se releva, réussit à saisir l'un des fléaux et à faire choir Nicolas. Ce voyant, Pierre Guerre, pris d'une véritable rage, alla décrocher une pioche à deux dents. Il la tenait déjà au-dessus du corps de Martin retombé à terre, quand Bertrande, éveillée par les cris, fit irruption dans l'écurie, en chemise de nuit, et se jeta sur le corps de son mari pour le protéger de la pioche. Les dents s'immobilisèrent à peu de distance de sa nuque.

Plus tard, au cours du procès, on demanda à Bertrande si Pierre Guerre, ce jour-là, avait l'intention de tuer Martin.

– Oui, répondit-elle, sans aucun doute. Sans mon arrivée, ils le tuaient.

– Et vous étiez prête à mourir pour lui? demanda un des magistrats.

– Oui, pour le protéger.

– Alors, expliquez-moi une chose, dit ce même magistrat, qui s'appelait Jean de Coras. Vous avez défendu votre mari. Même au péril de votre vie. Alors, quand Pierre Guerre a porté plainte contre lui, pourquoi n'avez-vous rien dit?

Bertrande hésitait à lui répondre.

– Vous auriez dû protester! Aller voir le juge de Rieux! Dire à tout le monde : cet homme est mon mari, j'en suis sûre! Au lieu de ça, vous n'avez rien dit. Pourquoi?

Ah, c'était bien la question que tout le monde se posait. Quelques jours après la bataille dans l'écurie, où Bertrande sauva Martin de justesse, Pierre Guerre prit une mule et se rendit à Rieux, où il porta plainte devant le juge. Il porta plainte pour usurpation, vol et détournement, adultère, concubinage, dilapidation et que sais-je encore. Un juge d'un certain âge vint de Rieux et s'installa à Artigat. Il organisa sa procédure dans le cabaret, qu'on transforma en cabinet de juge, et là il commença ses interrogatoires. Tous les gens du village défilèrent devant lui, portant témoignage pour ou contre Martin, enfermé pendant ce temps dans une remise. Et personne ne voulut démordre de son jugement. Pour les uns, qui connaissaient Martin depuis l'enfance, comme Jacques et André le Grêlé qui les premiers le saluèrent à son retour, c'était Martin sans l'ombre d'un doute, le véritable et unique Martin, leur camarade et leur ami. Pour moi aussi, qui l'avais langé et bercé, qui l'avais bordé le soir de ses noces, pour moi aussi c'était Martin, sans une hésitation possible.

Pour d'autres, pour le curé par exemple, pour le cordonnier, ou pour Nicolas (mais celui-ci, je le savais poussé par la malveillance), ce n'était pas Martin. C'était un imposteur, un certain Arnaud du Tilh, surnommé Pansette, qui avait avec impudence pris lieu et place du vrai Martin. Fausseté qu'ils soutenaient devant le juge avec bec et ongles.

Quant à Bertrande, j'avoue qu'elle m'a étonnée. Sur le moment je n'ai pas bien compris sa réaction. Elle n'a rien dit. Elle a laissé faire. Quand le juge venu de Rieux l'a interrogée, elle a répondu de son mieux, essayant de se rappeler faits et dates, depuis son enfance, sans oublier le mariage, l'aiguillette et la Chandeleur. Elle a donné tous les détails et pourtant, comme le remarquait le magistrat, elle n'a pas hautement protesté. Je connais maintes surprises que nous vaut la faiblesse humaine, je sais toutes les misères et toutes les frayeurs qui tiennent à la condition des femmes, puisque je suis femme moi-même, mais je croyais Bertrande plus forte et mieux décidée. Elle me laissa vraiment confuse. Ce n'est que beaucoup plus tard, comme on le verra, que je compris, ou crus comprendre, certaines raisons de son attitude.

Bref, quand le magistrat, complétant son interrogatoire, lui demanda si elle avait douté, elle aussi, elle hocha affirmativement la tête.

— Mais comment, vous, avez-vous pu douter?

— Un moment, je me suis troublée, j'ai été hésitante... Je me suis dit...

— Parlez plus fort.

Les mots lui venaient difficilement. Elle ne pouvait pas parler, comme si elle avait de la peine à comprendre elle-même sa propre attitude.

— Je me suis dit : il se peut qu'il me trompe, moi aussi. Qu'il me charme comme les autres, qu'il m'ait aveuglée depuis le premier jour. Il se peut que ma fille soit une bâtarde. Que je vive vraiment dans le péché. Que je meure, que j'aille en enfer. Oui, oui, j'ai douté.

Il faut que je dise un mot de ce magistrat, Jean de Coras, Conseiller au Parlement de Toulouse. Un

64

personnage fort important, qui arriva un beau matin à Artigat en grand équipage, précédé d'un écuyer qui criait : « Place! Place! » et suivi d'un autre qui transportait le fauteuil particulier du magistrat, un fauteuil qui se démontait et se remontait.

Ce Jean de Coras, bel homme à la barbe noire et bien taillée, l'œil vif, curieux et pourtant important, vint à la demande du juge de Rieux qui s'était lamentablement embrouillé dans ses interrogatoires, au point de ne plus rien comprendre à toute l'affaire. Cette affaire changea donc de mains, si l'on peut dire, et le Parlement de Toulouse décida de s'en occuper. D'où l'envoi de Coras, qui reprit toute l'enquête au commencement.

Il comprit assez vite, car c'était un homme à l'esprit clair, qu'il ne changerait strictement rien aux convictions, aux certitudes et aux partis pris des uns et des autres. D'ailleurs, ce n'était pas son intention. Son vrai désir, comme il devait l'assurer à plusieurs reprises, n'avait que la vérité pour dessein. Démêler l'écheveau des affirmations et des négations, il n'y songeait pas. Il savait la chose impossible. Mais trouver la petite porte et le couloir étroit qui conduisent à la lumière, il ne rêvait que de cela.

Presque à son arrivée, il sentit que le secret de cette histoire se trouvait dans le cœur de Bertrande. Aussi s'attacha-t-il à elle plus qu'à tout autre personnage. Il réussit d'abord, comme je l'ai dit, à lui faire avouer qu'elle avait douté, elle aussi, qu'elle avait parfois frissonné de peur à l'idée de vivre dans le péché, qu'elle s'était crue séduite et abusée par artifice, craintes et doutes qui expliquaient peut-être son absence de réaction lorsque Pierre Guerre prévint la justice.

En poursuivant son interrogatoire, le Conseiller Coras lui demanda :

– Et maintenant, vous doutez encore?

– Maintenant, non. Je ne doute plus.

– Alors il est votre mari, oui ou non?

– Oui. Je dis que oui.

Réponse haute et claire, à laquelle le puissant magistrat ne vit aucune faiblesse. S'adressant au juge de Rieux, il lui demanda:

– Et le mari, que dit-il?

– Evidemment, il dit la même chose. Il dit et il répète qu'ils sont vraiment mari et femme. C'est pour ça que j'ai porté l'affaire devant le Parlement. Nous autres, on ne s'y reconnaît plus.

Le curé fit alors son entrée dans le cabaret où se déroulaient les interrogatoires, et dit que les habitants d'Artigat se trouvaient tous – à l'exception de quelques infirmes et impotents – réunis sur la place du village, à la disposition du Conseiller.

– Venez avec nous, dit celui-ci à Bertrande.

Et tous sortirent.

En effet nous étions tous là, au soleil. Le Conseiller et le juge de Rieux, qu'accompagnaient un vieux greffier et quelques hommes d'armes aux moustaches protubérantes, traversèrent la petite foule rassemblée, bien silencieuse.

Chacun comprenait l'importance de ce moment. Personne ne songeait à discuter l'autorité du magistrat venu de Toulouse, un homme qui connaissait les détours des lois comme ceux des cœurs, et qui posait aux hommes et aux femmes des questions précises et inattendues.

D'abord on fit sortir Martin de l'étable où on le gardait depuis le début de l'enquête. Son premier regard, quand on ouvrit la porte, se posa sur le Conseiller Coras qui se tenait en face de lui. Les deux hommes se voyaient pour la première fois.

Coras dévisagea Martin pendant un moment, de son œil perçant et pourtant calme, puis il dit :

– C'est toi, Martin Guerre ?

– Oui, c'est moi.

– Tu es bien sûr ?

– Un Martin Guerre, à part moi, je n'en connais pas d'autre.

Martin répondait avec calme et assurance, regardant bien en face le magistrat vêtu et coiffé de noir.

– Avance, lui dit Coras.

Martin s'avança sur la place au milieu de tous ses amis et connaissances qui le regardaient passer en silence. Il parvint à quelques mètres de l'endroit où se tenait toute sa famille réunie. Alors Pierre Guerre, qui semblait hors de lui, fit quelques pas en avant en direction de son neveu et lui cria :

– Tu vas avoir ce que tu mérites ! Tu n'es qu'un imposteur ! Tu nous as tous trompés !

Martin n'était pas homme à se laisser attaquer publiquement sans riposter, d'autant plus qu'il avait la langue pendue comme un marchand de drap.

– C'est vous que la justice saisira ! s'écria-t-il. L'imposture ne vient que de vous ! Vous allez voir quel gibet vous attend !

– Je dis la vérité et tu le sais ! repartit alors Pierre Guerre. Tu nous as tous trompés pour t'emparer de notre bien !

– Faux ! C'est vous qui m'avez humilié, qui m'avez calomnié pour ne pas me payer ce que vous me devez !

Des gardes retenaient les deux hommes qui menaçaient de s'étriper.

– Je ne te dois rien, criait Pierre Guerre, puisque tu n'es pas mon neveu ! Tu n'es pas de notre famille !

– Je suis votre vrai neveu, vous le savez ! Vous

m'avez reconnu! D'ailleurs tout le monde ici m'a reconnu! Vous avez décidé de me voler, d'accaparer mon bien, après avoir pris celui de mon père! Mais je vous ferai rendre gorge!

— Le bien de mon frère, je ne l'ai pas pris! Il est à ses filles et à son fils! A son fils Martin, quand il reviendra!

— Je suis revenu! Je suis là! Qu'attendez-vous pour me rendre mes comptes au lieu d'essayer de me tuer?

Le Conseiller Coras écoutait cette querelle avec le plus vif intérêt, comme on imagine. Pour la première fois il assistait à une scène qui n'était pour nous que pain quotidien.

Le magistrat dit un seul mot, quand il en eut assez :

— Silence!

Les deux hommes se turent sur-le-champ. On les sentait l'un et l'autre bien respectueux du Parlement. Coras fit un geste vers la famille et dit :

— La famille, mettez-vous à part. De ce côté.

On lui obéit. Pierre Guerre et Bertrande allèrent rejoindre le groupe familial. Martin se tenait au milieu de la place, encadré par deux gardes.

Coras, flanqué du curé et du juge de Rieux, monta sur le haut d'un escalier et dit à voix haute :

— Maintenant, écoutez-moi, vous tous! Ceux qui disent en toute conscience que cet homme n'est pas Martin Guerre, à ma main gauche!

Après un moment d'hésitation, Nicolas fut le premier à se décider et à se placer à main gauche du Conseiller. A ma grande surprise, Barthélemy le cordonnier, le plus timoré des hommes, suivit presque aussitôt Nicolas. Et puis vinrent quelques femmes, de celles qui se disputaient avec Bertrande, et sept ou huit autres personnes.

Le Conseiller reprit la parole :

– Ceux qui disent en toute conscience que cet homme est véritablement Martin Guerre, à ma main droite !

Cette fois, le Grêlé se décida le premier, suivi par son frère. Le forgeron, le cabaretier et une douzaine d'habitants les suivirent, dans la direction indiquée par le magistrat. Je vis avec plaisir que le groupe formé par les partisans de Martin était un peu plus important que l'autre. Bien entendu, j'en faisais partie.

Se tournant vers le curé, debout près de lui, Coras demanda :

– Et vous ?

– Je suis le curé de tous, répondit Dominique Caylar, comme s'il voulait éviter le choix.

– Mais vous avez bien une idée sur cet homme ?

Forcé de choisir, le curé descendit l'escalier, hésita, regarda Martin et s'en vint rejoindre Nicolas et les adversaires. Il se déclarait au grand jour et je sentais, sans savoir pourquoi, quelque animosité à son égard, quelque moquerie, quelque mépris dans le comportement du magistrat. On devait m'apprendre plus tard que celui-ci nourrissait des sympathies pour les huguenots.

Il s'adressa enfin aux autres habitants, ceux qui formaient le groupe le plus important, et leur demanda :

– Le reste n'a pas d'opinion ?

Il reçut quelques réponses timides, quelques gestes d'hésitation. Non, ils ne pouvaient pas, en toute bonne foi, se prononcer.

Martin regardait d'un côté puis de l'autre. Il semblait calculer ses chances.

Le Conseiller réfléchit un instant, échangea un coup d'œil avec le juge de Rieux et dit enfin, avec force et solennité :

– En vertu de l'appointement des contraires (c'est bien ce qu'il a dit, je crois que ça signifie que les opinions contraires s'annulent), Nous, Jean de Coras, Conseiller au Parlement de Toulouse, décidons qu'il n'existe aucune raison pour décider que cet homme n'est pas Martin Guerre.

Un sourire éclaira le visage soudainement heureux de Martin, tandis que le magistrat continuait :

– ... déclarons le non-lieu pour absence de preuve et décidons que le prévenu soit relâché et rentre chez lui. Condamnons Pierre Guerre à payer cinq cents livres, pour sa calomnie, à son neveu et au roi.

Beaucoup se montrèrent satisfaits de la décision de Coras, à commencer par Martin et par son épouse, qui le prit par le bras et l'entraîna tout aussitôt vers leur maison. Pierre Guerre eut la réaction qu'on pouvait attendre d'un homme aussi violent, aussi autoritaire, qui voyait sa plainte rejetée, sa bonne foi narguée devant tous, et qui devait payer mille livres d'amende. Au moment où Martin passait auprès de lui, il lui dit avec une rage véritable :

– Tu es un fourbe! Et Dieu qui le sait te punira! Car tu portes l'eau dans une main et le feu dans l'autre!

Martin continua son chemin sans lui répondre. Les gens du village s'écartaient pour le laisser passer.

Jean de Coras, qui voulait atteindre Rieux avant la nuit, remonta à cheval. Le greffier et les écuyers formèrent le cortège. On replia le fauteuil, qu'on rangea sur le dos d'une mule.

Le juge de Rieux, apparemment soulagé d'un grand poids, se remit en selle à son tour. Au moment où il se mettait en route, je l'entendis qui disait à Coras, avec une admiration sincère et un bon sourire :

– C'est un très beau jugement, monsieur.

A son retour au foyer, après cinq jours passés sur la paille de l'étable, Martin fut l'objet – de ma part, mais surtout de la part de Bertrande – des soins les plus tendres. On fit chauffer de l'eau dans une bassine pour lui laver les jambes et les pieds, on lui démêla les cheveux, on lui frotta longuement les épaules et le dos avec de l'eau de gentiane. Bertrande lui apporta une chemise de nuit toute propre et un bonnet blanc. Guillemette, la seconde des sœurs, lui donnait la main.

Martin ne disait mot. Obligé de vivre sous le même toit que l'homme qui l'avait accusé, qui l'avait livré à la justice, pour le moment brisé par la fatigue, il préférait se taire et se laisser dorloter. Ses yeux se fermaient déjà tandis qu'on lui passait la chemise propre. A demain la reprise des querelles, des suspicions et des rancœurs – à moins que cette fois, vaincu par le jugement, Pierre ne se décide à plier les genoux et à reconnaître ses torts.

Ce soir Martin ne songeait qu'à dormir auprès de sa femme retrouvée.

Guillemette, laquelle allait sur ses quinze ans, ne savait trop que penser des événements de la journée. Elle me demanda, au moment où nous quittions la chambre :

– Mais qu'est-ce qu'on lui a fait, à mon frère ?

Je lui répondis sans lui répondre. Mieux valait ne pas trop l'éclaircir. Elle avait bien le temps de savoir.

Je dormis tout de suite. Les choses me semblaient rentrées dans le bon ordre et sans doute devais-je à moitié sourire pendant mon sommeil. Martin gracié, Martin innocenté et reconnu pour ce qu'il était, lavé publiquement de toute calomnie, que pouvais-je souhaiter de plus doux? Je me disais que Pierre Guerre, faisant bon cœur contre mauvaise cause, se délivrerait petit à petit de sa rancune et qu'un jour les deux hommes se donneraient très largement la main. Je me promettais d'y travailler. J'aime la paix, qui fait apprécier chaque moment du temps qui passe. J'aime surtout la paix de la maison, loin des turbulences et du sang versé dans toutes les guerres du monde.

Je me réveillai de très bonne heure. Je dors dans un petit réduit qui se trouve juste en dessous de la chambre. En me réveillant, j'entendis des pas furtifs dans la maison. Poussée par je ne sais quelle inquiétude, je me levai, je mis mon châle sur mes épaules et je passai dans la salle commune. Là je vis trois silhouettes d'hommes, ou même quatre, parmi lesquelles je reconnus la soutane du curé, qui montaient silencieusement vers le premier étage.

Qu'est-ce qu'ils voulaient donc? Qu'est-ce qui se passait? Avant d'être tout à fait réveillée (je suis toujours un peu lente, le matin), avant de pouvoir poser une question, voilà que les hommes enfoncent la porte de la chambre et je reconnais la voix de Pierre Guerre qui commande:

— Allez, debout! Cette fois tu es pris!

Je monte l'escalier aussi vite que je peux, pieds nus, je m'arrête sur le pas de la porte et je vois Pierre Guerre, avec son fils Antoine et l'éternel Nicolas (celui-ci muni d'une arbalète), debout devant le lit, menaçants. Il y avait aussi le curé, qui poussait les contrevents des fenêtres, et puis un autre villageois armé, il me souvient bien.

Martin ouvrait difficilement les yeux. Deux pointes d'épée piquaient sa gorge. Il demanda:

— Qu'est-ce que vous voulez?

— Debout! Allez, passe tes habits! En route!

– Quoi? disait Martin.

– J'ai dit : Debout! Tu es arrêté!

Cette fois Martin acheva de se réveiller, en entendant encore parler d'arrestation, et il s'écria d'une voix nette :

– Mais qu'est-ce que vous avez? Hier, on m'a relâché!

– Hier, c'était hier, répondit Pierre Guerre. Tout a changé pendant la nuit. Regarde bien. Tu vois, toi qui sais lire?

Il lui montrait une feuille de papier, d'allure officielle, portant plusieurs signatures.

– Et alors? dit Martin.

– Et alors? Cette fois ta femme aussi a signé.

– Ma femme?

– Ici.

Pierre posait un doigt sur une des croix, au bas du document.

Martin, que j'apercevais à travers la porte entrebâillée, paraissait stupéfait. Il regarda sa femme couchée tout contre lui dans le lit, mais Bertrande ne dit rien. On aurait cru qu'elle ne regardait personne, qu'elle ne voulait rien dire, rien montrer.

– Habille-toi vite! On t'emmène à Toulouse!

– A Toulouse?

– C'est écrit là.

Antoine et l'autre villageois tirèrent Martin hors du lit. Sanxi, qui couchait dans la même chambre, essaya de défendre son père, mais très brutalement on le rejeta en arrière. Martin commença par enfiler ses chausses en demandant à son oncle (il semblait bien qu'il ne pouvait pas le croire) :

– Mais elle a signé quand?

– Elle a signé hier soir, répondit Pierre, avant de se coucher.

– C'est vrai? Ils t'ont fait signer? demanda Martin en se retournant un instant vers sa femme.

Là encore elle ne répondit rien. Elle se contenta de tourner son visage vers la fenêtre. Son attitude pouvait laisser dire qu'elle acceptait l'accusation. Peut-être avait-elle peur devant les armes. En tout cas elle ne protestait pas, elle ne faisait rien pour défendre Martin.

Je peux bien avouer que je n'ai rien compris aux sentiments de Bertrande, ce matin-là. Je me suis même demandé si elle ne devenait pas folle, à force d'être ballottée de droite et de gauche, par les uns et puis par les autres. Elle qui la veille semblait si heureuse et si fière de rentrer chez elle en guidant par le bras son mari innocent, au matin suivant elle le laissait arrêter sans un mot, sans un geste, comme un étranger, comme un intrus, et même elle ne reniait pas sa signature sur l'acte d'accusation.

A quoi pensait-elle? L'idée me parcourut qu'elle pouvait dissimuler son jeu, car je la savais d'un esprit rapide et compréhensif. Mais quel jeu? A quoi rimait cette chanson? Tandis qu'on achevait d'habiller Martin et de lui lier les poignets comme à un bandit, j'eus presque envie d'intervenir, de me jeter contre ces gens et de dire à Bertrande : « Mais secoue-toi! Fais quelque chose! Tu ne vas pas le laisser emmener comme un gueux! C'est ton mari! Hier encore tu l'affirmais! »

Finalement un autre sentiment m'arrêta. Je sais qu'il existe des choses qui me dépassent et que je ne dois pas essayer de comprendre. Chacun à sa place et rien ne casse, disait ma mère. Je ne suis qu'une servante, fille de servante. Après tout, dans ces affaires-là, pourquoi interviendrais-je à la place d'une autre? Bertrande peut très bien se débrouiller toute seule. Peut-être même a-t-elle ses raisons. Et si j'allais tout faire rater, en me mêlant mal à propos de ses affaires?

On dira que je fis montre de plus de prudence que de courage. C'est vrai. Je le reconnais volontiers. Mais je sus plus tard – et j'essayerai, le moment venu, de dire pourquoi – que Bertrande se montra contente de mon attitude, ce matin-là.

Elle restait le regard fixé sur les champs, à travers la fenêtre, sur les prairies et sur les bois. Une brume légère traînait encore près de la rivière. Des oiseaux chantaient sous les tuiles. Une journée qui s'annonçait resplendissante.

Pierre Guerre posa une main sur l'épaule de Martin et le poussa vers la porte en disant :

– Et cette fois, tu es perdu.

Dehors, ils l'attachèrent sur une mule. Il se laissa faire sans rien dire. Sanxi regardait avidement par la fenêtre. Quelques villageois qui s'en allaient au travail s'arrêtèrent un moment pour voir Martin. Deux gardes à cheval, qui déjà se trouvaient à Artigat la veille, l'escortaient.

Le maigre cortège se mit en route comme le soleil se levait.

Martin ne tourna pas un seul instant ses yeux vers sa maison.

La scène dont je vais parler maintenant, je n'y ai pas assisté. Elle se passait à Toulouse avant notre arrivée. Cependant, par le greffier, par les gardes qui ont fini par tout raconter, nous avons pu reconstituer tout ce qui s'était dit, ou à peu près. Martin les avait tous frappés d'étonnement. Ils ne pouvaient pas l'oublier.

Le Conseiller Jean de Coras, en charge de l'affaire, reçut donc Martin dans son office, à Toulouse, et commença par l'interroger sans témoin, persuadé qu'il se heurterait à une assez faible résistance. L'acte d'accusation restait toujours le même – imposture, adultère et vol – mais cette fois, en raison de la signature de Bertrande, il paraissait beaucoup plus ardu d'y répondre.

Pourtant, avec une grande énergie, Martin dit tout de suite qu'il s'agissait d'un faux, que cette signature extorquée à sa femme ne présentait aucune espèce de valeur.

— Mais si c'est un faux, rétorqua Coras (qui se piquait au jeu), pourquoi elle n'a rien dit quand ils sont venus t'arrêter?

— Son oncle et son cousin lui font peur. Elle craint qu'ils lui tranchent la gorge.

— Ils l'ont menacée?

— Souvent, ces derniers temps.

— Mais, à ton avis, est-ce que cela suffit pour qu'elle écrive que tu n'es pas son mari, que tu l'as abusée et trahie?

— Elle ne l'a pas écrit. Elle l'a signé.

— Ça revient au même.

— Non. Laissez-moi finir. Si elle a signé, c'est par force. Je vous le dis, vous devez me croire. Faites-la mettre en sûreté quelque part, vous verrez bien. Et interrogez-moi. Tant que vous voudrez. Vous reconnaîtrez que je suis bien Martin Guerre. Que des Martin Guerre, il n'y en a pas d'autres

Le magistrat savant et consciencieux commençait à admirer l'habileté et l'acharnement du paysan qui se tenait en face de lui. Martin s'est toujours exprimé avec beaucoup d'assurance, beaucoup de franchise apparente. On l'écoute et on le croit.

Le Conseiller, pensant l'impressionner, lui montra plusieurs liasses de dossiers qui jonchaient sa table et lui dit :

— Nous avons entendu et nous allons entendre beaucoup de témoins. Plus de cent. Est-ce que tu veux un conseiller pour te défendre?

— Monsieur, répondit Martin, je n'ai pas besoin de conseiller pour prouver que je suis Martin Guerre.

Le Conseiller consentit alors à le mettre à l'épreuve de la mémoire – ce que Martin lui-même demandait.

– Qui t'a marié?

– Le curé Dominique Caylar, qui est toujours là. Il a la vue très faible. Il ne m'aime pas parce que je jure souvent. Le mariage, c'était pour la Saint-Christophe, il y a dix-huit ans environ.

– Qui était le notaire? demanda Coras en compulsant des notes.

– Maître Jehan Pegala, notaire du Fossat. Ce jour-là, il était en retard et mon père trépignait. Bertrande apportait en dot le bois de Roussas et ses terres de la Pomarède. Et une paire de bœufs de labour. Et un lit avec deux coussins de plume, et trois robes.

– Et des sacs de grain?

Sans doute un piège, assez grossièrement tendu. Martin fit, paraît-il, un effort de réflexion puis il répondit, plein de fermeté :

– Non, pas de grain.

Le Conseiller posa encore un certain nombre de questions précises, auxquelles Martin répondit à la perfection, après quoi l'interrogatoire changea de ton. Coras en vint à parler de ce qui l'intéressait plus que toute chose, les rapports intimes des deux époux. Il y voyait la clé de tout le mystère.

– Martin, depuis ton retour tu as manifesté beaucoup d'amitié pour ta femme. Tu l'as baisée et cajolée. Ce n'était pas le cas avant.

– Avant, je ne la connaissais pas bien, répondit Martin. Si je l'avais bien connue, je ne serais pas parti, je vous le dis. A cause d'elle j'ai beaucoup regretté mon absence, ces huit années loin l'un de l'autre.

– A ton retour tu avais beaucoup changé.

– Et elle aussi.

– Tu n'es pas bête, dit le magistrat en regardant Martin. Mais est-ce que tu sais que tu risques la mort?

– Je risque la mort?

– Oui.

– Et pourquoi? Parce que je me défends quand on m'attaque? Parce que je suis moi et que je le dis?

A ce moment-là, selon les témoins, il commença à s'emporter, à se montrer irrité, virulent :

– Je vous dis que tout est monté par Pierre Guerre! Il m'a reconnu pour son neveu jusqu'au jour où je lui ai demandé des comptes! Et tout le monde m'a reconnu, tout le monde au-devant de moi en m'appelant Martin! Mes sœurs, ma belle-mère, ma femme!

– Maintenant, dit Coras, ton oncle n'est pas le seul à dire que tu n'es pas Martin.

– Il est riche! Il fait peur aux autres! Pierre ne pense qu'à son intérêt, vous devriez le savoir, pourtant! Il veut me priver de ma vraie personne et de tous mes biens! C'est un crime inouï! Il a même tenté de me tuer!

Le magistrat calma ce torrent de colère par un simple geste. Il fit demi-tour en disant :

– Suis-moi.

Martin le suivit.

Accompagnés d'un garde et du sempiternel greffier, qui prenait tout en note d'une écriture si rapide qu'il était le seul à pouvoir la lire, le magistrat et le prévenu traversèrent d'abord une chapelle, montèrent le long d'un petit escalier et arrivèrent dans une des cours du Parlement.

Deux paysans se trouvaient là, d'assez pauvre mine, assis sur un banc de pierre de l'ancien temps. Ils se levèrent en voyant approcher la justice, ôtèrent leurs couvre-chefs et se tinrent immobiles, respectueux comme des corbeaux sur un calvaire. Ils semblaient avoir longuement marché par les chemins des pauvres.

Coras leur demanda, lisant leurs noms sur un papier :

– Vous êtes bien Jean Lespagnol et Valentin Rougier?

– Oui, monsieur, répondit l'un des deux.

– Vous avez demandé à voir cet homme. Est-ce que vous le connaissez?

– Oui, c'est lui, dirent-ils ensemble.

– Qui? Vous pouvez le nommer?

– Oui, c'est Arnaud, dit l'un.

– C'est Arnaud, dit l'autre. C'est lui qu'on appelle Pansette.

– Et d'où est-il?

– Il est de chez nous, il est du Tilh.

– Vous êtes sûrs?

– Oui, monsieur. Il est parti il y a longtemps, mais c'est bien lui. On a passé notre jeunesse ensemble.

– On le connaît bien.

– Ce n'est pas Martin Guerre, d'Artigat?

– Non, c'est Arnaud du Tilh.

– C'est Pansette!

Coras se retourna vers Martin, comme s'il venait d'assener le coup d'où nul accusé ne se relève. Mais Martin s'en releva. Le témoignage des deux paysans semblait même, à ce qu'on raconte, lui avoir redonné de l'allant.

– Mais regardez-les! s'écria-t-il. Vous voyez bien qu'ils sont envoyés par mon oncle! Envoyés et payés! Regardez-les! Ils ont la honte sur les joues!

Le fait est que les deux individus ne marquaient pas bien. Coras souligna toutefois qu'il s'agissait de deux habitants du Tilh, chose vérifiée.

– Qu'est-ce que ça prouve? reprit Martin. Mon

oncle est influent, surtout grâce à l'argent qu'il m'a volé! Il peut acheter n'importe qui. Et puis dites-moi : pourquoi je me serais fait passer pour un autre? Je sais ce que je risque, tout de même!

— Pour trouver une maison et une femme, répondit doucement Coras.

— Par le sang de Dieu! cria Martin. C'est *ma* maison et c'est *ma* femme! C'est moi qui suis lésé et c'est moi qu'on accuse! Jamais mari ne fut plus maltraité!

Cette fois il semblait fumer de colère. Il s'adressait à tue-tête à Coras, lui disant, les yeux près des yeux :

— Mais je fais appel! Devant le Parlement, ici! Je veux une peine sévère pour mon oncle! Que ce soit bien clair! Et je veux qu'ils viennent tous, Pierre Guerre le premier, car je l'accuse de calomnie et de faux témoignage, et aussi mes sœurs, mes cousins, ma femme qu'ils ont forcée à signer, et tous mes amis, tous ceux du village, tous ceux qui me connaissent depuis que je suis né! Je veux qu'ils viennent tous!

Et c'est ainsi que tous les habitants d'Artigat, au commandement du Parlement de Toulouse, pour la première et dernière fois de leur vie, quittèrent un jour leur village.

Ce fut un beau remue-ménage. Bien sûr certains restèrent, les plus vieux et quelques enfants. D'autres protestèrent, le forgeron par exemple, qui ne voulait pas laisser s'éteindre sa forge. Le curé dut menacer les uns et les autres des foudres de l'excommunication, laquelle punit, à l'entendre, ceux qui refusent de témoigner.

On entassa tout ce qu'on put dans des paniers, dans des baluchons. Sur des charrettes traînées par des bœufs, on s'installa par familles entières avec

80

des poules et des lapins pour le voyage, et des saucisses, et du fromage. Grande expédition en terre lointaine. La plupart n'avaient aucune idée – moi la première – de la distance qui nous séparait de Toulouse. Etait-ce plus loin que l'Espagne? Oui, sans doute, répondaient les gardes chargés de nous accompagner.

Beaucoup marchaient à côté des charrettes. Bertrande emmenait avec elle ses deux enfants, Sanxi et sa petite fille, qui n'avait pas encore un an. Des chiens suivaient sans comprendre, allant en avant, puis en arrière.

Cela dura deux jours, au pas lent des bœufs. Heureusement le temps fut assez beau, avec des averses. Sanxi, à chaque gué, tâtait le dessous des pierres et ramenait souvent un poisson ou deux. Le deuxième jour une charrette versa dans l'eau. On fit un feu sur la rive pour réchauffer les baigneurs forcés.

Nous fîmes notre entrée à Toulouse par un large pont en brique rose, tout près d'une église. Tous nous gardions les yeux levés vers les hautes façades propres tandis que les roues des charrettes cahotaient sur les rues pavées. Les citadins n'accordaient que regards hâtifs à ces paysans qui venaient en ville, convoqués par la haute justice. Pourtant jamais on n'avait vu, en tout cas dans notre région, un village cité en témoignage et se déplaçant tout entier. Nous ne savions même pas combien de jours ou de semaines la justice allait nous garder et Pierre Guerre apprit à sa déconvenue, dès notre arrivée à Toulouse, que tous les frais de séjour se trouvaient à sa charge, frais qui lui seraient remboursés, en partie tout au moins, s'il gagnait ce procès qu'il avait tant voulu.

On nous logea dans un cloître, tout près du Parlement, où des moines augustiniens s'occupaient assez bien de nous. Ils nous apportèrent de la paille pour nous coucher sous les arcades, ainsi que de l'eau et du pain. On commençait à se disposer par famille, par affinités, à plumer la volaille, à allumer des feux entre les pierres. Les hommes nettoyaient à grande eau les plaies de leurs pieds et de leurs chevilles, dues à la marche. Toute une vie se reconstituait en quelques heures.

Harcelé de questions, Pierre Guerre ne savait que répondre. Il se contentait de menacer les uns et les autres des pires châtiments s'ils refusaient leur témoignage. En réalité il comptait ses troupes et, dans le cloître, les habitants d'Artigat se partageaient de plus en plus nettement en deux camps. En outre les moines avaient tenté sans grand résultat de séparer, au moins pour la nuit, les hommes des femmes.

Un homme s'avança et demanda :

– Qui est Bertrande de Rols ?

– Vous lui voulez quoi ? dit Pierre Guerre, aussitôt inquiet.

– Elle doit être logée à part.

– C'est moi, Bertrande de Rols, dit Bertrande en s'avançant.

– Venez, suivez-moi avec vos enfants. C'est un ordre du Parlement.

Elle alla chercher ses affaires avant de quitter le cloître. Chacun se demandait pour quelle raison on l'emmenait ainsi. Sans doute pour la soustraire aux influences des deux camps. On reconnaissait en tout cas l'importance exceptionnelle de son témoignage. Pierre Guerre, qui ne manifestait que peu de chaleur pour le Conseiller Coras, en qui il soupçonnait des idées déréglées et une sympathie secrète pour Martin, se demandait ce que cachait cette manœuvre inattendue.

La vieille aveugle, la Jaquemette, celle qui autre-

82

fois avait essayé de dénouer l'aiguillette de Martin, convoquée elle aussi par le Parlement, se trouvait avec nous, rompue par le voyage. Ses mains tremblaient de plus en plus. Elle ne parlait presque pas. Certains disaient qu'elle allait sur ses cent ans mais personne n'en était sûr, à commencer par elle.

On nous fit d'abord passer – mais pas tous ensemble – dans une salle qui s'appelait « la salle des contredites », parce que personne ne s'y mettait jamais d'accord. Le Conseiller Coras semblait diriger les interrogatoires, qui se déroulaient en présence de deux autres juges vêtus de noir et du greffier. Les témoins principaux, les membres de la famille par exemple, se trouvaient réunis dans la salle où quatre ou cinq gardes surveillaient le bon ordre de la justice, tandis que les témoins secondaires patientaient dans une pièce voisine.

Martin se tenait au centre. On commença par procéder selon l'usage à son examen physique, un examen très minutieux, comme pour un cheval qu'on va vendre à la foire.

Dominique Caylar débuta ainsi :

– Je suis le curé. J'ai la cure d'Artigat depuis vingt-trois ans. Martin Guerre, je l'ai bien connu, je l'ai marié. Quand il est parti, il était plus maigre, plus noir de peau et un peu voûté. Il avait le menton fourchu et la langue légèrement pendante, un bouton poilu ici, dans le cou...

Ses bésicles sur le nez, il s'approchait du cou de Martin, cherchait vainement le bouton, ajoutait avec un petit air de triomphe :

– ... dont je ne vois plus trace...

Enfin, se haussant sur la pointe des pieds pour regarder le front du prévenu :

– Vous dites donc que ce n'est pas Martin ? demanda l'un des juges.

– Je le dis et je le maintiens.

Coras s'adressa à l'assistance :

– Tout le monde s'accorde sur les marques physiques?

A ce moment-là je me sentis obligée d'intervenir car personne – sauf peut-être Bertrande – ne connaissait Martin comme moi. Je m'avançai donc en disant :

– Non, monsieur! Pas du tout! Je ne suis pas d'accord!

On me laissa passer et parler.

– Martin, dis-je, moi aussi je l'ai connu tout petit, je l'ai langé, je l'ai soigné!

J'obtins même un joli succès de rire en disant au curé :

– Et je l'ai vu nu plus souvent que vous!

Je m'approchai de Martin et je me mis à le regarder de près, comme le curé (mais sans les bésicles).

– D'abord, dis-je à Coras et aux autres juges, il n'avait pas de bouton poilu.

Le curé protesta :

– Si fait!

– Non! Pas de bouton poilu, je l'atteste! Et il avait une cicatrice au front, qui est toujours là!

Je relevai les cheveux de Martin, qui penchait docilement sa tête vers moi, et montrai la cicatrice, toujours bien visible.

– La cicatrice était plus près du sourcil! cria le curé.

– Non. Elle était ici! Je le sais bien, tout de même! Tout petit il est tombé dans la grange et c'est moi qui l'ai ramassé.

Je dis alors à Martin, qui me faisait confiance :

– Ouvre la bouche.

J'introduisis l'une de mes mains dans sa bouche, je tâtai ses dents et je dis :

– En plus, il avait deux dents cassées. Elles sont là, au fond! Et un ongle du petit doigt enfoncé! Voilà.

Je saisis la main gauche de Martin et je montrai son petit doigt aux juges. Un ongle était bel et bien enfoncé.

– Donc, me demanda Coras, vous soutenez qu'il s'agit bien de Martin Guerre?

– J'en suis sûre, monsieur, aussi vrai que la nuit naît du jour.

– Faites avancer la sœur aînée du prévenu.

Jeanne s'avança assez timidement, poussée en avant par ses sœurs.

– Pour les dents et l'ongle du petit doigt, lui demanda le Conseiller, vous confirmez?

– Oui, monsieur.

– Et vos autres sœurs, que disent-elles?

– Deux sont trop petites pour se rappeler. Mais ma sœur Guillemette pense comme moi.

– C'est vrai? demanda l'un des juges en se tournant vers la famille.

– Oui, monsieur, répondit Guillemette toute rouge, en faisant un pas en avant.

– Vous continuez à reconnaître votre frère?

– Oui, monsieur, dit Jeanne. A mon souvenir, il avait même trois grosses verrues sur la main droite. Il les grattait tout le temps.

Elle saisit la main de Martin, trouva sans peine les verrues.

– Là, elles sont là.

– En plus, dit Guillemette, nous nous ressemblons, notre frère et nous.

– Les sœurs, avancez-vous, ordonna Coras.

Les trois sœurs vinrent rejoindre Jeanne. Elles se tenaient en ligne toutes les quatre devant Coras et les juges, qui les examinaient. Martin restait rigoureusement immobile auprès d'elles. Guillemette l'avait pris par la main.

Ressemblance ou pas de ressemblance? Les magistrats semblaient trouver quelques épines à la réponse. Pour donner mon sentiment, je leur dis:

– Les œufs ne sont pas entre eux plus semblables.

On me fit taire. Peut-être pensait-on que je voulais influencer les juges. A vrai dire, je ne m'inquiétais pas. Je savais que la ressemblance existait. On peut dire, je le sais bien, que dans nos villages tout le monde se ressemble un peu. Entre Martin et ses sœurs, on discernait quelque chose de plus.

– Ressemblance ne fait point preuve, dit l'un des juges.

Raymonde, la mère de Bertrande, s'avança d'elle-même à ce moment-là, tenant par la main son petit-fils Sanxi, et demanda:

– Je peux dire quelque chose?

– Parlez.

– Il prétend que Sanxi est son fils. Mais regardez: il ne lui ressemble pas du tout.

Pure vérité, cette fois. Aucune communauté de visage entre le fils et le père. Je fis sans hésiter une autre intervention:

– Et alors? demandai-je à haute voix. Depuis quand est-il assuré que les fils ressemblent au père? Regardez votre fille!

Je montrai Bertrande à sa mère.

– Elle est bien belle et tendre. Comment pourrait-on penser qu'elle est née de vous?

J'avais mon franc-parler, comme on l'a bien senti. En plus je ne m'étais jamais sentie vraiment redevable à Raymonde, qui me rudoyait plus que d'autres. Aucune raison de me gêner, puisqu'on me donnait la parole.

Nicolas s'avança tout de suite après Raymonde – une véritable contre-attaque –, dit aux magistrats:

– Martin et moi, nous avons le même âge. Nous

sommes nés la même année. Je l'ai toujours connu et on a souvent bataillé ensemble. Ce n'est pas lui, j'en suis sûr. Martin avait les cheveux drus et noirs!

Pure menterie. D'ailleurs Jeanne s'écria :

– Pas du tout! Ils étaient châtains et souples!

– Martin, reprit Nicolas, était un bon joueur de balle, alors que celui-ci n'y entend rien!

Martin se retourna et desserra les dents pour la première fois, disant à Nicolas :

– A la guerre, je n'avais pas le temps de jouer à la balle. C'est vrai, j'ai perdu la main. Mais pour les cheveux noirs, tu mens. D'ailleurs, tu m'as toujours jalousé et haï. Tout le village le sait. Tu as toujours cherché à me perdre!

Il sembla vouloir saisir Nicolas à la gorge, malgré ses mains entravées. Des gardes les séparèrent. Dans la bousculade, Nicolas reçut, de la part d'une des sœurs, une gifle qui retentit. Un assesseur criait :

– Silence! Allons, silence!

– C'est mon frère! C'est lui, mon frère! s'écria Guillemette en lui baisant les mains.

– J'ai dit : Silence!

Quel spectacle, me disais-je, tout un village naguère uni, battant du même cœur, aujourd'hui divisé par l'identité d'un seul homme! Quel spectacle, cet étalage de verrues et de dents cassées que chacun affirmait connaître mieux que l'autre! Quelle drôle de chose, la justice.

– Faites avancer Jean Lespagnol et Valentin Rougier, demanda le Conseiller Coras.

Un garde ouvrit une porte – il me sembla bien distinguer l'ombre d'un souci sur le visage de Martin – et nous vîmes apparaître deux inconnus, ceux-là mêmes qui avaient témoigné deux semaines plus tôt contre Martin. Deux prétendus habitants du Tilh.

Coras leur montra Martin et leur dit :

– Qui est-ce ? dites-le publiquement.

– Il est de chez nous, répondit le nommé Rougier. C'est Arnaud du Tilh. Nous le connaissons bien. Nous avons souvent mangé et bu avec lui.

– Qu'est-ce qu'il est devenu, cet Arnaud du Tilh ?

– Il est parti pour la guerre, un jour... C'était un drôle, sans respect pour la religion... Toujours à jurer et à boire...

Celui qui venait de parler, c'était Jean Lespagnol, un demi-borgne. L'autre, Rougier, à la mine plus amicale (ou plus hypocrite), saisit brusquement le bras de Martin, les yeux remplis de larmes comme un mangeur d'oignons, et lui dit :

– Arnaud, mon ami, moi qui pensais que tu étais mort... Tu m'as fait pleurer toute une nuit de ne pas vouloir nous reconnaître !

Martin libéra son bras et répliqua, plein de mépris :

– Elle est lourde, la bourse que Pierre Guerre t'a donnée ? Lâche-moi ! Tu devrais pleurer de honte, vieille canaille !

Pierre Guerre s'avança d'un pas rapide, pour prendre la défense des deux autres, et il dit aux juges :

– Ne le laissez plus parler ! C'est un habile bavard ! On sait qui il est, maintenant, on le sait sûrement, et tout ce qu'il voulait, c'était s'emparer du bien de mon neveu ! Ce bien, moi, loin de vouloir l'accaparer, je le défends ! Car mon neveu, ce n'est pas lui ! C'est sûr et certain ! Demandez au cordonnier, il vous le prouvera !

– Il est ici, le cordonnier ?

– Oui, monsieur, dit un assesseur.

– Qu'il avance.

Il s'avança, craintif et le chapeau à la main. Coras lui posa une question très simple :

– Qu'est-ce que tu as à dire?

Mais le pauvre homme, qui a toujours quatre cheveux sur la langue quand il parle, demanda avant de répondre :

– C'est bien sûr qu'on me laissera partir?

– Partir? Où ça?

– Si je dis ce que j'ai à dire, on me laissera partir?

Je me demandais bien ce qu'il avait à raconter, Barthélemy, lui qui ne parle pour ainsi dire jamais.

Il ne se plaisait pas à Toulouse et ne songeait qu'à revenir à Artigat, à son échoppe. Si quelqu'un pouvait se féliciter du voyage, c'était lui, pourtant! Que de semelles usées à aller et à revenir!

– Je te le garantis, lui dit Coras. Tu parles et ensuite tu retourneras au village. Alors?

– Alors Martin Guerre, avant son départ, il avait le pied plutôt fort.

Il prit dans son sac une première forme à chaussure, en bois, et la montra à l'assemblée.

– Il chaussait à douze points, comme ça. Après son retour...

Il saisit une autre forme, plus petite que la première et la montra de l'autre main en disant :

– ... après son retour, il ne chaussait plus qu'à neuf points. Voyez!

Il brandissait les deux formes inégales.

– Tu es bien sûr? lui demanda Coras.

– Je suis bien sûr. Et moi, dans mon métier, j'ai connu des pieds qui ont forci, mais des pieds qui ont rétréci, je n'en connais pas.

La déposition du cordonnier produisait une grosse impression, je le sentais. C'est pourquoi je m'écriai :

– Barthélemy, tu ne te souviens de rien! Tu as tout mélangé! Tu es vieux et tu n'y vois plus rien!

– J'y vois mieux que toi, vieille mule!

– La seule chose que tu vois, c'est ton intérêt!

Il allait encore me répondre, l'animal, quand les assesseurs le firent taire.

Alors Martin demanda:

– Est-ce que je peux parler?

– Parle, lui dit Coras.

Il parla, et tout le monde l'écouta. Il dit qu'il s'était laissé examiner comme un animal mort d'une maladie inconnue, pour le bien de la vérité et de la justice. Il dit aussi que maintenant, comme il était normal, il se sentait las de ces examens inutiles.

– Le temps a produit son effet sur moi, dit-il, comme sur toutes choses. Mais quand je suis revenu, après huit ans d'absence, ils m'ont tous embrassé et mon oncle m'a reconnu. J'ai demandé pardon pour ma fugue. On m'a répondu: Sois un bon mari, besogneux, et ta place est parmi nous.

Chacun l'écoutait en silence et revoyait des souvenirs qui ne s'étaient pas effacés. Martin parlait avec émotion et gravité. Jamais je ne l'avais entendu parler comme ça.

Il dit encore, en s'adressant directement à son oncle:

– J'ai vu la mort de près, j'ai entendu les sifflements des boulets et les cris horribles de la bataille. Ce que vous voulez me faire souffrir, mon oncle, n'est rien à côté de ce que j'ai vu. Mais est-ce bien là le sort d'un homme qui a voulu voir un peu la vie avant de revenir dans son pays, sûr que sa place est dans sa famille, à travailler la terre que Dieu nous a donnée?

Là encore on écouta le silence. Pierre Guerre serrait les dents mais ne trouvait rien à redire. Moi j'admirais les mots de Martin, sa manière de dire par exemple:

– Ils ont des yeux et ils ne voient rien.

90

Tout à coup il se tourna vers Jaquemette, la vieille aveugle, et lui dit :

– Viens, Jaquemette. Toi qui as la mémoire des mains. Viens, dis-leur qui je suis. Dis la vérité.

Dans un silence de crypte la vieille s'avança, se faufilant au milieu des autres, elle s'approcha de Martin, leva ses deux mains anciennes, raides et ridées, qui tremblaient, elle les passa sur le visage de Martin puis elle lui dit :

– Tu es Martin. Tu es Martin Guerre.

Il y eut des murmures. Ce témoignage me semblait aussi fort, sinon plus, que celui du cordonnier. Martin se tourna vers Bertrande et lui dit sans attendre :

– Bertrande, ma femme, personne ne me connaît mieux que toi. Confirme la signature qu'on t'a prise de force, jure que je ne suis pas ton époux et je me soumettrai. Jure-le sur les saints Evangiles.

Tous les regards se portèrent sur Bertrande et chacun sentait l'instant décisif.

– Jure-le, répéta Martin, et je me soumettrai. Allons, jure !

Bertrande secoua la tête. Elle rayonnait.

– Tu ne jures pas ? demanda Martin.

– Non.

– Donc, je suis bien ton époux ?

– Oui, tu es bien mon époux.

On ne pouvait pas être plus ferme.

Coras se dirigea vers elle, montrant la demande d'arrestation, posa son doigt sur une des signatures et lui demanda :

– Et cette croix-ci ?

– Ce n'est pas moi qui l'ai inscrite.

– Mais pourquoi n'avez-vous pas protesté ?

– On m'a forcée. On m'a menacée de me chasser.

– Non ! cria Pierre Guerre. Elle ment ! C'est bien sa marque, cette croix !

91

– Elle dit la vérité! riposta Martin. Comme je le maintiens depuis le début, on l'a forcée! Ils sont capables de tout! Ils ont bien essayé de me tuer!

– Je dis que c'est sa marque! répéta Pierre. Je l'ai vue, quand elle a signé!

– Bertrande, demanda Coras avec une intense sévérité, je vous demande de me répondre avec la plus grande exactitude : Avez-vous signé, oui ou non?

– Non, je n'ai pas signé. Car j'aurais signé de mon nom.

– Comment aurais-tu fait? demanda Pierre Guerre. Tu ne sais pas écrire!

C'est alors qu'un premier voile se déchira et que je crus distinguer quelque chose dans le cœur subtil de Bertrande, ce cœur que je n'avais pas compris. Elle regarda un instant Pierre Guerre, avec une telle force que je pensai, sans en être tout à fait certaine, qu'elle attendait cet instant depuis longtemps, qu'elle l'avait préparé, espéré. Reportant mes regards étonnés sur le visage de Martin, j'y vis une joie nouvelle, une joie complice.

Bertrande demanda d'une voix calme :

– Je voudrais une plume et du papier.

On le lui accorda. Chacun respirait à peine, comme pour ne pas troubler la grâce de ce moment.

Bertrande prit la plume, se pencha sur la table. La plume se mit en mouvement entre ses doigts, laissant une traînée d'encre sur la feuille, grinçant un peu.

Et ceux qui savaient lire pouvaient très clairement reconnaître son nom : Bertrande.

Sans aucun doute, au cours des confrontations dans la salle des contredites, Martin venait de marquer quelques bons points. Mais l'essentiel restait à soutenir, l'audience solennelle devant le Parlement. Nombre de détails demeuraient brumeux et rien n'effaçait le témoignage des deux habitants du Tilh. Quant à l'épisode du cordonnier, toute la ville le commentait.

D'après mille rumeurs qui nous parvenaient entre les séances, le jugement des magistrats flottait encore. On les disait perplexes. Certes, la justice devait rendre son verdict. Elle ne pouvait laisser les deux parties s'en aller dos à dos comme chiens qui boudent et continuer, de retour au village, à s'entrelarder de médisances et de perfidies. Les juges devaient décider si oui ou non, de leur avis, Martin Guerre était bien Martin Guerre.

Toutefois, à ce que nous entendions dire, les têtes raisonnables de la ville, parmi lesquelles se comptait à coup sûr celle du Conseiller Coras, soulignaient que la justice, en dépit de son redoutable apparat, ne doit pas nécessairement condamner. Deux témoins qui affirment, nous rapporta un assesseur, valent mieux que mille qui nient. Et d'autre part le Conseiller Coras, au cours des interrogatoires, avait fait remarquer à deux reprises, preuve de l'importance qu'il attachait à cette assertion, que la loi présume toujours que chaque homme est bon et honnête. Il m'est arrivé bien des fois, le soir dans le cloître avec mes amies, ou bien toute seule, ou bien encore beaucoup plus tard, après notre retour au village, il m'est arrivé de m'interroger sur cette phrase apparemment si simple, presque trop simple, et de me demander : si la loi présume que chaque homme est bon et honnête, que n'en est-il de même de la vie ? Que se passe-t-il avec cette bonté naturelle que la loi suppose, que la religion discute, que l'expérience contredit ? Pensées qui s'enchevêtraient dans ma pauvre tête et qui le plus souvent m'échappaient. Pourtant je me disais que quelque vérité se cachait dans ces mots, je le sentais, j'imaginais la peine et les doutes des hommes qui consacraient leur existence à la recherche de cette clarté, utile à tous.

D'autres arguments s'élevaient en faveur de l'institution du mariage, qu'on estimait important de défendre contre toute espèce d'aventuriers. Le mariage, disait-on, semble la seule sauvegarde des enfants. Il est même plus important, ajoutaient certains, que la personne même de l'époux ou de l'épouse. Le sacrement l'emporte sur les droits de l'individu. Quelques sentiments hugenots se glissaient dans cette querelle, les huguenots se prétendant moins soumis que les catholiques à la vénération aveugle des sacrements traditionnels. Sentiments qui s'exprimaient le plus souvent avec prudence, à demi-mot, car le bruit des massacres commis au nom de Dieu se rapprochait de la cité. Certains racontaient que Jean de Coras ne restait nullement insensible à cette religion prétendue réformée. Selon lui, à en croire certaines rumeurs venues des gardes ou des greffiers, Bertrande pouvait très bien défendre son mariage et non pas son mari. Pour ma part, je ne comprenais pas très bien cette différence. Je sentais Bertrande plus solide et plus heureuse dans sa situation de femme mariée, mais d'un autre côté je voyais bien qu'elle ne défendait pas n'importe quel homme et que Martin, affirmé son mari, lui plaisait par-dessus tous les autres.

Dans le cloître, les deux camps maintenant s'opposaient violemment, presque chaque jour. Nicolas et Augustin, le mari de Jeanne, faillirent même un jour s'arracher les tripes à coups de couteau. Au milieu des soupières renversées et des braises éparpillées, des moines surgirent pour les séparer. C'est à ce moment-là que Jaquemette, bien silencieusement dans un coin, rendit à Dieu son âme qu'on imaginait centenaire. Je me trouvais à côté d'elle dans ce moment où l'on n'aime guère être seul. Je fermai ses yeux qui n'avaient pas connu la lumière et je me levai pour annoncer sa mort aux batailleurs, qui pour cette fois se calmèrent.

Une prière nous réunit autour du corps allongé de Jaquemette. Après quoi les moines l'emportèrent.

Bertrande, mise à l'écart par ordre des magistrats, reçut un soir la visite de sa mère Raymonde. Bertrande me le raconta elle-même, sur le chemin du retour, quelques jours plus tard. Raymonde lui apporta un morceau de pain de châtaigne qui venait du village et lui dit que sans elle tout serait fini depuis longtemps.

– Je comprends que ça te coûte, lui dit-elle, mais cet homme est un imposteur et tu le sais. Sans ton acharnement à le défendre, il serait écartelé depuis longtemps. Mais on dirait qu'il t'a complètement ensorcelée, qu'il te tient sous son charme. Tu restes là, tu le regardes et tu l'admires, tout ce qu'il veut, c'est s'emparer de notre bien et s'enfuir au loin, de nouveau. Il se sert de toi et tu dis amen.

Bertrande et sa mère ne s'aimaient pas. Cette mésentente remontait au premier âge de la petite fille et n'avait fait que s'aggraver au cours des années. Après le retour de Martin, forcée de restituer à sa fille la belle chambre du haut, déchue de sa position de maîtresse de maison, énervée par la présence, par le rire, par les histoires, par l'énergie de son gendre retrouvé (qui secrètement, sans doute, ne lui déplaisait pas tout à fait), Raymonde ne cessa de s'opposer à sa fille sur chaque point. Elle fut une des premières, sinon la première, à mettre en doute les dires de Martin. Elle accepta toutes les fables. Sans crier, pleine de patience, elle traça autour de la maison une longue sape de soupçon.

Bertrande le lui rappela, ce soir-là.

– C'est toi, lui dit-elle, c'est toi que ton mari a ensorcelée. Pourquoi tu nous attaques, toi qui es ma mère? Moi qui pensais pouvoir compter sur toi, tu nous as voulu tout le mal. Si Martin n'est pas mon mari, comme tu fais semblant de le croire, alors pourquoi vous avez attendu trois ans?

– Avant ce n'était pas clair, répondit Raymonde. Maintenant on sait bien que ce n'est pas Martin.

– Non, rien n'a changé. Martin est toujours le même, celui qui est parti et qui est revenu. Le seul tort qu'il a eu, ce fut de demander ses comptes. Ce jour-là, oui, tout a changé.

Raymonde tenta bien vainement de la convaincre. Elle affirma qu'elle accomplissait son devoir de mère, elle menaça même sa fille des brûlures éternelles de l'enfer, comme le curé l'en avait menacée.

Bertrande ne perdit pas un instant sa force et répéta à plusieurs reprises :

– C'est mon mari. Je sais que c'est mon mari.

Une salle haute et froide, où une quinzaine de juges en robes rouges, aux parements d'hermine, prenaient place sur des sièges de bois, surélevés par rapport à la salle. Tout autour des balustrades derrière lesquelles se tenaient les témoins et ceux, parmi les habitants de Toulouse, qu'on avait admis comme spectateurs du procès. Au centre, un petit siège en bois, appelé sellette, sur lequel l'accusé devait se maintenir assis. Une table dans un coin, avec un greffier et son assistant, celui-ci passant son temps à tailler des plumes d'oie pour l'autre, qui enregistrait à toute allure.

Au mur, des tapisseries. Un dais au-dessus des sièges des juges. Le soleil entrant par les fenêtres.

Martin, après son refus de tout conseiller pour l'assister, se défendait lui-même et s'en sortait très bien. Il accentuait l'avantage marqué dans la salle des contredites, par la signature de Bertrande et le témoignage de l'aveugle. En plus il fit des révélations concernant le comportement de Pierre Guerre à son égard qui nous étonnèrent tous. Il exigea par exemple le témoignage du cabaretier et lui dit :

— Dis-moi si c'est faux que Pierre Guerre a offert de l'argent à Dominge Pailhès, chez toi, dans ton cabaret!

— De l'argent pour quoi? demanda un des juges.

— Pour qu'il me tue! répliqua Martin.

Et, revenant au cabaretier :

— Allons, dis-moi si c'est faux! Tu étais là, tu as parfaitement entendu!

On fit alors appeler le nommé Dominge Pailhès, un des plus démunis parmi les bergers, presque un simple d'esprit, la face creuse comme un apôtre, la barbe rousse.

— Dominge, viens ici! s'écria Martin.

Le berger s'avança sans relever les yeux, à pas traînants.

— N'aie pas peur, dis la vérité. Pierre Guerre t'a offert de l'argent, oui ou non?

Le berger hésita, toujours les yeux à terre.

— Réponds franchement, dis la vérité : oui ou non?

— Oui, répondit le berger d'une voix faible. Mais j'ai dit qu'il pouvait garder son argent, je ne ferais pas ça à un de mes parents. Même pour de l'argent.

Remarque franche, qui provoqua des sourires parmi les juges. Et il est bien vrai – mais seul le berger s'en souvenait – qu'il se trouvait très vaguement apparenté avec les Guerre.

Le cabaretier confirma ses dires. Martin venait de

marquer un nouveau point fort. Nous apprenions, nous du village, que Pierre Guerre avait tenté de faire assassiner son propre neveu. Cette révélation nous déconcertait et nous effrayait.

Tout allait mal pour Pierre Guerre. Jeanne, la sœur aînée, vint à son tour attester que du matin au soir Pierre poussait Bertrande à charger son mari, son faux mari, comme il disait, de l'accusation de tromperie.

— C'est vrai, dit Jeanne. Du matin au soir, à toute occasion, il la poussait à signer un papier.

— Et comme elle refusait, dit Martin, de quoi est-ce qu'il la menaçait?

— De la chasser de la maison.

— Il n'en avait pas le droit, de toute façon, puisque j'étais là. Mais est-ce qu'il n'a pas levé la main sur elle à plusieurs reprises?

— Si, dit Jeanne.

— Augustin est là? Ton mari! Je veux lui demander quelque chose! Augustin, viens!

Il quitta la sellette. Aussitôt des gardes l'obligèrent à se rasseoir. Augustin, qui portait encore sur son visage les traces de son combat contre Nicolas, s'avança jusqu'à la hauteur de Martin, qui lui dit :

— Augustin, toi qui vivais avec nous, tu m'as dit un jour, après le passage du soldat, tu m'as dit de faire attention, que mon oncle avait ordonné à tout le monde de me poursuivre et de me battre, tu te souviens? Pour me forcer à ne plus rien demander!

Augustin cherchait dans sa mémoire. Il hésitait.

— Mais si, lui dit Martin, rappelle-toi, c'était le jour où on a battu ceux de Vals à la soule. Quatre points à deux! Un dimanche d'août!

Une fois de plus Martin démontrait l'excellence de ses souvenirs. Des mois plus tard, il se rappelait encore le résultat d'une partie de balle!

98

– Oui, dit Augustin. C'est vrai. Maintenant je me rappelle.

Se retournant vers Pierre, qui se tenait debout derrière la balustrade, Martin lui dit de loin :

– Alors, mon oncle? Vous pensiez que je ne saurais jamais rien de tout ça?

Et, se retournant avec véhémence vers les juges :

– Il n'y a qu'un imposteur, qu'un criminel ici! C'est lui! Sa place est ici, sur cette sellette! Et si on me dit qu'Arnaud du Tilh était pourri de vices et qu'il jurait le nom de Dieu, qu'est-ce que ça peut me faire, puisque je ne suis pas cet homme-là!

Je ne peux pas rapporter toutes les paroles qui s'échangèrent au cours de ce procès fameux, qui dura plusieurs semaines et fit salle pleine. Martin se défendait et attaquait avec une telle habileté, qu'on n'aurait jamais soupçonnée chez un paysan peu en rapport avec les lois, que certains des juges y virent malice. La mémoire de cet homme leur paraissait si extraordinaire, car il se souvenait avec précision de tous les détails de sa vie, gravés très exactement dans sa tête, qu'on en vint à parler de magie. J'ai souvent remarqué le cas : dès qu'on ne comprend pas quelque chose, on ouvre la porte à la magie. C'est bien commode. Certains des juges, parmi les plus âgés et les plus catholiques, se demandèrent sérieusement si Martin n'était pas en réalité quelque démon, ayant pris la place de Martin Guerre. On assurait connaître des exemples de ce genre d'opération. Le démon, disait-on, aime entrer dans les êtres et y déverser son poison.

Une des villageoises, qui s'appelait Toinette, une grosse toujours à se plaindre de la chaleur ou bien du froid, témoigna dans ce sens. En tournant autour de Martin, elle disait, le doigt pointé : « Il savait tout mieux que n'importe qui dans le village! Quand il est revenu, il savait même le nom de mes fils! Et quand il me regardait je ne pouvais pas bouger, et j'avais l'impression de brûler! Je suis sûre qu'il use de magie! Et même ici, avec nous tous! »

Elle était si hors de ses nerfs que je pensais la voir tomber sur les carreaux.

Le Conseiller Coras, qui laissait bien sentir que toute cette histoire de magie lui semblait une perte de temps, répondit alors publiquement :

– Le mensonge a cent mille figures, même celle du démon, mais la vérité n'en a qu'une. Et la justice est là pour faire apparaître la vérité.

Passant outre à cette déclaration qui me sembla toute pleine de dignité, le curé Dominique Caylar entra en lice, aux côtés de Toinette, et s'écria :

– Depuis le commencement du monde, Satan tient grand magasin de magie! Comment cet homme peut-il savoir tout ce qu'il sait? Comment peut-il avoir réponse à tout? Personne n'en est capable. Celui-ci est le regard du diable! C'est peut-être un diable lui-même!

– Je ne suis pas un diable, je suis Martin!

Il s'était levé pour protester. Les juges lui ordonnèrent de se rasseoir :

– Silence! Asseyez-vous! Et si un diable vous habite, parlez, dites-nous son ncm!

– Je ne suis pas un diable, tout le monde ici le sait! Ce sont mes ennemis qui me calomnient pour me perdre! Si j'étais un diable, je ferais ce que je voudrais! On ne m'aurait pas empêché de jouir de ma femme, au début de notre mariage! On ne m'aurait pas trompé! On ne m'aurait pas arrêté! Je ne serais pas ici, en ce moment, devant vous!

Cela me parut une magnifique réponse, pleine d'ardeur et d'intelligence, et je vis bien l'impression produite sur les juges. Ils bavardaient à voix basse entre eux, enclins à la compréhension. Leurs der-

niers doutes tombaient comme feuilles en décembre.

— Il vaut toujours mieux, dit le Conseiller Coras,
laisser impuni un coupable que de condamner un
innocent. Mais avant de conclure, je voudrais entendre une nouvelle fois la femme de Martin Guerre.

J'ai déjà dit que, chez Bertrande, quelque chose
intéressait Jean de Coras. Suivant peut-être le
même chemin que moi, sans doute commençait-il à
percevoir plus distinctement ses raisons, mais sans
comprendre tout à fait le pourquoi de ses revire-
ments et de ses silences.

Il la fit venir en face de lui. Martin la suivait du
regard, suspendu à sa voix. Voici le dialogue
qu'échangèrent, presque mot pour mot, Bertrande
et le Conseiller :

— Maintenant la Cour s'en rapporte à vous. Quelque indice vous permet-il de penser que cet homme
est un diable ?

— Non, répondit-elle avec fermeté, ce n'est pas un
diable.

— Je le crois aussi. Mais, dites-moi, revenons un
peu en arrière. Quand il est rentré au village, votre
position dans la famille s'est trouvée changée. C'est
vrai ?

— Oui, c'est vrai.

— En retrouvant votre mari, ou tout au moins, en
retrouvant un mari, vous êtes devenue maîtresse de
la maison. C'est vrai ?

— Oui, c'est vrai.

— Vous avez regagné vos prérogatives, votre
rang.

— Oui.

— Maintenant, et pour la dernière fois, je vous le
demande : Cet homme est-il votre mari ?

Elle répondit sans une hésitation :

— Oui, j'en suis sûre.

– Qu'est-ce qui vous permet, demanda un autre juge, de l'affirmer avec une certitude absolue?

L'assistance tout entière restait silencieuse, immobile. Bertrande baissa la tête. On aurait dit qu'elle ne voulait pas répondre.

Coras l'encouragea :

– Parlez. Nous sommes ici pour tout entendre.

– Quand il est revenu, dit-elle alors, il connaissait tout de moi.

– Quoi, par exemple?

Elle baissa de nouveau la tête comme si quelque chose l'empêchait de parler. Coras lui vint en aide, comme aurait fait un confesseur :

– Connaissait-il quelques détails intimes, que seul un mari connaît de sa femme?

– Oui...

– Quoi? Quels détails?

Cette fois elle devait parler. Aussi releva-t-elle la tête, toute rougeur chassée de son visage, pour avouer à voix haute et tranquille :

– Il savait les moments où j'aimais jouir de lui... et les mots que j'aimais entendre... avant, pendant et après...

Des chuchotements coururent. Martin sourit et regarda sa femme avec tendresse. Aux yeux de tous il était clair qu'elle venait de le sauver. Ce témoignage détruisait d'un coup tous les autres.

Le Président du Parlement se leva pour déclarer :

– La Cour va maintenant se retirer pour délibérer.

Les juges en effet se levèrent et se retirèrent. Les témoins furent conviés à prendre quelques instants de repos dans une salle des pas perdus, toute proche, où déambulaient des spectateurs. J'entendis une dame de Toulouse faire ce commentaire :

– Apparemment, ce paysan a gagné sa cause.

Tous trouvaient qu'il s'était défendu de la

manière la plus naturelle et qu'il fallait le rendre à sa famille. Le verdict ne faisait de doute pour personne. Je me tenais à côté de Bertrande. Elle était radieuse.

Quelques instants plus tard une clochette nous rappela dans la salle d'audience, où les juges reprenaient place après une très rapide délibération. Le Président se disposait à prononcer la sentence. Au sourire des juges, il apparaissait clairement que cette sentence était favorable à l'accusé.

– Au nom du Roi et de sa Justice, le Parlement de Toulouse...

On vit soudainement un garde fendre la foule et pénétrer dans la salle d'audience en appelant :

– Monsieur le Président! Monsieur le Président!

Lequel Président, qui ne désirait point être troublé, continuait la lecture de la sentence :

– ... déclare que la personne du prévenu est bien...

– Monsieur le Président!

Le garde arriva tout près et le Président daigna baisser l'oreille pour écouter ce qu'on voulait lui dire.

Ce fut rapide. Les deux hommes parlèrent un instant à voix basse, avec animation. Le garde montrait du doigt le fond de la salle, agité de remous. Martin, qui semblait brusquement alarmé, regarda sa femme.

Le Président déclara aux juges :

– Un moment, messieurs.

Puis, s'adressant à tous :

– Un nouveau témoin demande à être entendu de toute urgence. Faites-le avancer.

Tous les yeux, d'un seul mouvement, cherchèrent le fond de la salle. La foule s'ouvrit.

On entendit le bruit d'une jambe de bois sur les dalles.

Un homme qui paraissait le même âge que Martin s'avançait vers les juges. Vêtements convenables, mais très fatigués par la route. Besace, béquille, jambe de bois. Une barbe claire.

Quand il s'arrêta en face des juges, le Président lui demanda :

— Tu prétends être Martin Guerre ?

— Oui, répondit-il. C'est bien mon nom.

Tout le monde, après un moment de stupeur, voulait crier et se précipiter. Le Président dut appeler un renfort de gardes pour rétablir l'ordre.

L'homme restait debout et calme. Il n'avait eu pour le prévenu qu'un bref regard, tout de mépris.

— D'où viens-tu ? demanda le Président.

— De l'armée de Picardie. Un boulet m'a arraché la jambe à la bataille de Saint-Quentin. En arrivant à Artigat, j'ai appris ce qui se passait et que ma famille était ici. J'arrive.

Tout le monde se tordait le cou pour essayer de l'apercevoir, mais pour le moment il gardait son visage tourné vers les juges. L'événement me paraissait presque démoniaque. Je ne pouvais pas y croire. Je n'osais même pas regarder Bertrande.

— Tu connais cet homme ? demanda le Président en montrant Martin.

— Oui, je le connais. Nous étions soldats ensemble.

— Qui est-ce ? Quel est son nom ?

— C'est Arnaud du Tilh. C'est Pansette.

Alors le prévenu se dressa d'un vif mouvement et s'écria :

— Mais ne l'écoutez pas ! Regardez-les ! Regardez-les tous ! Ils se savent perdus, c'est la dernière ruse de mon oncle ! Un truand à sa solde, qu'il a sans doute déniché dans les basses rues de la ville !

— Silence! crièrent les assesseurs.

— Et cette femme, tu la connais? demanda-t-on au nouveau venu, en lui montrant Bertrande.

— C'est Bertrande, ma femme, répondit-il aussitôt.

— Vous alliez me reconnaître innocent, s'écria Martin dans un sursaut, alors ils tentent une dernière fourberie!

— J'ai dit : Silence!

Le nouveau venu, s'adressant pour la première fois à l'accusé, lui demanda :

— Après tout ce que tu m'as fait, tu oses encore ouvrir la bouche et m'insulter?

— Je ne t'ai rien fait! Je ne t'ai rien fait et je ne te connais pas! Je ne t'ai jamais vu!

Se retournant de nouveau vers les juges, comme un cerf cherchant une issue :

— Mais arrêtez-le! Qu'est-ce que vous attendez? C'est un homme payé! Un menteur à gages!

Le tumulte reprit. Les gardes durent, une nouvelle fois, intervenir sans aucune douceur. Un des juges éleva la voix pour appeler :

— Pierre Guerre! Avancez-vous avec votre femme!

Raymonde et Pierre obéirent. Quelque chose brillait sur leurs deux visages.

— Reconnaissez-vous cet homme? leur demanda un juge.

Pierre Guerre s'approcha de l'homme à la jambe de bois, le serra sur son cœur et dit :

— Oui. Oui, je le reconnais. C'est Martin, mon neveu. Le fils de mon frère Mathurin. Que je t'embrasse, Martin. Enfin tu es de retour. Enfin.

Raymonde l'imita. Elle avait les larmes aux yeux, comme son mari.

A ce moment-là le Conseiller Coras, qui s'était contenté d'observer et d'écouter sans intervenir depuis l'apparition du second Martin Guerre, demanda à Raymonde et à Pierre, qui tenaient embrassé leur nouveau neveu :

– Vous êtes sûrs de ce que vous dites?

– Oui, j'en suis sûr, c'est le vrai fils de mon frère. Je le reconnaîtrais entre mille.

– Et vous, Raymonde?

– Oui, moi aussi. C'est mon beau-fils, que Dieu et la Providence nous ont rendu.

Décision fut prise de faire revenir les principaux témoins, à commencer par les sœurs. Mais l'accusé n'allait pas se laisser vaincre sans combat.

– Il est payé! s'écria-t-il. Et la preuve qu'il est payé, c'est qu'il arrive maintenant, au moment voulu! Comme un miracle!

– Oui, un miracle! reprit Pierre Guerre. C'est Dieu qui nous a envoyé mon neveu pour réparer une injustice!

Et le curé de renchérir, comme on pense :

– C'est Dieu! C'est le doigt de Dieu qui se manifeste! C'est la marque de la justice divine!

Le prévenu s'en prit alors au Conseiller Coras :

– Ne m'abandonnez pas! Il y a un complot terrible contre moi! Dans ma propre famille!

Le magistrat parut hésiter, comme si quelque chose le touchait dans la voix, dans le ton de cet homme menacé, qu'il avait si longuement interrogé.

– Vous surtout, monsieur, qui m'avez écouté, écoutez-moi encore, sinon je suis perdu.

Coras hocha la tête, montrant qu'il écoutait – pour la dernière fois.

– Je suis Martin Guerre, du village d'Artigat. Cet homme est un menteur soudoyé. On lui a enseigné exactement ce qu'il devait dire et faire et pourtant je vais le confondre. Laissez-moi le mettre à l'épreuve, je vous en supplie.

Coras jeta un regard vers le Président. Aucune

chance de vérité, même fragile, ne devait être négligée par la justice. Permission fut donnée au prévenu de parler comme il l'entendait. C'est ainsi que nous pûmes assister à une scène que nul d'entre nous ne devait oublier, la scène des deux Martin Guerre.

Se retournant vers l'homme à la jambe de bois – chacun des deux, il est bon de le savoir, jouait sa tête –, le prévenu lui dit d'abord :

– Toi qui prétends être moi, dis-moi : la nuit de mes noces, qui m'a porté le bol des mariés dans la chambre ?

L'homme n'hésita qu'un instant, pivota vers moi et répondit :

– C'est elle. Catherine Boëre.

– Juste après mon mariage, quand on m'avait jeté un sort pour m'empêcher de jouir de ma femme, le curé a dit combien de messes ?

– Combien de messes ?

– Oui. Combien de messes ?

– Je ne sais plus... C'est loin, et je suis fatigué.

– Répondez, dit alors le Conseiller Coras, qui se passionnait pour la bataille, comme nous tous.

– Six, dit alors le nouveau venu.

– Non! s'écria l'accusé. Il s'est trompé! Vous voyez, il ne sait pas! Ce n'est pas six, mais quatre!

Il chercha des yeux le curé, lui demanda :

– Réponds! Dis la vérité devant Dieu!

A contrecœur, Dominique Caylar répondit :

– J'ai dit quatre messes, c'est vrai.

– Si tu prétends être moi, reprit le prévenu en se retournant vers son rival, on aurait dû mieux te renseigner. Et le jour où le maléfice a été rompu, ça se passait où ?

– Chez le curé. Dans la sacristie.

– Il faisait chaud ou froid ?

– Il faisait froid et j'étais nu, répondit l'homme à

la jambe de bois, suscitant quelques réactions dans l'assistance.

– C'est vrai, dit le premier Martin. J'étais nu. Mais on s'est vite réchauffés. Ah! Et les sacs de semence pris à mon père, à qui je les ai revendus?

– Au Grêlé, dit l'autre, après réflexion.

– Bien. Tu te souviens de ta leçon, c'est bien. Maintenant, autre chose : en partant, j'ai laissé quelque chose dans le coffre du haut. Qu'est-ce que c'était?

Le second Martin parut alors sincèrement interloqué. Nos yeux allaient de l'un à l'autre et nous ne savions que penser. La vérité pouvait être toute d'un côté, toute de l'autre. Il suffisait d'une mauvaise réponse pour décider d'une identité, d'une vie. Car l'un des deux mentait. Seule certitude dans tout ce brouillard agité.

– Dans le coffre du haut? Ce que j'ai laissé? répéta l'homme à la jambe de bois.

– Oui. Ce que j'ai laissé en partant. Qu'est-ce que c'était?

L'autre avait du mal à se rappeler. Il se balançait sur sa jambe de chêne, d'avant en arrière.

Peut-être allait-il répondre, finalement. Mais notre Martin lui brûla la parole et s'écria :

– C'étaient des chausses blanches! Oui ou non?

Il se tourna vers moi pour demander assentiment. Je hochai la tête.

– C'étaient des chausses blanches, répéta-t-il en revenant à son rival, et tu ne le savais pas!

– Mes chausses doublées de taffetas! Mais c'est moi qui te l'ai dit!

– Non! C'est *moi* qui te l'ai dit! répliqua le prévenu. Et tu oses t'en servir contre moi!

Tourné vers la Cour, comme triomphant, il demanda très haut :

– Arrêtez-le! Je suis le seul Martin, ici! La preuve est faite!

A ce moment-là – un moment décisif entre tous, mais nous ne le savions pas encore – le Conseiller Coras se rapprocha du prévenu et lui dit avec calme :

– Un instant. Tu dis que tu lui as fait des confidences?

– Oui, répondit l'accusé, encore tout excité. Et il vient s'en servir contre moi!

– Pourtant, reprit le Conseiller, toujours très calme, quand il est entré, tu lui as dit : je ne te reconnais pas.

Silence, à peine troublé par quelques murmures étonnés.

L'accusé venait de commettre sa première erreur. Il savait qu'elle lui était fatale et il gardait la tête basse. Pris dans un piège inattendu, il ne trouvait soudain plus rien à dire. Attentif et perspicace, sachant aussi, par habitude, démêler les sentiers égarés dans le taillis des paroles humaines, le Conseiller venait tout simplement de faire apparaître la vérité.

Bertrande enfouit son visage dans ses mains. Je me tenais tout près d'elle, bien désemparée moi aussi.

Coras, qui ne semblait tirer nulle vanité de son succès, continuait son travail. Se tournant vers Jeanne, il lui demanda :

– Lequel de ces deux hommes est Martin, votre frère? Je vous demande de vous prononcer.

Jeanne n'hésita plus. Tous les yeux venaient de se dessiller, toutes les idées s'éclaircissaient, tous les souvenirs s'aiguisaient. Jeanne se dirigea vers l'homme à la jambe de bois et dit :

– Voici mon frère, Martin Guerre.

– Et vous? demanda Coras aux autres sœurs. Que dites-vous?

Seul comptait, à vrai dire, le témoignage de

Guillemette, les autres étant trop jeunes. Guillemette, sans bonheur, s'en vint rejoindre sa sœur
Jeanne et elle dit :

– Oui. C'est Martin, mon frère.

Sanxi fut le seul à ne pas reconnaître le nouveau
venu. Il se précipita dans les bras de l'accusé en
l'appelant son père, son seul père. Des gardes les
séparèrent.

Alors le Conseiller Coras me demanda mon sentiment. Je m'avançai de quelques pas, mais j'avais le
cœur si gros que je ne pus me décider – même si
j'avais depuis quelque temps ma petite idée.

– Moi, aucune importance, dis-je, je ne suis pas
de la famille.

On n'insista pas. On me laissa revenir à ma place.

La dernière, Bertrande se mit en mouvement. Je
la vis s'avancer vers les deux hommes. Son regard,
j'en suis sûre, rencontra longuement celui de l'accusé, qui lui souriait étrangement, sans lui parler.
On crut le temps suspendu à ce regard, pour un instant. Puis Bertrande se détourna et s'agenouilla
devant l'homme à la jambe de bois en lui disant :

– Je te demande pardon, Martin.

Dans le silence qui continuait et que personne,
juge ou spectateur, n'osait troubler, l'homme – cet
homme qu'il faut bien que j'appelle Martin –
regarda durement la femme agenouillée, la tête
basse, devant lui. Il ne montra aucun signe de
douleur ou de tristesse en lui parlant. Je le reconnaissais. Oui, je reconnaissais son front buté, sa
bouche amère.

– Ne pleure pas, dit-il à Bertrande. Je sais que les
femmes pleurent facilement. Toi, mieux que n'importe qui dans la famille, tu aurais dû reconnaître
ton mari. Un désastre est arrivé à notre maison. Nul
n'a le tort que toi.

L'autre, l'accusé, autrement dit Arnaud du Tilh,

110

puisque voici le moment venu de l'appeler lui aussi par son nom, dit alors d'une voix qui avait perdu toute colère :

– Le vrai coupable, c'est toi, Martin.

Il l'appelait donc Martin, reconnaissant ainsi sa propre imposture, aux yeux et aux oreilles de tous.

Martin répliqua :

– Tu étais mon compagnon et tu as trahi mon amitié. Tu ne mérites aucune pitié.

– Et quel mal y a-t-il, tu peux me le dire, à s'occuper d'une femme que son mari a abandonnée? C'est toi qui es cause de tout.

Martin choisit de ne pas répondre.

Le Conseiller Coras dit alors à l'accusé :

– Nous n'attendons que vos aveux, Arnaud du Tilh.

Ces aveux se firent très simplement. Chose curieuse, alors que la fin approchait, toute animosité à l'égard du faux Martin semblait s'apaiser. Il restait assis sur la sellette, examinant à tour de rôle, comme pour un dernier regard, tous les acteurs et spectateurs de la tragi-comédie dont il venait d'être le héros tumultueux, imprudent et, pour finir, démasqué et vaincu.

Il parla d'une voix calme. Chacun l'écoutait attentivement, en hochant par moments la tête. On essayait de se rappeler toutes les images possibles depuis le retour de Martin, images qu'on ne reverrait plus, qui s'éloignaient, qui se chargeaient déjà de regrets, de mélancolie et de fantaisie.

– Oui, c'est vrai, dit-il, je l'ai connu à la guerre. Il m'a parlé de sa femme, de son fils, de sa maison. Et puis un jour sur la route j'ai rencontré deux hommes qui m'ont pris pour lui. Ils m'ont crié : Salut, Martin! Ça m'a donné l'idée. Je me suis dit : Pourquoi pas moi à sa place? Je me suis renseigné de droite et de gauche. Je savais que Martin ne voulait pas revenir.

Il s'interrompit un court instant – lui aussi, il rassemblait pour la dernière fois ses souvenirs –, reprit :

– Quand je suis arrivé à Artigat, là aussi on m'a pris pour lui. Plusieurs fois j'ai failli éclater de rire et dire : Je vous ai bien eus! Martin, le vrai Martin, il est là-haut dans le Nord, où il fait la guerre. Oui, j'ai failli le dire. Plusieurs fois.

Alors il leva les yeux sur Bertrande et lui dit :

– Et puis je t'ai vue. Je t'ai prise dans mes bras. Le lendemain il était trop tard. Par la suite j'ai appris tout ce que je ne savais pas, de la bouche de mon oncle, de mes sœurs, de ma femme. Je l'ai retenu. Voilà tout. Il n'y a aucune magie là-dedans, je le jure.

Il se tut et pendant un moment personne n'osa parler.

Puis il dit au vrai Martin :

– Tu ne la mérites pas. Je te le dis, car je la connais mieux que toi.

Il parlait sans hostilité, en homme calmement vaincu, lucide et très près maintenant de la mort. Tout le monde le savait, ce qui imposait un grand respect pour ses paroles.

– A ta place, dit-il à Martin, je me suis occupé de ton fils. Maintenant je te demande de t'occuper de ma fille. J'ai un peu de bien au Tilh. Fais qu'il lui revienne.

Martin inclina légèrement la tête, sans perdre son air dur.

Arnaud dit enfin à Coras :

– Voilà la vérité. Je voudrais que tous me pardonnent. Vous, eux...

Son regard se reposa pour finir sur Bertrande, à qui il dit d'une voix qui se cassait :

– ... et toi aussi, qui as été ma femme.

Pour revenir à Artigat nous cheminâmes sous la pluie, dormant peu afin d'arriver plus vite. Chacun demeurait enfoui dans ses pensées. On parlait à peine. Martin se tenait dans une charrette avec sa femme, son oncle et sa belle-mère. Arnaud, attaché sur une mule et entouré de gardes, s'avançait à quelque distance du cortège. Nous l'apercevions de temps à autre.

On dressa le gibet sur la place de l'église, à Artigat. Certains jours, il me semble encore entendre les coups de marteau qui me fendaient le corps et l'âme. Des curieux s'arrêtaient un moment pour regarder le travail des charpentiers, un travail qu'on n'avait pas coutume de voir dans notre village. Certains venaient d'autres villages, car on est toujours curieux de la mort.

Arnaud avait tout avoué, et même plusieurs larcins sur lesquels on ne l'interrogeait pas. Il reconnaissait devoir de l'argent à tel et tel, ainsi que du blé, du vin, du millet. Par arrêt du tribunal, il se voyait reconnu coupable de tromperie, de supposition de nom et de personne, d'adultère (car Bertrande n'était nullement sa véritable épouse devant Dieu), de rapt (on voulut bien supposer que Bertrande avait été séduite, et comme captée, par les ardeurs mensongères du faux Martin), de sacrilège et de vol. Tout cela méritait plusieurs fois la mort. Arnaud le savait et jamais il ne prétendit se soustraire au dernier châtiment. Arnaud l'effronté, Arnaud le turbulent, l'insolent, le charmeur et le beau bavard, Arnaud à la vaste mémoire, Arnaud réponse-à-tout, Arnaud le malin, le mauvais garnement en toutes choses, Arnaud voyait ainsi venir sa fin par décision irrévocable, au lieu même où pendant trois ans il avait exercé son imposture, c'est-à-dire chez nous, à Artigat.

Le juge de Rieux et le Conseiller Coras arrivèrent au village la veille de l'exécution avec une escorte et les bourreaux. On ne s'attendait pas à la venue du Conseiller, dont la présence surprit un peu. On savait cependant que, depuis sa première intervention, quelque chose l'avait profondément intéressé dans cette affaire. On disait même que la personne d'Arnaud, par sa faconde, son intelligence et le jeu insensé dans lequel il s'était risqué, lui inspirait de la sympathie.

A son arrivée à Artigat, pourtant, à peine descendu de sa monture, ce ne fut pas Arnaud qu'il demanda à voir, mais Bertrande. Il dit à Pierre Guerre de le laisser seul avec elle un moment, dans la maison où elle avait repris sa place auprès de Martin, du vrai Martin.

En se dirigeant vers la maison, Coras dit aussi à Pierre Guerre :

– Pierre Guerre, vous avez porté le feu et la discorde dans le village. Maintenant je compte sur vous pour faire la paix.

Je me trouvais dans la maison ce jour-là, et lorsque le Conseiller pénétra dans la salle commune, après l'avoir salué je passai dans la souillarde et tirai la porte derrière moi. Mais je savais que je pouvais entendre entre les planches assez mal jointes.

Raymonde et Jeanne, qui elles aussi se trouvaient là, sortirent par une autre porte. Bertrande resta seule avec le magistrat. Tout éclat, toute jeunesse s'étaient enfuis de son visage. En quelques jours, elle avait désappris de rire. Les yeux presque toujours baissés, la peau grise, elle semblait se résigner à la vie bien tracée qui l'attendait, désormais sans surprise et sans fraude possible.

Le Conseiller lui dit, pour tenter de la mettre à l'aise :

114

— Donne-moi un peu d'eau.

Ce qu'elle fit. Il but puis il lui dit, parlant d'abord avec la sévérité du magistrat :

— Bertrande, ton audace a été bien grande, et ta crainte de Dieu bien petite. Le Parlement a long-temps hésité avant de te reconnaître innocente. D'abord, tu as mis beaucoup de légèreté à accueillir cet inconnu dans ton lit. Ensuite, quand je t'ai interrogée, la première fois, tu aurais dû tout m'avouer. Tout de suite.

Bertrande l'écoutait sans paraître l'entendre, comme si ces reproches venaient d'un autre monde. Sur son visage on ne lisait aucune émotion, aucun regret. Châtiment ou pardon lui était indifférent, je le savais. Tous deux se confondaient. Depuis son retour à Artigat, elle trouvait refuge en elle-même. J'avais essayé à plusieurs reprises de lui parler, de lui apporter quelque maladroite consolation. Elle ne m'avait même pas répondu. Elle m'évitait, moi, sa vieille amie. C'est d'ailleurs pour ça que je suis partie quinze jours plus tard.

Coras ne se laissait pas rebuter par son silence. Venu avec en tête une idée bien précise, il irait jusqu'au bout. Pour lui l'affaire Martin Guerre n'était pas entièrement close. Il lui manquait une lumière.

— Les femmes, dit-il, sont souvent trompées par les malices des hommes. Nous le savons. C'est pourquoi nous t'avons innocentée. En espérant que maintenant tu feras une bonne épouse.

Elle ne hocha même pas la tête. Elle ne dit rien. D'ailleurs, le magistrat ne lui avait encore rien demandé.

Il en vint alors au vrai dessein de sa visite :

— Mais dis-moi, pour moi, pour que j'y voie clair, avant le retour de ce faux mari, tu avais un grand désir d'homme ?

Glissant un œil à travers les planches, je vis qu'elle hochait légèrement la tête. Elle acceptait donc de répondre. Sans doute devinait-elle, par-delà la carapace du magistrat qui avait fait tout ce chemin pour lui poser cette question, une certaine chaleur, jointe au vrai besoin de savoir.

Quant à moi, rien ne peut dire la curiosité qui me serrait la poitrine à cet instant-là.

– Celui qui arrivait t'a plu tout de suite? demanda Coras.

Je revis l'entrée du faux Martin dans le village, son grand rire d'enfant, ses regards qu'il lançait partout, et puis son approche du lavoir, sa première vue de Bertrande.

Celle-ci hocha une seconde fois la tête.

– Ton désir d'homme, il l'a satisfait? demanda le Conseiller.

Bertrande fit signe que oui. Cela nous le savions tous, et depuis longtemps.

Ce qui me surprit davantage – car ce n'est pas une chose dont nous parlons souvent chez nous – ce fut la question suivante, formulée sur le même ton que les précédentes:

– Vous vous êtes aimés?

Bertrande ne se contenta plus de hocher la tête. Elle dit clairement:

– Oui.

– Vous avez été complices dès le début? Tu peux me le dire, ça ne sortira pas d'ici.

Je compris à ce moment-là ce qui depuis longtemps intriguait le magistrat: comment expliquer le comportement si changeant de Bertrande et le fait qu'elle n'ait rien dit lors de l'arrestation de l'homme qu'elle acceptait comme mari, la seconde fois surtout?

Elle resta un moment silencieuse, réfléchissant aux mots qu'elle allait employer. Puis elle dit au magistrat, qui se rappela sans doute chaque phrase, comme moi :

– Arnaud et moi, nous étions bien ensemble. Martin m'avait négligée et quittée. Arnaud me traitait avec respect, comme un vrai époux. Il a gagné toute ma confiance. Quand les gens ont commencé à parler, nous nous sommes dit : allons devant les juges. A nous deux, nous aurions gagné. Si Martin n'était pas revenu, on nous aurait proclamés légitimement mari et femme, et personne n'aurait plus rien dit.

Derrière la porte de la souillarde, contre laquelle je m'appuyais sans bruit, je passai une main sur mes yeux. Je voyais tout à coup le rêve de vie heureuse auprès duquel j'avais vécu pendant trois ans, rêve à présent dissipé par le sort, comme tant de rêves.

Coras voulait encore en savoir plus.

– A la fin, dit-il, au dernier moment, pourquoi avoir changé d'avis? Pourquoi t'es-tu agenouillée devant Martin?

Je revis Bertrande s'avançant d'elle-même au milieu de la grande salle du Parlement, se dirigeant vers les deux hommes, entre lesquels elle ne pouvait déjà plus choisir. Je revis son visage levé vers celui de l'homme auprès de qui, pendant trois ans, nous l'avions connue si contente.

– J'ai regardé les yeux d'Arnaud, dit-elle à Coras, j'ai vu que l'espoir était perdu et j'ai compris ce qu'il me demandait.

Un court silence, puis :

– Il voulait que je sauve au moins ma vie, pour moi et mes enfants.

Alors le cœur de cette femme forte se déchira et ce fut avec un premier sanglot qu'elle dit enfin :

– C'est ce que j'ai fait.

Les cloches se mirent à sonner lentement avant même le lever du jour.

Des groupes de gens se hâtaient dans les chemins qui mènent à Artigat. Une exécution est un spectacle rare, très rare, qu'on se raconte longtemps dans les campagnes.

De très bonne heure, en chemise, pieds nus et tenant à la main un cierge de deux livres, Arnaud fut amené à l'église où il entendit la messe. A la fin, le curé lui donna sa bénédiction et lui fit signe de se lever.

Un cortège se forma, qui passa par toutes les rues d'Artigat comme le demandait la coutume. La foule chantait le *Salve Regina*. Tous les vingt mètres, Arnaud, qui marchait en tête, s'arrêtait et s'écriait :

– Pardon à Dieu pour avoir violé le saint état de mariage! Pardon au roi, à la justice, à tous ceux que j'ai offensés!

Deux enfants de chœur tenaient, tout au long de l'amende honorable, l'un un long crucifix, l'autre un encensoir. Tout au long du parcours, Arnaud côtoyait pour la dernière fois ces hommes et femmes parmi lesquels il avait vécu pendant trois années, Nicolas, Jacques et André le Grêlé, le cordonnier et tous les autres. Toute la famille Guerre, sans oublier Bertrande et le vrai Martin sur sa béquille, s'était groupée devant la maison, en vue du gibet.

Arnaud passa devant eux, regarda Bertrande et la fille qu'ils avaient eue ensemble. Tous les hommes se tenaient silencieux, tête nue. Toutes les femmes portaient coiffe ou fichu. Je me trouvais là, moi aussi.

Après avoir demandé pardon à la famille, Arnaud ajouta, les yeux tout brillants :

— Priez pour moi, ayez pitié de moi.

Les deux bourreaux s'approchèrent alors de lui, car son heure était arrivée. Il ne put retenir un mouvement de révolte, une sorte d'affolement qui ne dura pas car les deux hommes vêtus de noir le maîtrisèrent avec des gestes familiers, presque doux, et lui passèrent la corde au cou.

Alors ils l'amenèrent auprès de l'échelle et lui enlevèrent le cierge des mains. Les pieds nus, dans sa longue chemise blanche, ils le firent monter à reculons le long de l'échelle. Pendant tous ces derniers instants, il ne détourna pas son regard de Bertrande. Elle aussi, elle le regardait fixement. Elle le regarda fixement jusqu'au bout.

Quand il fut assez haut, les bourreaux firent basculer son corps de l'échelle. La corde se tendit. Arnaud resta suspendu dans le vide, le corps secoué de soubresauts. Toute la foule se signa. Peu à peu les soubresauts se calmèrent.

Les deux bourreaux retirèrent l'échelle et enflammèrent le bûcher tout préparé sous le gibet, car il était écrit dans l'arrêt de justice qu'Arnaud devait être pendu, et ensuite brûlé, cela pour limiter sa souffrance.

Nombreux furent ceux du village qui désapprouvèrent cette clémence. Ils auraient voulu voir Arnaud brûler vif et hurler longtemps. C'est aussi pour cela que j'ai quitté Artigat et que depuis ce moment-là je vais de place en place, racontant partout cette histoire.

Pour échapper à l'ardeur de la fournaise, les spectateurs du premier rang firent quelques pas en arrière.

Le soleil venait de se lever.

Le gibet tout entier s'embrasa. Le corps d'Arnaud disparut dans la fumée.

Jean de Coras fit un signe au juge de Rieux, car

leur tâche, bonne au mauvaise, était achevée. Ils se remirent en selle, accompagnés des gardes. L'histoire de Martin Guerre se terminait.

Jean de Coras, à ce qu'on raconta plus tard, poursuivit sa voie dans la religion protestante. Il finit lui aussi pendu, sur les marches du Parlement de Toulouse, victime de ses convictions religieuses, avec un grand nombre de ses amis.

Ce matin-là, alors qu'il reprenait le chemin de Toulouse, avec un dernier regard vers le bûcher, sans doute ressentait-il quelque fatigue, et la tristesse du devoir accompli. Tout sage et savant qu'il fût, il ne pouvait alors imaginer son propre destin.

Les villageois et la famille Guerre se tenaient immobiles autour du gibet qu'attaquaient les flammes.

Les cloches sonnaient le glas et le soleil envahissait la place.

Février 1982.

DEUXIÈME PARTIE

LE RETOUR DE MARTIN GUERRE

étude historique

par Natalie Zemon DAVIS
traduit de l'américain par Angélique Lévi

PRÉFACE

Quand je lus pour la première fois l'*Arrest Memorable* de Jean de Coras en 1976, j'ai pensé qu'il y avait là matière à un film. C'était une occasion parfaite pour faire revivre le XVIᵉ siècle pour des milliers de spectateurs. On tenait là une histoire étonnante qui ne pouvait se passer en dehors des mœurs du village et des processus judiciaires d'un monde très différent du nôtre, mais qui trouvait un écho dans notre temps et nous donnait à réfléchir. Par chance, l'été 1980, j'ai parlé de mon rêve à un ami, l'historien Emmanuel Le Roy Ladurie, qui m'a dit : « Je crois bien que deux cinéastes français sont en train d'écrire un scénario sur la même histoire. » Quelques jours plus tard ma collaboration avec Jean-Claude Carrière et Daniel Vigne sur le film *Le Retour de Martin Guerre* commençait.

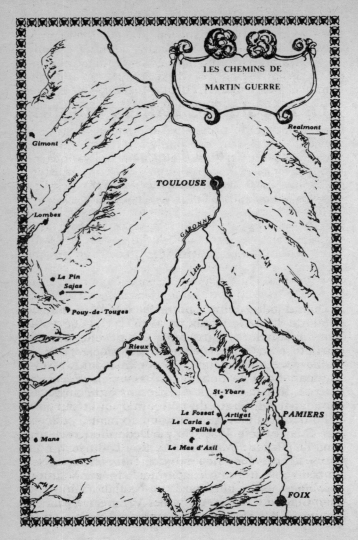

LES CHEMINS DE
MARTIN GUERRE

Realmont

Gimont

Sarr

TOULOUSE

Lombez

GARONNE

Le Pin
Sajas

Lèze

Ariège

Pouy-de-Touges

Rieux

St-Ybars

Le Fossat
Le Carla
Pailhès

Artigat

PAMIERS

Mane

Le Mas d'Axil

FOIX

122

Au début du projet j'ai pensé dans mon immodestie à tout ce qu'un historien pouvait apporter au travail des cinéastes. J'ai bientôt compris combien la réalisation d'un film, aux côtés de deux hommes de si grand talent et d'expérience, m'apprenait comme historienne. A chaque instant, j'étais poussée à poser à mes données des questions auxquelles je n'avais jamais songé auparavant. Là on recueillait des faits non pour persuader un lecteur savant de la vraisemblance d'un personnage ou d'une explication, mais pour persuader un acteur qui va incarner le personnage et les spectateurs qui vont assister à cet événement. J'entrevoyais maintenant des liens nouveaux entre les « tendances générales » des historiens et le vécu des gens. Je dissertais sur la famille et la loi sur le mariage au XVIe siècle, Jean-Claude Carrière proposait le dialogue et Daniel Vigne les images qui exprimaient ces rapports concrètement avec simplicité et vivacité.

Je devais maintenant repenser chaque épisode dans la perspective de tous les acteurs principaux, pas simplement Bertrande, le faux Martin et Coras, mais aussi l'oncle, la mère, le curé et la servante. Même les deux semaines que j'ai passées au tournage ont nourri mes réflexions historiques. Voici ce passé imaginaire, découpé en séquences de quelques secondes, brillamment illuminé par des projecteurs, dit, redit et pris sous un autre angle, les phrases et les gestes du XVIe siècle en contrepoint entre la direction du metteur en scène et l'interprétation de l'acteur. Voir Gérard Depardieu se mettre dans la peau de Martin Guerre m'a aidée à comprendre l'œuvre d'Arnaud du Tilh. Il ne m'était jamais venu à l'esprit combien de connotations pouvait contenir la phrase : « Mais par nature les femmes sont souvent trompées par les malices des hommes », au XVIe siècle, jusqu'à ce que j'aie vu les rushes de Roger Planchon en Jean de Coras. Eux, ils faisaient un film, mais j'avais, moi, mon propre laboratoire d'historienne; de ces expériences naissaient non des preuves, mais des possibles historiques.

J'éprouvais également un grand sentiment de libération à montrer des événements, comme Bertrande de Rols qui apprend à signer son nom, pour lesquels je ne possédais aucune preuve précise mais dont je savais qu'ils auraient pu se passer au XVIe siècle (1). Catherine Boëre (ou Boëri) n'était pas en fait servante dans la famille Guerre, mais quand j'ai vu le beau travail de Jean-Claude Carrière et Daniel Vigne sur ce rôle, je n'ai pensé qu'à les aider à le rendre aussi vraisemblable que possible. La conversation la plus fructueuse que j'aie jamais eue sur ce que devait ressentir autrefois une domestique placée pendant plusieurs années dans une même famille, ce fut avec Isabelle Sadoyan pendant qu'elle se préparait à son rôle.

Quelques entorses à la réalité historique visaient à simplifier l'histoire plutôt qu'à l'enrichir. Tout ne peut ni ne doit être dit dans un film de deux heures, et notamment l'origine basque des Guerre (qui va tenir une grande place dans mon analyse) sera écartée. La simplification de l'attitude de Bertrande de Rols en face du procès de l'imposteur, surtout, me causait des inquiétudes. Mais j'ai été soulagée de voir que Nathalie Baye avec sa remarquable intuition de la condition féminine du passé a réintroduit les ambiguïtés de la vraie Bertrande dans son jeu.

D'autres divergences des documents historiques sont dues au manque d'argent ou de temps. Ici j'ai vécu très fortement le conflit avec mon métier

---

(1) En effet, j'ai trouvé dans un autre village une femme comme Bertrande qui pouvait signer son nom.

d'historienne. Quand je manque d'espace pour une publication, il me coûte peu de dire : « Le premier procès a eu lieu à Rieux et Martin Guerre l'a perdu »; on ne me demande pas pour ça de construire toute une scène pour quelques minutes de tournage. Quand je manque de temps (comme c'est le cas en ce moment puisque je n'ai pas pu consulter les archives basques à Pau sur la piste des Guerre), je peux me taire, ou dire « peut-être »; on ne me demande pas de porter un jugement historique infaillible sur quelque détail qui va être filmé dans dix minutes.

La tension créatrice entre le travail cinématographique et le travail de l'historien a fait naître en moi le désir d'écrire sur l'histoire de Martin Guerre. J'ai couru du tournage à Balagué aux archives à Foix, Toulouse et Auch; deux scénarios se sont déroulés dans ma tête. Ils procèdent de la même inspiration : ma Bertrande, mon Pierre Guerre, mon faux Martin et les autres ont la même psychologie, me semblent les mêmes personnes que celles créées par Jean-Claude Carrière et Daniel Vigne avec mes conseils. Mais ici mes sujets sont des gens séparés de nous par quatre siècles, avec leurs vies, leurs cadres et leurs destinées propres. De la liberté et de la découverte du film, je reviens à ma lutte exigeante mais bien-aimée avec les textes, ces bouts de papier que le passé m'a légués et auxquels je dois être fidèle.

N.Z.D.
Paris, mars 1982.

REMERCIEMENTS

Pour l'aide financière dont a bénéficié cette recherche, je suis reconnaissante à l'université de Princeton et au National Endowment for the Humanities des États-Unis. Je tiens à remercier aussi les archivistes des Archives départementales de l'Ariège, de la Haute-Garonne, du Gers et de la Gironde, dont l'obligeance m'a permis un progrès rapide dans mon travail. Mme Marie-Rose Bélier, M. Paul Dumons et M. Hubert Daraud d'Artigat ont bien voulu partager avec moi des souvenirs de leur village et de l'histoire de Martin Guerre. Des idées et des suggestions bibliographiques m'ont été offertes avec générosité par de nombreux collègues américains et français : Paul Alpers, Yves et Nicole Castan, Barbara B. Davis, William A. Douglass, Daniel Fabre, Stephen Greenblatt, Richard Helmholz, Paul Hiltpold, Élisabeth Labrousse, Helen Nader, Jean-Pierre Poussou, Virginia Reinburg, Alfred Soman et Anne Waltner. Avoir eu Angélique Lévi comme traductrice de cet ouvrage a été un grand bonheur. Sans l'aide de mon véritable époux, Chandler Davis, cette histoire d'un mari supposé n'aurait pu exister.

INTRODUCTION

Femme bonne qui a mauvais mary, a bien souvent le cœur marry.
Amour peut moult, argent peut tout (1)*.

C'est par des proverbes que les paysans du XVIe siècle caractérisaient le mariage. Les historiens en savent de plus en plus long en la matière grâce aux contrats de mariage et aux testaments, aux registres paroissiaux des naissances et des décès et aux récits de rituels prématrimoniaux et aux charivaris ruraux. Ce qui reste difficile à connaître, toutefois, ce sont les espoirs et les sentiments des paysans, la manière dont ils ont vécu les contraintes et les possibilités de leur existence. Nous pensons souvent que les gens de la campagne n'avaient pas grand choix, mais n'est-ce pas là une idée reçue? N'existait-il pas dans les villages des individus qui ont cherché à façonner leur vie en empruntant des chemins insolites et inattendus?

Mais comment s'y prennent les historiens pour ramener à la surface de telles informations des profondeurs du passé? Nous épluchons les lettres et les journaux intimes, les autobiographies, les chroniques et les histoires de famille. Nous examinons les sources littéraires – pièces de théâtre, poèmes lyriques et contes – qui, quels que soient leurs rapports avec la vie réelle des individus, nous

---

* Voir notes en fin de volume.

montrent quelle sorte de sentiments et de réactions les auteurs pouvaient imaginer à une période donnée. Les paysans, dont au XVIe siècle quatre-vingt-dix pour cent ne savaient pas écrire, nous ont laissé peu de documents sur leur vie privée. Les mémoires et les journaux qui nous sont parvenus sont maigres : une ligne ou deux sur les naissances, les morts, le temps qu'il fait. Thomas Platter nous donne un portrait de sa mère, une paysanne dure à l'ouvrage : « Lorsque nous voulûmes dire adieu à notre mère, elle pleura... Sauf cette fois-là, je n'ai jamais vu ma mère pleurer, car c'était une femme courageuse et virile, mais rude. » Mais cette page fut écrite alors que cet hébraïsant érudit avait depuis longtemps quitté son village suisse et les pâturages de ses montagnes (2).

Quant aux sources littéraires concernant les paysans, lorsqu'elles existent, elles suivent les règles classiques qui font des villageois un sujet réservé à la comédie. La comédie met en scène des « personnes populaires », « de basse condition » comme le veut la théorie. « La comédie descrit et represente en stile bas et humble la fortune privée des hommes... Son issue est heureuse, plaisante et aggreable. » Aussi dans *les Cent Nouvelles nouvelles*, un paysan âpre au gain surprenant sa femme au lit avec un ami est apaisé par la promesse de douze mesures de blé, et doit ensuite, pour conclure le marché, laisser les amants achever leurs ébats. Dans *les Propos rustiques*, publiés par le juriste breton Noël du Fail en 1547, le vieux paysan Lubin se souvient du temps de son mariage, à l'âge de trente-quatre ans : « Je ne sçavois que cestoit estre amoureux... Advisez si auiourdhuy le ieune homme passera quinze ans, sans avoir practiqué quelque cas avec ces garses (3). » L'image qui émerge de ces récits n'est pas sans valeur – la comédie est après tout un instrument précieux pour explorer la condition humaine – mais une quantité d'émotions et de situations échappent à son registre.

Il existe une autre série de sources où l'on trouve des paysans en mauvaise posture et où le dénouement n'est pas toujours heureux : les annales judiciaires. C'est aux registres de l'Inquisition que l'on doit le tableau de E. Le Roy Ladurie du village cathare de Montaillou et l'étude de C. Ginzburg sur le meunier à l'esprit hardi, Menocchio. Les registres des tribunaux de diocèse sont pleins d'affaires de mariages, qui montrent comment les villageois et le menu peuple urbain manœuvraient à l'intérieur du monde rigoureux de l'usage et du droit pour trouver une compagne à leur convenance (4).

Il y a enfin les procès-verbaux des différentes juridictions criminelles. Voici par exemple l'histoire racontée en 1535 par un jeune paysan lyonnais qui tente d'obtenir du roi son pardon pour un meurtre commis sous l'effet de la colère. Même dans la transcription élaborée du procureur nous avons un petit portrait d'un mariage malheureux :

« Depuis ung an en ca ledit suppliant ayant trouvé bon party en mariage espousa Ancely Learin... Laquelle ha tenue et entretenue honnestement comme sa femme, desiroit vivre avec elle en paix. Mais ladite Ancely... souventes foys sans propoz ny Raison sest mise en debvoir de tuer et baptre ledit suppliant et de faict l'a baptu... Lesquelles choses ledit suppliant auroit admis paisiblement... esperant quelle se reduisoit avec le temps. Ce nonobstant... le dimanche deuxiesme jour de ce present moys de may dernier passé, ainsi que ledit suppliant souppoit en sa maison avec elle paisiblement sans luy faire mal ne desplaisir, demanda a boyre de vin quelle tenoit en une bouteille de verre ce qu'elle ne luy voulloit bailler. Ains dist qu'elle luy en donneroit par la teste, ce qu'elle fist... et rompist ladite bouteille et respandet le vin

131

sur le visage dudit suppliant... Perserverant touiours en sa fureur [elle] se leva de la table, print une escuelle et... la rua contre ledit suppliant et leust grandement blesse [sauf] que la chambriere dudit suppliant se mest entre deux. Et alors ledit suppliant... tout esmeu et eschauffé d'iceulx outrages... print ung cousteau qui estoit sur la table... et courust apres ladite femme et luy en bailla ung seul coup... vers le ventre. »

Sa femme ne vécut pas assez longtemps pour nous fournir sa version de l'histoire (5).

Des documents de la sorte nous apprennent quelque chose sur les attentes et les réactions des paysans à des époques d'agitation soudaine ou de troubles. En 1560, toutefois, vient devant le Parlement de Toulouse une affaire criminelle qui jette une lumière sur des années de mariages paysans; un cas si extraordinaire que l'un des juges a écrit un livre là-dessus. Il s'appelait Jean de Coras, natif de la région, éminent juriste, auteur de commentaires en latin sur le droit civil et canon, et humaniste de surcroît. L'*Arrest Memorable*, ainsi qu'il l'a intitulé, rassemblait toutes les preuves, arguments formels et jugements de l'affaire, et comprenait en plus ses annotations. Il ne s'agissait pas, disait-il, d'une comédie mais d'une tragédie, même si les acteurs étaient de vrais rustres, «personnes viles et abiectes ». Ecrit en français, le livre fut réimprimé cinq fois au cours des six années suivantes et connut encore beaucoup d'autres éditions en français et en latin avant la fin du siècle (6).

Combinant les traits du texte juridique et du texte littéraire, l'ouvrage de Coras sur le cas Martin Guerre peut nous introduire dans le monde secret des sentiments et des aspirations paysannes. Que ce soit une affaire exceptionnelle ne me gêne pas, au contraire, car une dispute hors du commun met à nu parfois des motivations et des valeurs qui se diluent dans la vie de tous les jours. J'espère montrer que les aventures de trois jeunes villageois ne sont pas si éloignées des expériences plus ordinaires de leurs voisins. J'espère aussi montrer comment une histoire qui semblerait bonne pour un simple récit populaire – et en fait elle a été racontée sous cette forme – donne matière aussi aux « cent et onze belles annotations » du juge. J'aimerais enfin hasarder l'hypothèse que nous sommes en présence d'une identification rare entre le sort des paysans et celui des gens cultivés, riches et bien nés.

Pour les sources, je suis partie de l'*Arrest* de Coras de 1561 et de la brève *Historia* de Guillaume Le Sueur, publiée la même année. Le dernier est un texte indépendant, dédié à un autre juge de l'affaire; dans au moins deux cas il y a des points de détails que l'on ne trouve pas chez Coras mais que j'ai vérifiés dans les archives (7). J'ai utilisé Le Sueur et Coras comme compléments l'un de l'autre, bien que dans les quelques endroits où ils étaient en désaccord, j'aie préféré le juge à Le Sueur, moins intimement mêlé au procès. En l'absence des interrogatoires du procès (les sacs de procès avant 1600 manquent tous au Parlement de Toulouse), j'ai fouillé les registres des arrêts du Parlement pour trouver des renseignements supplémentaires sur l'affaire et sur la pratique et l'attitude des juges. Sur la piste de mes acteurs j'ai compulsé des contrats de notaires dans bien des villages des diocèses de Rieux et de Lombez. Quand je ne réussissais pas à trouver mon homme (ou ma femme) à Hendaye, Sajas, Artigat ou Burgos, j'ai fait de mon mieux pour découvrir à travers d'autres sources le monde qu'ils avaient dû voir, les réactions qui avaient pu être les leurs. Ce que j'offre ici, ami lecteur, est en partie une invention, mais une invention canalisée par l'écoute attentive du passé.

1

DE HENDAYE A ARTIGAT

En l'an 1527, le paysan Sanxi Aguerre, sa femme, son jeune fils Martin et son frère Pierre abandonnèrent leur propriété familiale du Pays basque français pour aller s'installer, à trois semaines de marche, dans un village du Comté de Foix.

Ce n'était pas là chose courante pour un Basque. Non que les hommes du Labourd fussent casaniers mais leurs déplacements les portaient de préférence de l'autre côté de l'Atlantique, parfois jusqu'au Labrador, pour chasser la baleine. Et quand ils s'expatriaient, ils traversaient la Bidassoa pour gagner le Pays basque espagnol ou même s'enfoncer au cœur de l'Espagne plutôt que de remonter vers le nord. En outre, dans leur grande majorité, les émigrants, à la différence de Sanxi Aguerre, étaient des cadets de famille qui ne pouvaient ou ne voulaient rester sous le toit ancestral. Telle était aux yeux des villageois basques l'importance de la maison de leurs pères que chacune portait un nom que l'héritier et sa femme reprenaient : « [ils] se font appeler sieurs et dames d'une telle maison [même] que ce ne seroit qu'un parc à pourceaux » comme un glossateur malveillant devait le dire par la suite (1).

La maison de Sanxi Aguerre était loin, toutefois, d'être un parc à pourceaux. Elle était sise à Hendaye, un village sur la frontière espagnole composé

135

seulement de « quelques maisons » mais entouré de vastes terres communales. Enserrés entre les montagnes, le fleuve et la mer, les habitants y pratiquaient l'élevage, la pêche et la culture. Le sol argileux ne produisait en fait de céréales que du millet, mais il convenait, en revanche, parfaitement aux pommiers. Les frères Aguerre l'exploitaient, en outre, pour une tuilerie. Certes, la vie dans le Labourd n'était pas facile mais elle avait ses bons côtés, du moins aux yeux des visiteurs : l'extraordinaire beauté des villages; les plaisirs et les dangers de la pêche au cachalot, la répartition de la prise, les ébats des hommes, des femmes et des enfants dans les vagues. « Les gens de tout ce pays sont très gais... [ils] sont toujours à rire, à plaisanter, à danser, femmes et hommes », c'est ainsi qu'on nous les décrit en 1528 (2).

Pourtant Sanxi Aguerre décida de s'en aller. Peut-être à cause des menaces de guerre perpétuelles qui pesaient sur la région : le Pays basque et la Navarre étaient depuis de longues années une pomme de discorde entre la France et l'Espagne et cette zone frontalière souffrait des conflits qui opposaient François Ier et l'empereur Charles Quint. En 1523, les troupes impériales fondirent sur Hendaye et ravagèrent le Labourd. L'année 1524, la peste frappa avec une particulière violence. C'est l'année suivante que naît Martin, le premier enfant de Sanxi. Peut-être, à l'origine de ce départ, y eut-il un motif personnel, une querelle entre Sanxi et son père, le « sieur ancien », le *senior echekojaun*, comme on l'appelait (en admettant que ce dernier fût encore de ce monde), ou avec quelqu'un d'autre; ou bien l'initiative venait-elle de la mère de Martin, car les femmes basques passaient pour hardies et avaient leur mot à dire (3).

Toujours est-il que Sanxi plia bagage et partit,

emmenant sa famille et son frère cadet célibataire. La propriété ancestrale restait à Hendaye, un jour Martin en hériterait. L'eût-il désiré, Sanxi n'aurait pu la vendre aisément car les *Fors*, à savoir les coutumes du Pays de Labourd, interdisaient d'aliéner les biens patrimoniaux sauf en cas de nécessité extrême, et même alors avec le consentement de toute la parentèle (4). En revanche, il était libre de disposer des « acquêts », c'est-à-dire de tout ce qu'il avait amassé par son industrie, et Sanxi avait emporté de quoi s'établir honorablement dans son nouveau village.

Les routes qu'empruntèrent nos immigrants dans leur exode vers l'est étaient fort fréquentées. Ils traversaient une zone d'échanges séculaires entre les Pyrénées et les plaines qui connaissait un essor économique particulièrement intense depuis que Toulouse s'affirmait comme la plaque tournante de la région (5). Dans ce périmètre entre la Save et l'Ariège qui allaient servir de bornes à leur nouvelle existence, c'était un va-et-vient de charrettes chargées de coques de pastel, de laine brute et cardée, de bois, de blé, de vins et de fruits. Ils n'avaient pu manquer de rencontrer des marchands et des colporteurs se rendant à des foires et des marchés locaux, des pâtres menant le gros bétail ou les moutons dans les montagnes en été ou les descendant vers les plaines pour l'hivernage, des pèlerins en route vers le sanctuaire toujours populaire de Saint-Jacques-de-Compostelle, des jeunes gens laissant derrière eux leurs villages pour les rues de Toulouse ou d'ailleurs. A la fin, que ce fût par une décision longuement mûrie ou sur la foi de renseignements glanés en cours de route, ils s'arrêtèrent à Artigat, un village situé dans la vaste plaine au pied des contreforts des Pyrénées, à quelques heures de chevauchée de Pamiers.

Artigat s'étendait de part et d'autre de la Lèze. Ce cours d'eau insignifiant comparé à l'Ariège à l'est et à la Garonne à l'ouest était néanmoins assez impétueux, lors de ses crues saisonnières, pour ravager les campagnes environnantes. Sur ces terres et les collines alentour vivaient entre soixante et soixante-dix familles qui, hors le millet du Labourd bien connu de Sanxi Aguerre, cultivaient de surcroît du blé, de l'avoine et de la vigne et élevaient des vaches, des chèvres et surtout des moutons. Artigat comptait quelques artisans : un maréchal-ferrant, un meunier, un cordonnier, un couturier; peut-être y tissait-on la laine comme dans le bourg voisin du Fossat. Périodiquement, il s'y tenait des marchés et des membres de la famille Banquels se proclamaient eux-mêmes « marchands », bien que les foires médiévales ne fussent qu'un souvenir et que le gros du commerce local passât par Le Fossat. Aux alentours de 1562, voire plus tôt, à l'arrivée des Aguerre, Artigat avait son notaire; en tout cas le notaire du Fossat faisait sa tournée des villages pour dresser les contrats (6).

Les Aguerre avaient dû saisir d'emblée les liens économiques qui unissaient Artigat aux villages et aux bourgs voisins. Les échanges les plus importants avaient lieu avec le village de Pailhès en amont, Le Fossat en aval et le bourg du Carla perché sur une colline à l'ouest. La zone d'échanges privilégiée s'étendait en aval jusqu'à Saint-Ybars, à l'est jusqu'au delà de Pamiers, et du côté des Pyrénées jusqu'au Mas-d'Azil. Jean Banquels d'Artigat baille une jument à un paysan de Pailhès pour une durée de six ans. Un marchand du Fossat donne à bail des bœufs à deux laboureurs du Carla qui le paieront en blé plus tard à la foire de Pamiers en septembre. Jehannot Drot, laboureur d'Artigat, se rend chaque hiver au Fossat pour vendre la laine de ses moutons. Il dresse contrat : on le paie comptant et il revient livrer la laine au mois de mai. D'autres vendent la laine brute à des marchands de Pamiers. Un travailleur du Carla conclut un pacte de « gasailhe » pour trente brebis avec un marchand de Saint-Ybars : le travailleur s'engage à fournir nourriture et pâture aux bêtes à ses frais; les dépenses de l'estivage ainsi que les bénéfices sont également répartis entre les deux associés. James Loze de Pailhès a conclu un accord avec un marchand de Pamiers pour cinquante-deux brebis : ils partagent les débours et les profits; la laine après la tonte est expédiée à Pamiers en échange de sel pour Pailhès. Les céréales et le vin circulent également, soit sous forme de loyers payés en nature, soit d'emplettes effectuées par les paysans à Pamiers et au Fossat (7).

Ce petit monde affairé ne pouvait être totalement étranger aux Aguerre, les échanges entre villes et villages se pratiquant aussi dans le Labourd. La nouveauté fondamentale par rapport au Pays basque résidait dans la cession des terres tant par héritages que par ventes. Ici, dans la plaine au pied des Pyrénées, les roturiers ne se souciaient guère de l'intégrité du patrimoine. Dans la région d'Artigat, les testaments avantageaient rarement un enfant aux dépens des autres, l'usage était de doter les filles et de diviser l'héritage en autant de parts qu'il y avait de fils, fussent-ils cinq; en l'absence d'héritiers mâles, la propriété était répartie entre les filles. Aussi, parfois, deux frères ou deux beaux-frères décidaient-ils de cultiver la terre ensemble, ou encore un frère quittait le village, cédant sa part à un autre héritier; plus souvent, comme on peut le voir d'après le *terrier* d'Artigat au XVIIᵉ siècle, les héritiers se partageaient la terre et vivaient les uns à côté des autres. Lorsqu'une maisonnée s'accroît et

compte deux générations de gens mariés, ce n'est
point le modèle basque, sieur ancien et sieur jeune,
qui fonctionne ici, mais la combinaison parent veuf
(généralement la mère) et un des enfants mariés (8).
On comprend alors que la propriété puisse être
vendue de temps à autre avec moins de répugnance
que dans le Labourd. Ainsi voit-on un prêtre du
Fossat vendre son jardin à un marchand, alléguant
qu'il a dû entretenir ses vieux parents au cours des
huit dernières années. De même, Antoine Basle
d'Artigat cède pour la modique somme de 35 livres
« la quatrième partie des biens et succession de feu
Jacques Basle son père » à un homme du hameau
voisin, et en 1528 les frères Caldeyro cèdent six
setérées de terre aux frères Grose du Mas-d'Azil qui,
à la suite de cet achat, s'établissent à Artigat (9).

Ces ventes sporadiques des *propres*, comme on
appelait les biens hérités, ne signifiaient pas que les
riverains de la Lèze n'étaient pas attachés à leurs
terres. Si les Basques donnaient des noms à leurs
maisons, les Artigatois et leurs voisins en faisaient
autant pour leurs terroirs. Des secteurs entiers de la
juridiction d'Artigat portaient les noms des familles
de la région : les Banquels, non loin du centre du
village, Rols à l'ouest, Le Fustié près des bords de la
Lèze où vivait le meunier Fustié. Les champs, les
terres labourables ainsi que les vignobles recevaient aussi des noms : « a la plac », « al sobe »,
« les asempres », « la bardasse », que leurs acquéreurs pouvaient adopter, en sus du leur (10).

Naturellement, à Artigat, plus peut-être qu'à Hendaye, cette identification entre famille et terre était
régie par la structure économique et sociale du
village. Au sommet, figuraient les familles aisées
comme les Banquels suivis par les Rols, qui possédaient plusieurs propriétés dont quelques-unes
qu'ils cultivaient eux-mêmes et d'autres qu'ils

140

louaient à des laboureurs contre rétribution fixe ou contre une partie de la récolte. C'étaient ces hommes qui achetaient chaque année à l'évêque de Rieux le droit de collecter les bénéfices ecclésiastiques d'Artigat et qui se trouvaient à la tête de la confrérie de la paroisse. Ils frayaient avec les meilleures familles roturières, à l'exclusion du monde des seigneurs : les Loze, de Pailhès, les Boëri, commerçants et cordonniers ruraux du Fossat, les du Fau, notaires à Saint-Ybars. A l'autre bout de l'échelle, on trouvait Bernard Bertrand et sa femme qui possédaient en tout et pour tout un misérable champ de seize setérées pour se nourrir, eux et leurs six enfants; le berger Jehannot Drot contraint, quand les temps étaient durs, d'emprunter du vin et du blé; et les frères Faure, des métayers qui devaient de tels arriérés à leurs propriétaires que ces derniers les avaient assignés en justice (11).

Toutefois, aucun habitant d'Artigat, que ses biens fussent importants ou modestes, ne payait de redevances ni n'exécutait de corvées pour le compte d'un seigneur. Ils étaient « francs et allodiaux », ce dont les Artigatois n'étaient pas peu fiers. Pendant plus d'un siècle, il n'y avait pas eu de domaines appartenant à des nobles dans le village; un certain Jean d'Escornebeuf, seigneur de Lanoux, à l'ouest d'Artigat, avait acheté des terres après l'arrivée des Aguerre, mais il était astreint à la taille comme le premier paysan venu. Dans le village, toute l'administration de la justice – haute, moyenne et basse – était du ressort de la communauté elle-même ou du roi représenté en première instance par le juge de Rieux, à plusieurs heures de chevauchée d'Artigat, par le sénéchal de Toulouse et, en appel, par le Parlement de Toulouse. Aux échelons inférieurs de l'appareil judiciaire, on trouvait les trois ou quatre consuls d'Artigat, des notables locaux, habilités chaque année par le juge de Rieux à porter les chaperons rouges et blancs, insignes de leurs fonctions. Ils exerçaient leur juridiction sur les questions concernant l'agriculture, en particulier en matière de terres communales, ils fixaient la date des vendanges; ils dressaient les inventaires de biens en cas de décès, ils réprimaient les fraudes sur les poids et mesures. La surveillance des détenus, le maintien de l'ordre public – les délits de blasphème ou les rixes – étaient également de leur ressort. Ils convoquaient périodiquement des assemblées composées des hommes du village (12).

Ce système était fait pour plaire aux Aguerre qui venaient d'une région où le pouvoir seigneurial était faible et où les paroissiens avaient le droit de se réunir librement, de promulguer des statuts concernant les besoins de la communauté. S'ils s'étaient établis légèrement en amont, à Pailhès où les Villemur, seigneurs de Pailhès et capitaines du château de Foix, avaient leur résidence, tout se fût passé autrement (13). L'affaire Martin Guerre n'aurait pas suivi son cours au cas où un seigneur du lieu ou ses représentants auraient eu le droit d'intervenir. Dans leur situation, les Artigatois n'avaient à compter qu'avec les commérages et les pressions de leurs pairs.

En dehors de ces libertés spécifiques, Artigat présentait une identité passablement floue et composite. Du point de vue linguistique, le village était à la lisière des différents sons nasaux et liquides de la Gascogne et du Languedoc. Géographiquement, il se rattachait au Comté de Foix, mais avec Pailhès et quelques autres villages, il dépendait du gouvernement du Languedoc. Proche de Pamiers, siège de diocèse, Artigat faisait toutefois partie du diocèse plus éloigné de Rieux. La nomination du recteur de la principale église paroissiale, Saint-Sernin d'Artigat, dépendait des chanoines de Saint-Étienne dans l'encore plus lointaine Toulouse; le curé de Bajou, une paroisse plus petite qui tombait sous la juridiction d'Artigat, était lui aussi désigné par un chapitre résidant à Toulouse. Les habitants d'Artigat avaient à franchir bien des frontières au cours de leurs activités de fermiers, de pasteurs, de plaideurs et de chrétiens et on leur accolait des étiquettes diverses : à la fois Gascons, Foixiens, Languedociens (14).

C'est dans ce village, donc, qu'arrivent les Aguerre. Ils s'installent à l'est de la Lèze, achètent de la terre (peut-être les propres de quelque habitant) et fondent une tuilerie comme à Hendaye. Pendant une certaine période, les deux frères habitent sous le même toit et prospèrent – « ils devinrent assez aisez pour gens de petit estat » écrira plus tard à leur propos Guillaume Le Sueur. Leurs possessions peu à peu s'étendent sur les collines près de Bajou et aux tuiles et aux briques vinrent s'ajouter la culture du blé, du millet, de la vigne et l'évelage des moutons (15).

Pour être « acceptés », ils durent adopter certains usages du Languedoc. Aguerre devint Guerre; si Pierre avait jamais utilisé la forme basque de son prénom Betrisantz, il y avait désormais renoncé. La femme de Sanxi continuait probablement à porter des paniers de blé sur sa tête, mais elle avait dû repiquer à l'aiguille sa coiffe et les ornements de son cotillon afin de les harmoniser avec ceux de ses voisines. Elle avait dû s'habituer à ce qu'ici les femmes ne fussent pas autorisées à quêter pour la fabrique à la messe et ne pussent remplir la fonction de marguillier (16).

Et tous, bien entendu, s'étaient mis à parler couramment le languedocien et s'étaient accoutumés à un monde où la parole écrite jouait un rôle plus important qu'à Hendaye. « La langue des Bascouz », écrivait le Conseiller Coras, « soit fort obscure et tellement difficile que plusieurs ont pensé qu'elle ne se pouvait exprimer par aucun caractaire de lettres. » En réalité, un recueil de poésies en basque avait été édité à Bordeaux en 1545, mais dans le Labourd les documents administratifs et les contrats étaient rédigés en gascon ou en français. Chez eux, les Guerre auraient réglé leurs affaires oralement en basque, espagnol ou gascon. Dans la zone entre la Garonne et l'Ariège, ils eurent souvent recours aux offices des notaires pour passer les contrats. Ces derniers partageaient leurs activités entre plusieurs petits bourgs, et même avant que l'édit de Villers-Cotterêts ne l'eût rendu obligatoire, ils rédigeaient des contrats en français avec çà et là quelques graphies et mots en occitan. Les Guerre avaient acquis une pratique suffisante de l'écrit pour tenir des comptes simples, bien que, à l'instar de la majorité des habitants d'Artigat, ils ne sussent sans doute ni lire ni écrire. A la vérité, comment aurait-il pu en aller autrement, puisqu'il n'y avait pas à Artigat de maître d'école pour le leur enseigner (17) ?

Pendant qu'ils s'implantaient à Artigat, la famille s'accroissait. La femme de Sanxi mit au monde un certain nombre d'enfants dont quatre filles échappèrent à la mortalité infantile. Pierre Guerre se maria, et suivant la coutume basque qui voulait que les frères mariés ne vivent pas sous le même toit, il alla s'installer à côté dans sa propre maison. Sans doute, à cette occasion, procéda-t-on à un partage de la propriété. Puis en 1538 les Guerre apparaissent dans un contrat qui montre le chemin parcouru en onze ans à Artigat : il s'agit du mariage du fils aîné de Sanxi avec Bertrande de Rols, fille d'une famille aisée de l'autre côté de la Lèze.

Le fait que le père de Bertrande considérât cette

union comme acceptable apporte un témoignage supplémentaire sur la relative ouverture des gens du village à l'égard des nouveaux venus. Les Grose étaient arrivés du Mas-d'Azil et prospéraient : ils s'étaient associés aux Banquels et avaient été nommés consuls. Beaucoup de mariages se contractaient à l'intérieur de la juridiction d'Artigat, souvent entre gens de deux paroisses comme pour les Rols et les Guerre, mais parfois, on devait aller chercher l'époux ou l'épouse plus loin. Jeanne de Banquels amena Me Philippe du Fau de Saint-Ybars, tandis qu'Arnaud de Bordenave alla chercher sa jeune épouse et la mère de celle-ci dans un village du diocèse de Couserans. Bien que le Pays basque fût encore plus éloigné, les immigrants de cette région n'étaient pas inconnus dans le diocèse de Rieux ; à Palaminy notamment, en amont de la Garonne, vivaient Bernard Guerra et sa femme Marie Dabadia, deux noms authentiquement basques. Et les Guarys d'Artigat n'auraient-ils pas, par hasard, été originaires du Labourd (18) ?

Les conjoints Rols-Guerre étaient singulièrement jeunes. D'après les travaux de démographie historique, on se serait attendu à ce qu'ils aient au moins dix-huit ans ; or, Martin n'avait que quatorze ans ; quant à Bertrande, si elle avait l'âge qu'elle a prétendu avoir par la suite *, son mariage n'était pas valable selon le droit canon. Les Rols et les Guerre étaient, toutefois, fort désireux de combiner cette alliance et le curé d'Artigat, Me Jacques Boëri,

* Dans sa plainte adressée au juge de Rieux, Bertrande déclare que« elle estant jeune fille, de neuf à dix ans, fut mariée avec Martin Guerre, pour lors aussi fort jeune, et presque de mesme aage que la suppliante » (Coras, Arrest, p. 1). Mais Martin Guerre est censé avoir trente-cinq ans au moment du procès en 1560 (p. 76), et les témoignages concernant le nombre d'années qu'il vécut avec sa femme montrent qu'il avait près de quatorze ans à l'époque de son mariage. Quant à Bertrande elle avait probablement atteint l'âge de la puberté, comme je le suggère au chapitre 3.

qui appartenait à une famille locale, ne soulevait certes pas d'objection. Comme Le Sueur devait commenter plus tard l'événement, « tant est le désir non pas seulement aux grands seigneurs, mais aussy aux mecaniques de marier leurs enfans de bonne heure pour voir en eux continuer leur postérité (19) ».

Mais l'envie de s'assurer une postérité n'était pas le seul mobile de ces unions précoces. Les biens et les échanges de services devaient sûrement peser dans la balance : la tuilerie des Guerre pouvait compter aux yeux des Rols tout comme comptaient pour les Guerre, affligés de toutes ces filles, le frère de Bertrande. Le contrat de mariage entre Bertrande et Martin ne nous est pas parvenu mais nous pouvons en imaginer le contenu d'après tant d'autres qui ont survécu. En général, dans cette région entre Garonne et Ariège, le mariage ne donnait pas lieu à des transferts importants de terre d'une famille paysanne à une autre; le gros de la propriété était conservé, comme nous l'avons vu, pour être partagé entre les fils. Néanmoins, les filles recevaient en dot l'équivalent du prix de vente de, mettons, un vignoble ou un petit champ. Dans les familles plus modestes, le paiement s'échelonnait sur plusieurs années. Les gens aisés versaient l'intégralité de la somme et y ajoutaient parfois un lopin de terre. La dot de la jeune Bertrande appartenait vraisemblablement à cette dernière catégorie : un versement comptant de 50 livres environ et une vigne à l'ouest de la Lèze dénommée « Delbourat » (elle jouxtait les autres possessions des Rols et par la suite faisait partie des propriétés des Guerre), sans compter le mobilier et le trousseau inséparables de toute noce dans la région : un lit garni de coussins avec plume suffisante, des linceuls, des draps, une couverture de lit, un coffre avec serrure et clé, et deux ou trois robes de différentes nuances (20).

Les noces furent célébrées dans l'église d'Artigat où le grand-père de Bertrande, Andreu, et nombre de ses ancêtres étaient enterrés. Ensuite la procession retourna à la maison de Sanxi Guerre dans laquelle, à la mode basque, le sieur jeune devait vivre avec le sieur ancien. Le soir, après le banquet, le couple fut conduit au lit nuptial de Bertrande. Sur le coup de minuit, firent irruption dans leur chambre les jeunes convives menés par Catherine Boëri, parente du curé d'Artigat. Elle leur apportait le « resveil »; généreusement assaisonné d'herbes et d'épices, le breuvage assurerait aux nouveaux époux des étreintes ardentes et un mariage fécond (21).

2

LE PAYSAN MÉCONTENT
ET SES AVENTURES

Il ne se passa rien dans le lit conjugal ni cette nuit ni au cours des huit années qui suivirent. Martin Guerre était impuissant; le couple était « maléficiez (1) ».

Peut-être n'était-ce pas là la première mésaventure de Martin. Il n'avait pas dû être facile à un jeune garçon du Labourd de grandir à Artigat. D'abord il lui avait fallu louvoyer entre deux langues : le basque de ses parents et la langue parlée par les gens qu'il voyait à la tuilerie, aux vendanges et à la messe. Parfois il avait été autorisé à courir, on l'imagine, avec les gamins du village – les aînés se plaignaient des chenapans qui dérobaient les raisins dans les vignes. N'avait-il pas essuyé des quolibets de ses camarades à cause de son prénom de Martin? Assez répandu à Hendaye, il était ici insolite au milieu des Jehan, Arnaud, James, Andreu, Guillaume, Antoine, Pey et Bernard d'Artigat. Martin était un nom d'âne, et dans la tradition locale les bergers le donnaient à l'ours qu'ils rencontraient dans les montagnes (2).

Chez les Guerre le sieur jeune se heurtait non pas à une mais à deux fortes personnalités masculines, également emportées, comme nous allons voir. Entouré uniquement de filles, ses cadettes, sa sœur

Jeanne et trois autres ainsi que de ses cousines, les filles de Pierre Guerre – rien que des pisseuses; et à peine son pénis avait-il grossi à l'intérieur de sa braguette, voilà qu'une nouvelle fille entrait dans sa vie, Bertrande de Rols.

Il n'a jamais dû traverser la cervelle de Sanxi Guerre que son fils pût avoir des difficultés à consommer son mariage. On pouvait réprouver dans le village une union trop précoce, parce que le jeune garçon n'avait ni les moyens économiques ni le jugement nécessaire pour fonder une famille, et aussi parce que les « humeurs » aqueuses et molles de son corps adolescent produisaient, selon la croyance du XVIe siècle, une semence trop faible. Mais une fois qu'il avait des poils au pubis, on pensait que les aiguillons de la chair s'éveillaient naturellement, voire avec excès.

Au début Martin et sa famille avaient probablement espéré que son impuissance passerait. Au Pays basque, une coutume accordait aux jeunes gens « la liberté d'essayer leurs femmes... avant de les espouser et les prendre comme à l'essay ». On pouvait considérer cela comme une épreuve sexuelle. Mais Martin promettait de devenir un jeune homme grand et mince, agile comme étaient réputés être les Basques, et il excellait à l'escrime* et à la palestrine. Bertrande s'était métamorphosée en une ravissante jeune femme. Pourtant rien ne se produisait. La famille de Bertrande la pressait de se séparer de Martin. En cas de non-consommation, après une période de trois ans, un mariage pouvait être dissous : Bertrande était libre selon le droit canon de contracter une nouvelle union (3).

La situation était humiliante et le village n'avait

---

* Au début du XVIe siècle l'escrime n'était pas un jeu élégant réservé aux nobles. Il existait une version villageoise de ce sport.

pas dû manquer de le leur faire sentir. Un couple marié où au bout d'un certain temps on n'avait enregistré aucune grossesse était la cible toute désignée pour un caribari ou calivari, comme on appelait le charivari dans la région de Pamiers. Les jeunes gens qui se mesuraient ou luttaient avec Martin devaient se barbouiller le visage, revêtir des vêtements de femme et se rassembler devant la maison des Guerre, frappant sur des cuves de vin, sonnant des cloches et faisant cliqueter des épées (4). C'était la honte.

Martin était ensorcelé. Comme Bertrande le dira plus tard, ils étaient « liez » par les charmes d'une sorcière jalouse des Guerre et de leur alliance avec les Rols, si bien qu'ils ne pouvaient consommer leur mariage*. Si l'on en croit les traitements en usage dans le Labourd comme dans le Comté de Foix, ils ont sans doute plus d'une fois consulté une de ces guérisseuses réputées pour leur sagesse. Finalement après une huitaine d'années une vieille femme « apparue miraculeusement, comme envoyée par le ciel », leur indiqua comment rompre le sortilège. Les prêtres firent réciter pour eux quatre messes et leur donnèrent à manger des osties et des fouaces. Martin consomma son mariage; Bertrande conçut immédiatement et mit au monde un fils qui reçut à son baptême le nom de son grand-père Sanxi (5).

Hélas, les choses ne s'améliorèrent pas pour le jeune père. Si on en juge de l'état d'esprit de Martin Guerre d'après la manière dont il choisit de passer les douze années suivantes de sa vie, on est amené à conclure qu'en dehors de l'escrime et de la palestrine fort peu de choses lui plaisaient à Artigat. Sa

---

* De nos jours l'impuissance du mari est souvent imputée à l'épouse dominatrice. Au XVIᵉ siècle on en rendait responsable une autre femme, extérieure au couple.

sexualité précaire après des années d'impuissance, sa ribambelle de sœurs qui étaient en âge de se marier, sa position d'héritier maintenant rehaussée par la naissance de son fils Sanxi, tout cela lui pesait. Au mieux, dans une maisonnée basque les relations entre le sieur ancien et le sieur jeune étaient délicates; on laisse à imaginer ce qu'elles devaient être entre un père autoritaire comme Sanxi et son fils rétif.

Martin rêvait d'une autre vie, loin des champs de millet, des fabriques de tuiles, des propriétés et des mariages. Il avait un peu voyagé. Il était allé vers l'est à Pamiers pour sa confirmation et assurément à d'autres occasions, et à l'ouest il s'était rendu à Mane sur le Salat où il s'était lié d'amitié avec l'aubergiste (6). Mais tout le ramenait à Artigat. La société villageoise avait en fait des institutions qui laissaient aux jeunes gens des soupapes de sûreté leur permettant d'échapper temporairement aux contraintes de la vie familiale. Au Pays basque c'étaient la mer et la chasse au cachalot. Martin avait certainement entendu à ce propos des histoires de ses parents et de son oncle. Dans les Pyrénées et dans la plaine, il y avait la transhumance des bergers et de leurs troupeaux, comme E. Le Roy Ladurie l'a superbement montré pour Pierre Maury de Montaillou (7). Le premier choix était inaccessible à un habitant du Comté de Foix pour des raisons pratiques. Le second était exclu pour des raisons sociales : il ne seyait pas à un membre des meilleures familles d'Artigat. Ceux qui menaient paître les moutons dans les montagnes n'avaient pas la responsabilité de la commercialisation de la laine, des ventes et des affaires qui se traitaient dans la vallée de la Lèze.

Y avait-il d'autres débouchés? Le Fossat possédait son école; le jeune Dominique Boëri l'avait fréquentée et s'apprêtait à faire son droit à l'Université. Il y avait les troupes que François Ier levait dans le Languedoc comme ailleurs. Dans le Labourd, un Aguerre avait servi dans l'armée du roi. Même un honorable notaire du Mas-d'Azil pouvait rêver de cela et griffonner des soldats de fantaisie sur ses registres. Enfin il y avait l'Espagne qui attirait vers elle chaque année des hommes du diocèse de Rieux. Pey del Rieux de Saint-Ybars, « deliberé de sen aller au pays despaigne pour gaigner sa vie », fit son testament avant de partir afin que sa sœur pût hériter de ses biens s'il venait à mourir. François Bonecase de Lanoux partit avec sa femme pour Barcelone, mais dans certains contrats de mariage le conjoint prévoyait l'entretien et le logement de sa femme chez ses parents au cas où il aurait décidé de partir pour l'Espagne après les noces (8).

Autant d'entreprises auxquelles Sanxi Guerre n'aurait jamais donné son consentement pour son fils Martin. Mais en 1548, alors que Sanxi n'était encore qu'un nourrisson et que Martin allait atteindre ses vingt-quatre ans, il se produisit un fait qui rendit l'accord du sieur ancien inutile. Martin « vola » une petite quantité de blé à son père. Comme ils vivaient sous le même toit, ce « larcin » reflétait probablement une lutte pour le pouvoir entre les deux héritiers. Toujours est-il que le vol, particulièrement au sein de la famille, était un crime impardonnable dans le code basque. « Les Basques sont fidelles », devait écrire le juge Pierre de Lancre; « ils croyent que le larrecin est une vileté de l'ame et une soubmission d'un cœur abiect et non relevé qui tesmoigne seulement qu'il est necessiteux. » Martin Guerre s'était mis dans une situation impossible. « Pour crainte de la severité de son père » il laissa son patrimoine, ses parents, son fils

152

et sa femme et l'on n'entendit plus parler de lui pendant des années (9).

Il serait intéressant de savoir si Martin Guerre a reparcouru en sens inverse le chemin que son père avait fait deux décennies auparavant et s'il a visité le Labourd. Son statut d'héritier était désormais contestable et il a peut-être voulu éviter ses cousins Aguerre de peur qu'ils ne préviennent sa famille. Mais il aura voulu au moins voir son pays et les vagues de ses rivages. Ce dont on est sûr, c'est qu'il a gagné l'Espagne à travers les Pyrénées, appris le castillan et qu'il a échoué à Burgos comme laquais dans la maison de Francisco de Mendoza, cardinal de l'église romaine (10).

En 1550, Burgos est une ville prospère : sa population compte quelque 19 000 âmes, elle est encore la capitale commerciale de la Castille, le centre de distribution de la laine et une étape pour les pèlerins allant à Saint-Jacques-de-Compostelle. Cette année-là devait être nommé évêque de cette magnifique cathédrale Francisco de Mendoza y Bovadilla, ancien évêque de Coria, érudit et humaniste, ami de leur vivant d'Erasme et de Vives, cardinal depuis 1544 et membre du parti impérial à la première session du Concile de Trente. Chargé de hautes missions politiques pour le compte de l'Eglise et de Charles Quint, Don Francisco demeura plusieurs années en Italie. En août 1550 il délégua son frère Pedro de Mendoza, un *comendador* de l'ordre militaire espagnol de Santiago, capitaine de l'armée espagnole, pour présenter ses lettres de créance au chapitre de la cathédrale. Vraisemblablement Pedro veilla à ce que tout se déroulât sans accroc dans le palais épiscopal durant son absence (11).

C'est dans ce palais que le jeune paysan d'Artigat

devint laquais*. De sa place, au bas de l'échelle, il contemplait maintenant un monde d'hommes importants, de chanoines issus de la noblesse, de gros marchands de l'Ayuntamiento de Burgos, de jésuites fraîchement débarqués et d'autres gens qui allaient et venaient dans la demeure de l'évêque. Il observait le rituel fastueux de la cathédrale qui contrastait singulièrement avec la rusticité de la messe paroissiale de Bajou et d'Artigat. Il parcourait les rues grouillantes de la ville, l'épée au côté, portant la livrée d'une des plus grandes maisons d'Espagne. Lui arriva-t-il de regretter le village qu'il avait laissé derrière lui ou de raconter son passé à son confesseur?

Par la suite, Martin passa au service du frère de Francisco, Pedro, qui avait dû remarquer ses qualités athlétiques et qui l'a voulu comme soldat. Une campagne l'amena en Flandre et il y fit partie de ce corps que Philippe II devait envoyer contre la France à Saint-Quentin. Il se peut qu'il n'ait jamais songé qu'il était coupable de lèse-majesté; mais c'est probablement qu'il n'a jamais songé à revenir un jour en France.

Pendant qu'il combattait (soit sous les ordres de son maître Pedro dans les chevau-légers, soit dans l'infanterie), Martin traversa les premiers jours du bombardement de la cité picarde sans une égratignure. Puis vint le 10 août, le jour de la Saint-Laurent, où les armées de Philippe II mirent en

---

* Les propos de Coras sont : « Ce Martin Guerre, qui s'en alla ieune garçon aux Espagnes, où le Cardinal de Burgos, et apres son frere s'en servirent de lacquais » (p. 137). Francisco de Mendoza ne résidait pas dans son évêché avant 1557 et à cette date Martin avait quitté Burgos. J'ai supposé qu'il était laquais au palais de Burgos avant l'arrivée de Francisco. Il est possible qu'il ait servi dans la maison du cardinal à Rome et à Sienne – ce qui aurait initié Martin Guerre à un nombre encore plus grand de nouveautés – mais on ne trouve mention d'un séjour en Italie ni chez Coras ni dans le récit en latin de Le Sueur.

déroute les troupes françaises venues au secours de la ville assiégée, massacrant force soldats et faisant des prisonniers, dont le connétable de France. « On a recueilli grand butin, armes, chevaux, chaînes d'or, argent et autres choses », notait un officier espagnol dans son journal. Pedro de Mendoza fit deux prisonniers dont il tira une rançon de 300 écus. Quant à Martin Guerre, une arquebuse française l'atteignit à la jambe. On l'amputa. C'en était fini de l'agilité de Martin Guerre (12).

3

HONNEUR ET OBSTINATION
DE BERTRANDE DE ROLS

Au moment où commençait la vie d'aventures de
Martin Guerre, sa femme Bertrande avait à peine
vingt-deux ans. La « belle jeune femme » devait, elle
aussi, considérer son passé avec quelques regrets.

Autant qu'on sache, Bertrande avait passé son
enfance en compagnie d'un frère au moins, et
auprès de sa mère, s'initiant au travail de la que-
nouille et aux autres travaux féminins. A Artigat et
aux villages alentour, les filles étaient parfois pla-
cées dans d'autres maisons – on connaît le cas d'une
femme de marchand du Fossat qui légua ses robes à
sa domestique – mais dans des familles comme
celle de Bertrande, les filles aidaient à tenir la
maison jusqu'à leur mariage (1).

Ensuite, avant d'avoir eu l'occasion de danser au
son des violons avec un gars du village le 15 août à
la Fête de Notre-Dame à Artigat, d'être courtisée, la
voilà mariée à Martin. Qu'elle ait déjà connu ses
« fleurs », comme on appelait la menstruation à
l'époque, semble probable, sans quoi les familles
n'auraient pas permis qu'on lui administrât, la nuit
de ses noces, le réveil, ce breuvage de fécondité
destiné à faciliter la grossesse. Mais toute jeune,
conduite sous un toit étranger, elle éprouvait le
même malaise que Martin; elle aussi était « ensorcelée » comme elle le déclara des années plus tard
devant le tribunal de Rieux. Il est vrai que les

sorcières, lorsqu'elles tentaient de s'opposer à l'accouplement entre mari et femme, réservaient leur sollicitude au membre viril*. Mais la chose peut arriver à une femme : dans le *Malleus maleficarum*, comme l'expliquent les inquisiteurs, « le diable peut tellement rendre folle l'imagination [de la femme] qu'elle en vient à considérer son mari comme si exécrable que pour rien elle ne l'autorise à la connaître » (2).

Bertrande ne se sera pas formulé les choses en ces termes, mais il est clair que pendant un certain temps elle fut soulagée qu'ils ne puissent pas avoir de rapports sexuels. Pourtant quand ses parents la pressèrent de se séparer de Martin, elle refusa catégoriquement. Ici, il nous faut nous arrêter sur certains traits de caractère de Bertrande de Rols qui se manifestaient dès ses seize ans : le souci de sa réputation de femme, une farouche indépendance, enfin une astuce et un réalisme dont elle se servait pour manœuvrer dans le cadre des contraintes imposées à son sexe. Son refus d'annuler son mariage – ce qui l'aurait laissée libre d'en contracter un nouveau selon le gré de ses parents – lui permettait de se soustraire à certains devoirs conjugaux. Il lui donnait l'occasion de vivre une adolescence en compagnie des sœurs cadettes de Martin avec lesquelles elle s'entendait bien. Par surcroît elle pouvait se targuer de sa vertu. En effet, le juge Coras parlera en ces termes de sa résistance à la volonté des siens : « cet acte faisoit (comme une

* En fait, en commentant les paroles de Bertrande, Coras suppose que Martin seul avait été ensorcelé et il ne décrit que les formes de sortilège visant le mâle. L'impuissance féminine, dit-il, est due à des causes *naturelles*, telle une femme qui serait « si serree et estroitte en ses parties secrettes qu'elle ne pourroit souffrir compagnie charnelle d'homme » (*Arrest*, pp. 40-44). Mais ce n'était pas le cas de Bertrande. Les canonistes se sont également peu intéressés aux causes « occultes » de l'impuissance féminine (Pierre Darmon, *Le Tribunal de l'Impuissance*, Paris, Seuil, 1979, pp. 48-52).

pierre de touche) grand preuve de l'honnesteté de ladite de Rols (3) »; certaines commères d'Artigat auraient pu exprimer les mêmes sentiments.

Ensuite, lorsque Bertrande y fut préparée, la vieille femme « apparut miraculeusement, comme envoyée par le ciel » et l'aida à rompre le maléfice. Elle finit par mettre au monde un enfant, un événement qui pour elle (comme pour les villageoises dont les mariages commençaient sous de meilleurs auspices) était le premier vrai pas dans la vie adulte.

Bertrande connaissait ce monde par sa mère, par sa belle-mère basque, par ses marraines. Que lui réservait-il? Avant tout c'était un monde où structure formelle et identité publique étaient exclusivement associées aux hommes. La particule « de » que l'on trouve si souvent dans les noms de femmes à Artigat et dans les parages ne traduisait pas le désir des paysans de singer les nobles, mais une manière d'afficher le système de classification de la société villageoise. Bertrande était « de Rols » comme son père était Rols; Jeanne était « de Banquels », son père Banquels; Arnaude « de Tor », son père Tor. Au bord de la Lèze les héritiers étaient toujours des mâles, comme nous l'avons vu, à moins que la famille, par malchance, ne comptât que des filles. A leurs délibérations les consuls du village n'admettaient que les hommes; les femmes mariées et les veuves n'étaient convoquées que pour recevoir des ordres (4).

Dans la vie quotidienne du travail des champs et du ménage, les femmes toutefois jouaient un rôle important. Elles accomplissaient les tâches typiquement féminines de sarcler, émonder la vigne, couper les grappes. Aux côtés de leur mari, elles louaient et travaillaient les terres, tondaient les moutons et prenaient les vaches et les veaux en « gasailhe ». Une certaine Maragille Cortalle, une veuve de Saint-Ybars, acquiert même en gasailhe dix-huit agnelles pour son propre compte, promettant de les entretenir « en bon père de famille » pendant quatre ans. Elles filaient de la laine pour les tisserands du Fossat et faisaient des miches de pain qu'elles vendaient aux gens du village. Des femmes comme Marguerite dicte la Brugarsse, du Carla, prêtaient de petites sommes d'argent, tandis que les épouses et les veuves de petits marchands ruraux, telles Bertrande de Gouthelas et Suzanne de Robert, du Fossat, vendaient des quantités substantielles de blé, de millet et de vin. Elles exerçaient naturellement le métier de sage-femme et, à côté de quelques chirurgiens, elles dispensaient des soins aux malades (5).

Les femmes dépendaient du bon plaisir de leur mari et de leurs fils quand elles étaient veuves. En principe la coutume du Languedoc garantissait à la veuve la récupération de la dot qu'elle avait apportée, augmentée d'un tiers de sa valeur. En fait, à Artigat et dans les bourgs et villages voisins, les contrats de mariage sont muets sur ce point. Ils ne prévoient les droits de la femme sur les biens du mari que dans le cas précis où ses parents ou sa mère veuve projettent de vivre avec le couple. La plupart de ces dispositions sont consignées dans le testament du mari. Au mieux, il stipule que sa femme pourra jouir de l'usufruit de ses biens tant qu'elle vivra « viduellement » (certains testaments ajoutent « et honnestement »). S'il lui fait vraiment confiance ou désire la récompenser « pour ses agréables services », il précise qu'elle pourra jouir de ses biens « sans rendre compte à personne du monde ». Si elle ne s'entend pas avec ses héritiers son mari inclut dans son acte une clause détaillée en sa faveur : sept setiers de blé et une pipe bon vin chaque an, une robe et une paire de souliers et chausses de deux en deux ans, du bois pour son chauffage, etc. En cas de remariage, elle touchera une somme globale, peut-être forfaitaire, équivalente en général à sa dot augmentée d'un tiers (6).

Le fonctionnement de ce monde paysan encourageait non seulement les talents de ménagère et de fermière de l'épouse, mais son habileté à manœuvrer les hommes et à peser les avantages à rester veuve ou se remarier. Une épouse d'Artigat ne pouvait jamais espérer atteindre la position de Rose d'Espaigne, Dame de Durfort, une noble héritière qui achetait des terres et harcelait ses métayers installés à l'est du village. Mais elle pouvait espérer jouir du respect des autres villageoises et retirer de son état de veuve un certain pouvoir informel; se voir conférer le titre honorifique de Na, et être libre d'octroyer un vignoble à un fils récemment marié et des chausses à tous ses filheuls et filhasses.

Les femmes semblent s'être arrangées du système, l'assouplissant grâce au lien profond et à la complicité secrète entre mère et fille. Epouses, elles faisaient de leurs maris leurs héritiers universels. Veuves, elles donnaient le pas à leurs fils sur leurs filles. Elles se sentaient gravement offensées et exigeaient réparation lorsqu'on les traitait de « bagasses », c'est-à-dire de prostituées. Une brave dame du Fossat traîna en justice sa voisine, non seulement pour l'avoir frappée lors d'une querelle pour une histoire de poulailler, mais pour l'avoir traitée de « galinat (7) ».

Telles étaient les valeurs au milieu desquelles Bertrande de Rols avait grandi. Dans toutes les vicissitudes qu'elle allait traverser, Bertrande n'a jamais manifesté la moindre velléité de se couper de la société de son village ou de se singulariser. Toutefois elle tenait à suivre sa propre voie. L'exemple de sa belle-mère, une de ces maîtresses femmes

160

basques, a pu l'influencer. Souvent héritières et exerçant une autonomie de plein droit, elles étaient renommées pour leur « effronterie » et plus tard elles allaient grossir les rangs des « sorcières (8) ».

Au moment même où, entre Bertrande, à présent mère d'un fils, et sa belle-mère, s'instaurait un nouveau type de relations, Martin Guerre disparaissait sans laisser de traces. C'était la catastrophe. Même chez les paysans friands de potins, la disparition inattendue d'un membre éminent de leur communauté troublait les esprits, laissant un vide inquiétant parmi les jeunes ménages.

Pour les Guerre, qui n'étaient pas du lieu, c'était un nouveau scandale à faire oublier. Les parents de Martin moururent sans nouvelles de leur fils. Le vieux Sanxi avait fini par pardonner; il léguait à Martin sa propriété d'Hendaye et les terres d'Artigat. Les notaires locaux savaient donc procéder pendant que l'héritier universel était « absent du présent pays » : « s'il était mort ou s'il ne revenait pas » d'autres étaient désignés pour le remplacer. En attendant, Pierre Guerre était administrateur des propriétés de son frère et tuteur des sœurs non mariées de Martin (9).

Au cours de ces années, probablement au début de 1550, à la suite du vide laissé par la mort du vieux Sanxi, Pierre Guerre fit un effort pour sauvegarder les relations entre les Guerre et les Rols et pour aider la femme abandonnée par Martin. Resté veuf avec des filles, il épousa la mère de Bertrande qui avait également perdu son mari*. Leur contrat

---

* Coras ne donne pas la date du mariage de Pierre Guerre avec la mère de Bertrande (pp. 67-68), mais celle-ci semble la plus plausible. Il n'est jamais fait allusion aux filles de Pierre comme sœurs ou demi-sœurs de Bertrande, elles devaient donc être nées d'un mariage antérieur. Quelles que fussent les dispositions financières que son mari ait pu prendre à son égard dans son testament, la mère de Bertrande, du fait de la position de sa fille, avait intérêt à se remarier.

de mariage appartenait à cette catégorie spéciale des contrats dressés lors de la réunion de deux foyers. La mère de Bertrande apportait sans doute l'argent et les biens que lui laissait le défunt en cas de remariage; Pierre a dû s'engager à entretenir Bertrande et son fils Sanxi et sans doute ont-ils décidé de partager les acquêts. La maison voisine où avaient vécu sieur ancien et sieur jeune fut vraisemblablement louée avec un bail à court terme (personne n'aurait attendu de la jeune Bertrande qu'elle la gardât dans ces circonstances), et Pierre Guerre devint chef d'une maisonnée essentiellement composée de femmes, sur sa propre terre.

Le statut de Bertrande avait perdu beaucoup de son lustre à la suite de ces événements. Ni épouse ni veuve, elle vivait de nouveau chez sa mère. Ni épouse ni veuve, elle devait affronter les autres femmes au moulin, à la tuilerie, aux vendanges. Et la loi laissait peu d'échappatoires. Depuis la fin du pontificat d'Alexandre III au XIIe siècle, les docteurs de l'Eglise avaient décrété qu'une femme n'était pas libre de se remarier en l'absence de son mari, quelle que fût la durée de cette absence, sauf si elle avait des preuves certaines de sa mort. Des deux traditions concurrentes du droit civil, c'est la plus rigoureuse, celle de Justinien, qui l'a emporté. Le Parlement de Toulouse s'en réclame en 1557 en jugeant un cas de mariage : « Pendant l'absence du mary, la femme ne peut se remarier : sinon qu'elle ait preuve de sa mort... Non pas mesme quand il auroit demeuré vingt ans ou plus absent... Et la mort se doit prouver par tesmoins, qui certainement en deposent ou par grandes et manifestes presomptions (10). »

Naturellement, les paysans pouvaient essayer de tourner la loi (ils ne s'en étaient jamais privés) et forger une histoire de mort par noyade ou à la guerre, ou simplement ignorer la loi pour peu qu'il y eût au village un prêtre compréhensif. Mais Bertrande écarta cette solution. Son intérêt matériel la tenait attachée à son fils et à ce qui serait un jour son héritage; de plus elle possédait un sens inflexible de sa dignité et de sa réputation. Indifférente aux avances et aux invites, la belle jeune femme vivait (tous en ont témoigné par la suite) « vertueusement et honorablement » (11).

Tout en travaillant, elle élevait son fils Sanxi et attendait. Elle a peut-être été soutenue dans sa solitude par ses quatre belles-sœurs et par la sage vieille qui l'avait conseillée pendant son « ensorcellement ». Les curés qui avaient succédé à Jacques Boëri à l'église d'Artigat n'appartenaient pas à des familles locales et ne résidaient pas toujours dans la paroisse; Bertrande ne pouvait confier ses ennuis qu'à sainte Catherine dont la chapelle se trouvait dans le cimetière (12). Mais elle avait sûrement dû réfléchir sur son existence dont elle faisait trois parts, comme elle l'exposa plus tard au juge de Rieux : les neuf ou dix années de son enfance, les neuf ou dix années de son mariage, les années de son attente qui se montaient à huit, voire davantage (13). Au delà d'une vie de femme qui n'aura qu'une brève période de sexualité, au delà d'une union avec un mari qui ne la comprenait pas, la craignait sans doute et l'avait en tout cas abandonnée, Bertrande a rêvé d'un époux et d'un amant qui reviendrait et serait autre. C'est alors que l'été 1556, un homme se présenta à elle comme le Martin Guerre longtemps perdu. Cet homme avait été précédemment connu sous le nom d'Arnaud du Tilh, dit Pansette.

4

LES MASQUES D'ARNAUD DU TILH

Du Tilh était un nom banal en Gascogne et au Languedoc et on l'entendait souvent dans le diocèse de Lombez où Arnaud était né. Son père Arnaud Guilhem du Tilh était originaire du village de Sajas; sa mère, Barrau de son nom de jeune fille, venait du village voisin du Pin. Ces endroits se trouvaient au nord-ouest du diocèse de Rieux, bien au delà de la Garonne; une bonne journée de chevauchée séparait Sajas d'Artigat.

Les contemporains d'Arnaud appelaient cette région le Comminges. « Fertile en bleds », écrira d'elle son compatriote François de Belleforest, « fertile en vins, fruits, foins, huiles de noix, millet en bascages et autres choses nécessaires à la vie humaine. [Le pays de Comminges] abonde en hommes et iceux vaillans et guerriers au possible... avec une infinité de grosses bourgades et riches villages et chasteaux anciens, y ayant autant ou plus de noblesse qu'en autre contrée de la France (1). »

Arnaud du Tilh aurait probablement décrit sa province en des termes moins bucoliques. Sajas avait son seigneur, Jean de Vize, auquel succéda son fils Séverie. L'ancienne maison de Comminges-Péguilhan possédait la seigneurie du Pin. Cela signifiait, outre les redevances usuelles, un droit de regard sur la vie du village, comme par exemple à Mane où les seigneurs s'efforçaient de limiter les libertés des habitants, en s'opposant notamment à l'ouverture d'une taverne et d'une boucherie. « L'abondance en gens » ne signifiait pas seulement des renforts de main-d'œuvre pour les travaux des champs mais une pression sur les terres disponibles. Dans le diocèse de Lombez, les notaires avaient bien souvent à dresser des contrats de métayage (2).

Néanmoins la région connaissait une intense activité économique dans l'orbite de Toulouse. Les paysans de Sajas et du Pin se rendaient à Rieumes et plus loin à l'Isle-en-Dodon, à Lombez, à Gimont et à Toulouse pour acheter ou vendre du blé, du vin, du drap et du bois; pour prendre des chèvres, des moutons et des bœufs en gasailhe; et pour livrer la laine brute et les peaux. Sajas était un des plus petits villages des environs de Rieumes. Sur ses collines et ses pentes s'égaillaient quelque trente ou quarante familles, des cultivateurs et des gardiens de troupeaux pour la plupart, des travailleurs employés à tisser le lin et quelques autres artisans ruraux. Plus grand que Sajas, Le Pin offrait un éventail plus vaste de métiers, encore que jusqu'au XVIIe siècle, il ne comptât probablement aucun notaire établi dans le village (3).

Les du Tilh et les Barrau étaient des familles tout à fait ordinaires dans ce petit monde. En 1551, lors d'une visite diocésaine, ils ne figurent pas parmi les consuls et « bassiniers » de leurs villages, à côté des Dabeyrat, des Dauban, des de Soles et des Saint-Andrieu qui délibéraient sur des questions locales et géraient la fabrique paroissiale. Les du Tilh occupaient une place intermédiaire dans la société villageoise; ils possédaient assez de champs et de vignobles pour que, à la mort d'Arnaud Guilhem, quand la propriété serait divisée également entre ses fils (la coutume était la même à Sajas et Le Pin qu'à Artigat), il restât une parcelle de terre pour Arnaud (4).

La seule chose qui distinguât les du Tilh de la masse des autres villageois était leur fils Arnaud. Sa jeunesse avait été totalement différente de celle de Martin Guerre. Il avait grandi au milieu de garçons avec lesquels il s'entendait bien. Plutôt petit et trapu, il ne s'illustrait pas particulièrement dans les joutes et les jeux du village. En revanche, il envoûtait par son éloquence et jouissait d'une mémoire étonnante qu'un acteur pouvait lui envier. C'était le genre de garçons que les vicaires de Sajas – les seuls dans le village à savoir signer leurs noms – remarquaient pour leurs aptitudes et envoyaient à l'école pour en faire de futurs prêtres (5).

Avec Arnaud, ils auraient fort risqué de se préparer une cuisante déception. Le jeune homme se signala comme un « débauché », « de mauvaise vie », « consommé en tous vices ». C'est-à-dire qu'il buvait et s'amusait à la taverne avec les filles de Rieumes certainement, et peut-être fréquentait-il aussi les gourgandines de Toulouse. On le surnomma Pansette, en raison de ses appétits immodérés : il devait raffoler des carnavals, des bals masqués, des danses et de tous les jeux des abbayes de jeunesse qui tenaient une place si considérable dans la vie des villages en Gascogne. Il avait le sang vif et était prompt à jurer par la tête, le corps, le sang et les plaies du Christ, blasphèmes moins graves, certes, que ceux qui mettaient en cause la Vierge Marie, mais assez sérieux toutefois pour qu'on associât son nom aux gens querelleurs, joueurs de cartes et tricheurs. Si merveilleuse était l'astuce de Pansette, qu'on le soupçonna même de magie, une accusation presque flatteuse si l'on songe qu'elle n'était pas proférée contre quelque vieille solitaire mais contre un jeune homme de vingt ans (6).

A sa manière, Arnaud du Tilh était autant en rébellion contre le monde paysan de la famille et des terres que Martin Guerre à Artigat. Bien que ses prouesses le conduisissent à Pouy-de-Touges et jusqu'à Toulouse, il brûlait de gagner l'univers au delà des collines du diocèse de Lombez. Il avait toujours la ressource de se joindre aux troupes de l'infanterie royale, ces « aventuriers » parmi lesquels les Gascons figuraient en bonne place. Les notaires de Gimont devaient bien des fois rédiger les testaments « des soldats de guerre » de la région. A la suite d'une série de menus larcins, Pansette quitta le village pour servir Henri II sur les champs de bataille de Picardie (7).

Les deux fugitifs s'étaient-ils rencontrés avant qu'Arnaud du Tilh décidât d'incarner le personnage de Martin Guerre? Dans sa déposition devant le juge de Rieux, Bertrande de Rols a dit qu'ils auraient pu être camarades de régiment – « Et s'estant ledit du Tilh, comme est vray-semblable, accompagné à la guerre dudit Martin et diceluy (souz prétexte d'amitié) entendu plusieurs choses privées et particulières de luy et de sa femme » – suggestion qui donna matière à Coras pour une dissertation sur l'amitié trahie. Un point du témoignage d'Arnaud à Rieux donne quelque fondement à l'hypothèse d'une rencontre antérieure entre les deux hommes, c'est son énumération des lieux et des personnes que Martin Guerre avait visités en France et en Espagne pendant son absence et qui ont tous été vérifiés par la Cour. Mais on ne voit pas bien comment ils auraient pu être intimes à l'armée, étant donné qu'il est exclu que Martin Guerre ait combattu pour le roi de France et qu'Arnaud a dû revenir de Picardie avant même que Martin ait quitté Burgos (8).

Pourtant les deux jeunes gens auraient pu se connaître au cours de leurs randonnées dans leur propre région, ou ailleurs. Imaginons un instant, par pur jeu intellectuel, ce qui aurait pu se passer si l'héritier d'Artigat s'était lié d'amitié avec le paysan beau parleur de Sajas. Ils ont appris qu'ils se ressemblaient, bien que Martin fût plus grand, plus svelte et un peu plus brun qu'Arnaud. Cette ressemblance, ils l'ont découverte à travers les autres plutôt que par leur propre observation; au XVIᵉ siècle, les villageois n'avaient guère l'occasion de se former une image de leur physionomie par de fréquents coups d'œil au miroir. La révélation les bouleverse, les fascine, et comme les dictons paysans établissant un rapport entre la coupe des yeux ou le dessin d'une mâchoire et certains traits de caractère abondent (9), ils se demandent si cette similitude n'irait pas au delà de la simple apparence physique. Ils échangent des confidences. Martin s'exprime avec une certaine ambiguïté à propos de son héritage et de sa femme, peut-être dit-il tacitement à son sosie : « Prends-la. » Et Pansette songe : « Pourquoi pas ? » Toujours est-il qu'une des rares confidences qu'Arnaud ait faites à une connaissance de Sajas pendant la période où il était à Artigat est : « Martin Guerre est mort, il m'a donné son bien (10). »

C'est un scénario possible, ce n'est pourtant pas celui qu'Arnaud du Tilh a finalement confessé. Il a prétendu n'avoir jamais rencontré Martin Guerre avant de venir à Artigat. S'il dit vrai, le phénomène d'identification est d'autant plus stupéfiant (« plus merveilleux », « mirabilis magis », dira plus tard Le Sueur) et psychologiquement plus vraisemblable : il y a là toute la différence entre faire sienne la vie d'un autre et se borner à l'imiter. Il est revenu de Picardie vers 1553, sans doute après les batailles de

Thérouanne, Hesdin et Valenciennes. Un jour, passant par Mane sur le Salat, il aperçoit deux amis intimes de Martin, Me Dominique Pujol et l'aubergiste Pierre de Guilhet qui le prennent pour le disparu d'Artigat (11).

Alors le joueur en Pansette s'éveille. Il se renseigne aussi habilement que possible sur Martin Guerre, sa situation, sa famille et les choses qu'il avait l'habitude de dire ou de faire. Il se sert de Pujol, Guilhet et d'« autres amis familiers et voisins » des Guerre, et les deux premiers ont pu même en réalité devenir ses complices (12). Dans le réseau des cancans du village, la récolte d'informations à recueillir était abondante, y compris des détails intimes comme l'emplacement des chausses blanches que Martin avait déposées dans un certain coffre avant de partir. Il apprit les noms de tous les villageois et les faits et gestes de Martin au cours des dix ou quinze années précédentes. Il acquit quelques notions sur le Labourd et apprit quelques mots de basque. L'étude de son rôle prit des mois à Arnaud, puisqu'il n'arriva à Artigat qu'en 1556*.

Qu'y a-t-il donc de si exceptionnel dans les villages et les bourgades du XVIe siècle au fait de changer de nom et d'adopter une nouvelle identité ? Des événements de ce genre étaient quotidiens. Les Aguerre ont quitté Hendaye, sont devenus Guerre et ont changé de mode de vie. Tout paysan qui s'installait à bonne distance du pays natal en faisait autant. Du reste, même ceux qui demeuraient sur place pouvaient prendre un surnom, un sobriquet. A Artigat, ce surnom était lié à la propriété, à Sajas, il dépendait de la personnalité : un des camarades d'Arnaud au village avait été surnommé Tambourin (13), comme lui Pansette.

* On ne sait pas exactement où Arnaud vécut durant cette période de préparation. Il n'était peut-être pas à Sajas.

Mais prendre une fausse identité? Il était permis à l'occasion du Carnaval ou d'autres fêtes à un jeune paysan de se déguiser en animal, de changer de sexe et de condition sociale et de s'exprimer à l'abri de ce masque. Dans un charivari, un villageois pouvait jouer le rôle d'un autre, se substituer à la personne bafouée pour une union mal assortie ou pour ses malheurs en ménage. Mais il s'agissait là de masques temporaires, adoptés pour le bien général.

Il était toutefois des supercheries moins désintéressées : des mendiants en parfaite santé feignant d'être boiteux ou aveugles, des gens usurpant un faux nom pour capter un héritage ou jouir de quelque avantage économique. En 1557, par exemple, un certain Aurelio Chitracha, originaire de Damas, vint à Lyon où, se prévalant du nom de feu Vallier Trony, il se mit à encaisser les sommes dues à Trony jusqu'à ce que les nonnes qui avaient hérité les biens du défunt découvrent l'imposture et qu'il soit arrêté. La même année, à quelques rues de distance, Antoine Ferlaz et Jean Fontanel clamaient bien haut s'appeler Michel Mure, et chacun s'étant assuré les services d'un notaire, envoyait des quittances et reçus en son nom jusqu'à ce que Mure découvrît le pot aux roses (14).

Quant à Arnaud, il avait quelque chose à gagner dans son établissement à Artigat car l'héritage de Martin Guerre était plus coquet que le sien. Mais il est clair aussi que dans ses méticuleux préparatifs, son enquête, sa mémorisation, même peut-être jusque dans ses représentations, derrière le masque de l'acteur de Carnaval et la fiction du captateur d'héritage, Pansette aspirait à se forger une nouvelle identité et à se construire une autre vie dans ce village sur les rives de la Lèze.

5

LE MARIAGE INVENTÉ

Le nouveau Martin ne se rendit pas directement à Artigat. Comme le rapporte Le Sueur, il s'installa dans l'hôtellerie d'un village voisin, probablement Pailhès. Il raconta à l'hôte qu'il était Martin Guerre et versa des larmes à l'audition des nouvelles de sa femme et de sa famille. La rumeur parvint aux oreilles de ses quatre sœurs qui se précipitèrent à l'auberge, le saluèrent avec joie et rentrèrent chercher Bertrande. Toutefois quand cette dernière le vit, elle demeura surprise. Ce n'est qu'après qu'il lui eut parlé tendrement, lui rappelant les choses qu'ils avaient faites ensemble et qu'il eut mentionnné les chausses blanches, qu'elle se jeta à son cou et l'embrassa; c'était sa barbe qui l'avait empêchée de le reconnaître immédiatement. De même, Pierre Guerre l'examina avec attention sans vouloir croire qu'il était son neveu jusqu'à ce qu'Arnaud ait fait allusion à leurs activités passées. A la fin, il le serra contre lui et remercia Dieu pour son retour.

Même alors le nouveau Martin ne gagna pas Artigat, il resta à l'hôtellerie pour se reposer des fatigues du voyage et se remettre d'une maladie. (Le Sueur prétend qu'il avait « la vérolle » et qu'il faisait preuve d'étranges scrupules de conscience en protégeant le corps de Bertrande de la syphilis alors qu'il s'apprêtait à contaminer son âme et le lit conjugal.) Cet arrangement donna l'occasion à Bertrande de prendre soin de lui et de s'habituer à sa présence. Lorsqu'il se sentit mieux, elle le ramena à la maison et l'accueillit comme son mari.

La réception que lui réserva le village ne différa guère de celle de ses proches. Il saluait les gens par leurs noms, et lorsqu'ils paraissaient ne pas le reconnaître, il évoquait des choses qu'ils avaient faites ensemble des années auparavant. A chacun il expliquait qu'il avait servi le roi de France, qu'il avait séjourné plusieurs mois en Espagne et qu'il était à présent désireux de revoir son pays, ses amis, son fils Sanxi et, par-dessus tout, sa femme Bertrande (1).

Il semble que la bonne grâce avec laquelle la famille l'accepta s'explique sans faire intervenir la sorcellerie dont on l'a accusé et dont il s'est toujours défendu. Avant tout, on désirait son retour à Artigat, d'une manière peut-être ambiguë, parce que ceux qui reviennent brisent toujours certaines espérances et dérangent l'équilibre du pouvoir, mais dans l'ensemble sa réapparition répondit à une attente. L'héritier et chef de famille Martin Guerre avait repris sa place. En second lieu, il revenait après s'être annoncé, préparant ainsi Artigat à le reconnaître comme Martin Guerre (2). Cette reconnaissance se trouvait confortée par son art de persuader et la précision de ses souvenirs. Il est vrai qu'il n'offrait pas tout à fait la même apparence qu'au départ et sans doute ne tenait-il pas exactement le langage de l'ancien Martin Guerre. Mais les Guerre n'avaient pas de portraits auxquels le confronter et il était naturel qu'un homme changeât en vieillissant et que la vie de soldat transformât un paysan. Aussi, quels que fussent leurs doutes sur son identité, les habitants d'Artigat les gardèrent pour eux ou même les étouffèrent pour un temps et permirent au nouveau Martin d'entrer dans la peau de son personnage.

Et qu'en était-il de Bertrande de Rols? Savait-elle que le nouveau Martin n'était pas l'homme qui l'avait abandonnée quelque huit ans auparavant? Peut-être pas tout de suite, quand il s'était présenté avec toutes ses enseignes et preuves. Mais l'obstinée et honorable Bertrande ne paraît pas une femme à se laisser rouler facilement, même par un charmeur comme Pansette. Une fois qu'elle l'eut reçu dans son lit, elle avait dû remarquer la différence; toutes les femmes d'Artigat seraient tombées d'accord sur ce point : « l'attouchement » de l'homme ne peut tromper la femme (3). Ce que Bertrande trouvait dans le nouveau Martin, c'est qu'avec lui son rêve se réalisait : un homme avec lequel elle vécut trois ans en paix et en amitié, pour reprendre les idéaux du XVIᵉ siècle.

C'était un mariage inventé, non arrangé comme celui qu'elle avait contracté quelque dix-huit ans plus tôt ou de convenance comme celui de sa mère et de Pierre Guerre. Il avait commencé par un mensonge, mais comme Bertrande le dira plus tard, ils passaient leur temps « comme vrais mariez, mangeans, beuvans et couchans ordinairement ensemble ». Selon Le Sueur, le « Pseudo Martinus » vivait en paix avec Bertrande « sans se quereller et il se conduisait avec elle d'une manière si irréprochable que personne ne pouvait soupçonner aucune duperie ». Dans le lit conjugal de la belle Bertrande les choses allaient bien à présent. En trois ans, il leur naquit deux filles, dont l'une, Bernarde, survécut et devint la petite sœur de Sanxi (4).

La tendresse entre le nouveau Martin et Bertrande se manifeste même pendant la période où le mariage inventé est contesté. Tout prouve alors qu'il est tombé amoureux de l'épouse à laquelle il a joué la comédie et qu'elle, de son côté, s'est profondément attachée au mari qui l'a prise par surprise. Lorsque, entre deux procédures, il sort de prison, elle lui donne une chemise blanche, lui lave les pieds et le reçoit dans son lit. Quand on cherche à le tuer, elle s'interpose entre lui et ses agresseurs. Il s'adresse à elle devant les juges « doucement »; il met sa vie entre ses mains en disant que si elle jure qu'il n'est pas son mari il accepte que les juges le soumettent à « mille morts cruelles (5) ».

En des jours plus heureux, ils causaient beaucoup. C'est « en conversant jour et nuit ensemble » que le nouveau Martin a enrichi la collection de ses renseignements sur Bertrande, les Guerre et Artigat. Un échange aussi intime entre mari et femme passe au XVIe siècle pour l'idéal des humanistes chrétiens et des moralistes protestants, réalisé, si tant est qu'il l'est, dans des familles d'un rang plus élevé que celles d'Artigat. Mais, comme Le Roy Ladurie l'a déjà montré pour une période antérieure, le goût pour la conversation des Occitans ne s'exprimait pas seulement au cours des veillées entre voisins, mais dans les propos échangés entre amoureux (6). Le nouveau Martin a certainement eu d'autres sujets de conversation avec Bertrande que le bétail, les moutons et les enfants. Entre autres choses, on peut conjecturer qu'ils ont décidé de rendre permanent le mariage inventé.

Un tel acte était plus facile à justifier pour des gens qui avaient derrière eux des siècles de pratiques paysannes visant à concilier des rituels populaires avec la loi catholique du mariage. De la fin du XIIe siècle jusqu'en 1564, ce qui rendait valide un mariage selon le droit canon, c'était le consentement mutuel et ce consentement seulement; si les partenaires acceptaient de se prendre réciproquement pour mari et femme *de verba presenti*, si même en l'absence de prêtre ou de témoin, ils échangeaient les gages de leur assentiment, surtout s'ils se connaissaient charnellement, ils étaient unis par un mariage indissoluble. L'Eglise désapprouvait cette voie « clandestine » du mariage *, mais il existait encore des gens, notamment dans les campagnes, qui pour des raisons personnelles y avaient recours : des mineurs auxquels les parents refusaient leur consentement; des consanguins qui ne pouvaient obtenir une dispense; un homme ou une femme désireux d'entretenir un commerce charnel et qui ne disposait que de ce moyen : l'un des deux partenaires avait déjà femme ou mari ailleurs (7).

Cette tradition n'offrait pas au couple d'Artigat une solution efficace. Après tout, le nouveau Martin avait emprunté une fausse identité; quant à Bertrande, elle essayait de concilier une éventuelle bigamie avec son sens de l'honneur, pour ne rien dire de sa conscience. Mais elle leur offrait la possibilité de *concevoir* le mariage comme un acte qui dépendait de leur volonté et d'elle seule.

Ce dont, selon le dogme catholique, ils n'étaient absolument pas maîtres, c'étaient leurs âmes. Bien que

---

* Comme Béatrice Gottlieb l'a dit, « les casuistes et les hommes de loi traitaient le mariage clandestin comme un péché et un mal » (« The Meaning of Clandestine Marriage », in R. Wheaton and T.K. Hareven, eds... *Family and Sexuality in French History* [Philadelphie : University of Pennsylvania Press, 1980], p. 52). C'était un mal à cause des nombreux cas de plaintes déposées pour rupture de promesse ou bigamie qui passaient devant les tribunaux ecclésiastiques, et comment faire pour établir la preuve en l'absence de témoins? A la dernière session du Concile de Trente en 1564, l'Eglise a décrété que pour qu'un mariage soit valide il doit avoir l'assistance d'un prêtre usant de la procédure appropriée. Il a fallu longtemps au clergé pour mettre un terme à la pratique plus ancienne.

En France, le reproche principal était que le mariage clandestin permettait aux enfants de contracter une union valide et indissoluble sans le consentement de leurs parents. En février 1557, Henri II promulgua un Edit sur les mariages clandestins, qui devait être le sujet d'un traité de Jean de Coras. Voir plus loin sur cette question au chapitre 10.

tous deux aient pu considérer leur conduite comme coupable, il est peu vraisemblable qu'ils aient confessé leurs péchés aux curés d'Artigat ou de Bajou. Tous les récits les présentent comme un couple respectable durant les années de ce mariage paisible; du reste un prêtre qui, à la confession de Pâques, aurait appris que le nouveau Martin n'était autre que Pansette, les aurait immédiatement excommuniés comme adultères notoires à moins qu'ils ne consentissent à se séparer sur-le-champ. Cela nous amène à poser la question du protestantisme à Artigat. Il est possible, voire probable que le nouveau Martin et Bertrande de Rols se soient intéressés à la nouvelle religion, ne serait-ce que pour y puiser quelque justification à leurs propres vies.

Des prosélytes protestants répandaient la bonne parole dans le Comté de Foix vers 1536 et les convertis quittaient Pamiers et Le Mas-d'Azil pour Genève dès 1551. Après 1557, le mouvement prit de la vigueur et en 1561, Le Mas, encouragé par l'exemple de sa comtesse protestante Jeanne d'Albret, se déclara une ville Réformée. Plus près encore d'Artigat, Le Carla devint un bastion de l'Eglise Réformée. L'agitation régnait aussi dans les villages et les bourgs des bords de la Lèze. Un catholique ultra, comme Jacques de Villemur, seigneur de Pailhès, menait ses paysans d'une main de fer, mais en 1563 Le Fossat comptait un groupe important de familles « suspectes de la nouvelle religion ». En 1568, dans l'église d'Artigat, les idoles furent brisées et l'autel saccagé, non seulement par les soldats Réformés mais aussi par des convertis du cru. Faisant allusion à cet épisode, une visite diocésaine ultérieure parle de la période où « les habitants dudit lieu d'Artigat estaient huguenots (8) ».

Un mouvement d'une pareille ampleur ne peut naître du néant. Cela signifie que dix ans auparavant, au cours de ces échanges qui reliaient Artigat à Pamiers, le Fossat, Saint-Ybars, Le Carla et Le Mas-d'Azil, les idées protestantes circulaient avec la laine, le blé et le vin. Cela signifie qu'Antoine Caffer, pasteur de Genève qui prêchait à Foix en 1556 dans le cimetière de Saint-Vincent, passa également par Artigat. Cela signifie que quelqu'un dans le village possédait un Nouveau Testament Réformé ou un libelle protestant rédigé en français qu'il lisait tout haut à ses voisins en languedocien. Même si l'on continuait à baptiser les enfants selon le rite catholique, les auditeurs attendaient avec impatience le jour où un pasteur protestant prendrait la place du curé. Entre-temps, le clergé local n'avait pas les moyens de riposter. Lorsque Me Pierre Laurens du Caylar devint recteur d'Artigat vers 1553, il avait en face de lui un candidat rival : seul le Parlement de Toulouse put trancher le cas. (La même chose arriva à Me Dominique de Clavaris en 1540 et à Me Jacques Boëri en 1530.) Le curé de la paroisse de Bajou, un des frères Drot, issu d'une famille modeste, avait peu de poids dans le village (9).

Quelles preuves a-t-on que notre couple inventé ait été touché par la nouvelle foi ? D'abord la famille Rols se convertit au protestantisme : ils donnèrent à leurs enfants des noms empruntés à l'Ancien Testament, comme Abraham, et au XVIIe siècle, alors que la plupart des Artigatois étaient de bons catholiques, des Rols allaient encore au Carla pour écouter les prêches de l'Eglise Réformée (10). Pour ce qui est du nouveau Martin, je doute qu'à son arrivée à Artigat il fût déjà pénétré par le nouvel Evangile. L'évêque de Lombez, Antoine Olivier, passait pour être un sympathisant protestant et il existait un fort mouvement protestant dans le diocèse d'Arnaud (11), mais l'ex-soldat Arnaud du Tilh avait entre 1553 et 1556 d'autres chats à fouetter, et il ne résidait peut-être pas à Sajas à l'époque. J'inclinerais plutôt à penser que c'est à Artigat que son esprit s'est ouvert aux idées nouvelles, où la vie qu'il s'était construite opérait comme une conversion, balayant le blasphémateur, le jeune homme « de mauvaise vie », sinon tout à fait le joueur.

Quoi qu'il en soit, il est significatif qu'aucun prêtre d'Artigat ou de Bajou n'ait joué un rôle majeur dans les procès du nouveau Martin à Rieux et à Toulouse. Ils étaient peut-être du nombre des cent cinquante témoins qui ont été entendus au cours de l'affaire, mais leurs dépositions ne figurent pas dans le rapport officiel de Coras où sont consignées toutes les données essentielles. Autre fait significatif, le respect manifesté par le nouveau Martin à l'égard des deux conseillers chargés de l'interroger, Jean de Coras et François de Ferrières, déjà protestants engagés et futurs militants dans le Parlement de Toulouse. Il a demandé d'être entendu par eux pour une confession ultime qui ne faisait référence à aucune formule catholique ni aux saints, mais implorait seulement la miséricorde de Dieu pour les pécheurs qui espéraient dans le Christ (12).

Quel espoir offrait le message protestant au nouveau Martin et à Bertrande pendant les années où ils vivaient ensemble comme « vrais mariez »? Celui de pouvoir raconter leur histoire à Dieu sans intermédiaire. Celui que la vie qu'ils avaient forgée volontairement fasse partie de la providence divine. Peut-être ont-ils eu quelques échos des nouvelles ordonnances sur le mariage promulguées à Genève depuis 1545. Là-bas le mariage n'était plus un sacrement et une femme abandonnée par son mari « sans que ladicte femme en eust donné occasion ou qu'elle en fust coulpable » pouvait, après une

178

enquête d'un an, obtenir du Consistoire le divorce et l'autorisation de se remarier (13).

Mais s'ils s'étaient emparés de telles idées pour les appliquer à leur cas, ils ont dû comprendre qu'il n'y avait pas là pour eux une issue. Comment expliquer à un Consistoire Réformé la résurrection d'Arnaud du Tilh en Martin Guerre? Le nouveau Martin s'était engagé la complicité de Bertrande de Rols, du moins pour un moment, mais un imposteur pouvait-il compter sur les autres habitants d'Artigat?

6

QUERELLES

Le nouveau Martin n'était pas seulement un mari, mais aussi un héritier, un neveu, un propriétaire paysan à Artigat, et c'est là que les choses se gâtèrent.

La maison qui avait appartenu autrefois au vieux Sanxi Guerre était dorénavant celle du nouveau Martin *. Ses deux sœurs restées célibataires vinrent probablement vivre sous son toit, selon la coutume basque. De là, Bertrande et lui participaient à ce monde villageois fait d'hospitalité, de parrainage et d'échanges, tour à tour recevant et rendant visite à Pierre Guerre et à sa femme (la mère de Bertrande, on s'en souviendra), aux sœurs mariées de Martin et aux divers voisins et amis qui allaient témoigner plus tard sur son identité. Catherine Boëri qui avait porté aux jeunes époux le breuvage inefficace, des années auparavant, le jour de leurs noces, les Loze de Pailhès, et les Del Pech, selliers au Carla, faisaient tous partie de ce cercle de familles rurales prospères (1).

S'initier à la vie de la ferme à Artigat ne fut pas difficile pour le nouveau Martin : la culture du blé, du millet et de la vigne, l'élevage des moutons se

---

* A propos de cette maison, voir la note ci-après dans ce chapitre p. 187.

pratiquaient aussi à Sajas et au Pin. Il y avait aussi une tuilerie dans le voisinage de sa maison natale, mais comme les tuiles ne sont pas mentionnées au nombre des transactions du nouveau Martin, il est possible que Pierre Guerre ait gardé la direction de l'entreprise familiale. Ce qui est plus impressionnant, c'est la manière dont le nouveau Martin donna aux possessions des Guerre un développement commercial; il devint un marchand rural comme Jean Banquels d'Artigat et Jean Casault du Fossat, achetant, vendant, prêtant du blé, du vin, de la laine, le long de la vallée de la Lèze et au delà. Il était difficile à Artigat de devenir le fermier d'un vaste domaine – le meilleur moyen au Languedoc, comme l'a bien montré Le Roy Ladurie, pour accéder à l'état de capitaliste rural – parce qu'il n'y avait pas de propriétés seigneuriales ou ecclésiastiques dans sa juridiction. Peut-être réussit-il à se joindre aux hommes qui percevaient « l'arrentement » du bénéfice d'Artigat en 1558 et 1559 (il y a malheureusement une lacune dans les comptes rendus de ces années), mais certainement il s'adonna à l'achat, à la vente et à la location des terres. Autrement dit, il chercha à retirer des avantages commerciaux des propriétés que Sanxi Guerre avait patiemment acquises à Artigat et qu'il avait léguées à son héritier Martin (2).

Bertrande de Rols dut se réjouir du tour que prenaient les événements; l'épouse d'un marchand de province devenait souvent marchande elle-même. Mais Pierre Guerre commença à renâcler. Au début il avait été content du retour de son neveu et s'était vanté de lui auprès de ses camarades, tel Jean Loze, consul à Pailhès. C'est alors que le nouveau Martin s'avisa de vendre les « propres », une pratique certes répandue dans la région active et commerçante de la vallée de la Lèze, mais qui allait à rebours de l'usage basque. Lorsqu'il suggéra d'affermer, voire de vendre une possession ancestrale à Hendaye, Pierre Guerre dut être horrifié (3).

Entre-temps, le nouveau Martin eut un geste qui déchaîna la colère de Pierre Guerre. Il demanda à Pierre de lui remettre les comptes des biens qu'il avait administrés pour lui au cours des années qui avaient suivi la mort du vieux Sanxi. Il l'en pria « en belles paroles » – ces belles paroles dont l'éloquent Pansette avait à revendre – mais il soupçonnait Pierre d'escamoter une part de son héritage, et de toute manière, il voulait toucher le reliquat que Pierre en avait tiré. Pendant longtemps, les choses restèrent sur le ton de la plaisanterie, mais à la fin de 1558 ou au début de 1559, le nouveau Martin engagea des poursuites civiles contre son oncle devant le juge de Rieux *.

De tels litiges n'étaient pas inconnus aux familles paysannes ordinaires. Selon les coutumes du Labourd, Pierre Guerre avait dû à la fin de son administration dresser un inventaire des biens de son neveu et déposer une caution garantissant qu'il ne les lui rendait pas détériorés. Dans le diocèse de Rieux, les veuves qui jouissaient de l'usufruit des biens de leurs maris rendaient des comptes à leurs enfants à leur majorité, à moins que le défunt ait pris des dispositions spéciales pour « qu'elles ne soient pas tracassées ». A Artigat, la reddition des comptes et du reliquat de la propriété par un tuteur se traitait devant notaire, pour éviter les malentendus (4).

* Tout ce que Coras nous rapporte sur le dénouement de ce procès est que le nouveau Martin « fut contraint le mectre en instance et par justice poursuyvre le recouvrement de son bien : mais quant aux fruits et reddition de comptes, iceluy Pierre Guerre oncle n'y vouloit aucunement entendre » (*Arrest,* pp. 33-34). Cela ressemble à un compromis où Pierre accepte de lui remettre le reste de l'héritage, en échange de quoi Martin renonce à réclamer la reddition des comptes et le reliquat.

Mais aux yeux de Pierre Guerre, le nouveau Martin était allé trop loin. Il est possible qu'il ait considéré que les circonstances de l'absence de son neveu ne lui donnaient pas droit au reliquat ou qu'il ait jugé qu'entre lui et ce neveu qu'il « avait nourri dès son enfance » les actes notariés n'étaient pas de mise, encore moins convenait-il de porter leurs différends devant le tribunal. Il se peut que le vieux patriarche ait eu l'impression qu'on défaisait son autorité : il avait dit non, c'était non. Ou encore (ce sera la version du nouveau Martin), il obéissait au seul mobile de l'avarice, au désir de garder les biens et les revenus pour sa propre maisonnée, ses filles et ses gendres.

Toujours est-il que la méfiance que l'adroit Martin avait su endormir à sa première apparition renaissait et croissait. Comment se faisait-il qu'il eût oublié tant d'expressions basques dont certaines avaient accompagné toute son enfance ? Comment expliquer son soudain manque d'intérêt pour l'escrime et les exercices physiques ? Le corps trapu qu'il avait cru appartenir à son neveu devenu adulte lui semblait à présent étranger. Lorsqu'il scrutait le petit Sanxi, il constatait que ses traits n'avaient rien à voir avec ceux de l'homme qui partageait le lit de Bertrande. « Le Basque est fidèle ! » Pour une poignée de grains dérobée à son père, Martin Guerre avait abandonné son patrimoine, avec le sentiment qu'il était déshonoré. Aujourd'hui un imposteur était en train de le voler sans vergogne à l'héritier légitime (5).

Pierre convainquit sa femme et ses gendres de la terrible vérité. La mère de Bertrande était en accord total avec son mari, non seulement en épouse soumise mais en femme pratique, dévouée aux intérêts de sa fille. N'avait-elle pas supplié Bertrande de se séparer de Martin et de contracter une union mieux assortie, au cours des années où il était impuissant, et ne devait-elle pas à présent la sauver de la honte et de l'adultère? Ensemble, ils pressèrent Bertrande d'intenter un procès à l'homme avec lequel elle vivait. Bertrande s'y refusa avec obstination.

Pendant toute l'année suivante et plus, la famille Guerre se trouva divisée et la querelle qui les opposait se répandit dans le village et aux alentours. Pierre Guerre allait partout racontant à qui voulait l'entendre que le nouveau Martin était un fourbe qui l'avait dupé. Il était si sûr de son fait et si furieux qu'il proposa à son ami Jean Loze de réunir ensemble une somme d'argent pour faire assassiner l'imposteur. Loze, choqué, refusa. Le nouveau Martin, de son côté, disait partout que son oncle avait inventé cette histoire parce qu'il lui avait réclamé ses comptes. Le cordonnier du village se demandait comment il était possible que ses pieds aient à ce point rapetissé avec le temps. Les sœurs de Martin affirmaient que le nouveau Martin était bien leur frère, les gendres * de Pierre qu'il n'était qu'un menteur. Bertrande se montre acharnée dans la défense de « Martin Guerre son mari ».

« C'est Martin Guerre, mon mari [et à ce point elle ajoute curieusement] ou quelque diable en sa peau. Je le connais bien. Si quelqu'un est si fol de dire le contraire, je le ferai mourir. »

* On ne possède pas de renseignement sur la position prise par le frère de Bertrande durant les querelles. Pourtant les documents d'Artigat, à peine postérieurs au procès, mentionnent Pey Rols, dit Colombet, héritier de feu Andreu et Barthélemy Rols père et fils, puis un autre Rols dont le nom commence par A (la page est arrachée pour le reste) dans l'entourage de Pierre Guerre (ADAr, 5E 6653, 95v-98r). Il est possible qu'un des « gendres » de Pierre Guerre soit un « beau-fils » dans notre sens moderne (les deux termes sont interchangeables dans le texte de Coras). Dans ce cas, le frère de Bertrande aurait été d'accord avec sa mère et son beau-père contre elle et le nouveau Martin. D'un autre côté, le frère de Bertrande peut simplement avoir été absent entre 1559 et 1560.

Et quand Pierre Guerre et ses gendres le frappent avec une barre, Bertrande, comme nous l'avons dit plus haut, le protège de son corps (6).

Les consuls d'Artigat ont dû discuter le cas à maintes réunions au courant du printemps et de l'été 1559. Mais l'opinion dans le village était si divisée qu'ils n'ont jamais réussi à trancher la dispute. Pour certains le nouveau Martin était un chef de famille irréprochable et un actif marchand rural injustement vilipendé par un oncle avide, d'autres le tenaient pour un habile imposteur qui avait souillé la réputation d'une honnête famille. D'autres enfin étaient indécis. Dans les deux camps la famille rurale est mise en valeur, mais alors que les premiers reconnaissent les aspirations légitimes de la jeune génération à voyager et voir un peu de pays, à mener son mariage et gérer ses possessions comme elle l'entend, les seconds accordent plus de poids aux décisions des aînés et à une continuité sans faille dans les comportements familiaux.

Il serait intéressant de savoir si ces divergences d'opinions correspondaient à d'autres divisions dans la société du village. Coras nous dit qu'à Artigat et dans ses environs, partisans et ennemis de Martin et de Pierre étaient en nombre égal, mais en dehors de la famille Guerre, il ne mentionne les diverses prises de position que pour trois cas : Catherine Boëri et Jean Loze défendaient le nouveau Martin et le cordonnier tenait pour Pierre Guerre. En tout cas, Artigat n'était pas organisé selon une structure de clan verticale comparable à celle qui divisait Montaillou entre les Clergue et les Azéma, quelque deux siècles et demi auparavant. Les institutions politiques y favorisaient plutôt des alliances entre les familles influentes du pays et des villages voisins. Les Banquels et les Boëri avaient leurs cercles propres mais on voit, d'après les actes notariés, que ceux-ci se chevauchaient et qu'ils n'avaient rien à voir avec les systèmes de clientèle (7). Si je me permettais une hypothèse, je dirais que les sympathisants protestants du lieu tenaient pour le nouveau Martin et les catholiques pour Pierre Guerre.

Quoi qu'il en soit, à la fin de l'été et en automne 1559, deux événements vinrent aggraver sérieusement la situation du nouveau Martin et de Bertrande. Un soldat de Rochefort, de passage à Artigat, déclara devant témoins, après avoir vu l'homme qui faisait l'objet du litige, qu'il était un trompeur. Martin Guerre s'était battu dans les Flandres et il avait perdu une jambe deux ans auparavant au cours du siège de Saint-Quentin. Le vrai Martin Guerre avait une jambe de bois, dit le soldat, et sur ce, il poursuivit sa route (8).

Ainsi, après onze ans, le vrai Martin Guerre était peut-être encore en vie et les preuves de la supercherie se multipliaient. Il paraissait de jour en jour plus probable que Pierre Guerre trouverait un moyen pour traduire l'imposteur devant la Cour. Le couple devait se préparer à démolir son argumentation et mettre au point une stratégie à suivre au cours du procès. Son témoignage devait être aussi complet que possible sur le moindre aspect de la vie de Martin Guerre, depuis son enfance au Labourd jusqu'à son départ, et toujours recouper celui de sa compagne : il fallait fournir des détails intimes que personne n'était en mesure de contredire. Peut-être alors les juges rendraient le verdict qu'il était le vrai Martin Guerre et le beau-père de Bertrande serait réduit au silence. Ainsi les « représentations » de Pansette recommençaient; il récitait à nouveau son existence ancienne, les noces, les festivités, l'impuissance, la rupture du sortilège et la consommation du mariage. Bertrande fouillait sa mémoire à la recherche d'un épisode intime (peut-être l'enjoliva-t-elle) capable de surprendre les juges. (A ce propos Coras devait dire plus tard qu'il était « plus aisez beaucoup à comprendre qu'honneste à reciter ou escrire » (9).)

A ce moment un nouveau coup de théâtre éclata. Une métairie appartenant à Jean d'Escornebeuf, seigneur de Lanoux, brûla, et ce dernier accusa le nouveau Martin d'incendie volontaire et le fit emprisonner sur ordre du Sénéchal de Toulouse, dans cette ville. Les Escornebeuf faisaient partie de la petite noblesse de la vallée de la Lèze; les possessions de Jean étaient groupées dans la paroisse à l'ouest d'Artigat. Il avait toutefois acheté des terres à Artigat même, et en 1550, il était de ceux qui avec Antoine Banquels et d'autres touchaient l'arrentement de ses bénéfices. Il est possible que quelques laboureurs d'Artigat, mécontents de voir un noble s'immiscer dans un village si fier de ne pas compter de seigneurs, aient mis le feu à la ferme. Mais Escornebeuf choisit pour cible le paysan-marchand Martin Guerre, objet de scandale, et dans sa plainte, évidemment poussé par Pierre Guerre, il déclare que le prisonnier « avait usurpé le lit conjugal d'un autre homme » (10).

Bertrande était dans une profonde détresse. Elle se voyait une fois de plus contrainte à revenir sous le toit de sa mère et de Pierre Guerre *. Elle se rendit à Toulouse (peut-être son premier séjour

---

* C'est du moins ainsi que j'interprète la déclaration du nouveau Martin en janvier 1559/60 que Bertrande était « en la puissance dudit Pierre Guerre, demeurant en sa maison » (*Arrest*, p. 37, 45, 67). Deux maisons sont mentionnées comme appartenant à la famille Guerre : « La maison de Martin Guerre » (ADHG, B76 La Tournelle, 12 septembre 1560; Coras, *Arrest*, p. 129; Le Sueur, *Historia*, p. 19) et « la maison de Pierre Guerre » (ADAr, 5E6653, 96r-98r). J'ai supposé qu'il s'agissait là de deux demeures distinctes encore que voisines (voir la disposition des possessions des

187

dans cette ville en trente-deux ans d'existence), apporta à Martin en prison de l'argent et autres objets nécessaires, proclama que cet homme était son mari et que Pierre Guerre et sa femme essayaient de la contraindre de l'accuser fausse-ment. Des preuves sérieuses manquaient à Escorne-beuf pour étayer son accusation. S'il avait été sei-gneur d'Artigat, on imagine aisément ce qui se serait produit, mais devant la Sénéchaussée de Toulouse, il dut abandonner la charge d'incendie volontaire et le détenu fut relâché (11).

Entre-temps, Pierre Guerre avait entrepris des démarches pour connaître la véritable identité de l'imposteur. Il est étonnant que dans ce monde d'intense trafic, où les potins se répandaient à la ronde, il ne l'ait pas découverte plus tôt. Le nou-veau Martin avait lui-même semé des indices sur sa route. Un exemple : à Pouy-de-Touges, village au sud de Sajas relevant du diocèse de Rieux, l'auber-giste le désigna comme étant Arnaud du Tilh; il lui avait recommandé le secret car « Martin Guerre est mort; il m'a donné son bien ». Un dénommé Pele-grin de Liberos reconnut en lui Pansette; le nou-veau Martin lui avait demandé de se taire mais il avait été assez imprudent pour oublier son rôle et lui confier deux mouchoirs à rapporter à son frère Jean du Tilh (12).

Guerre dans le terrier de 1651, Archives communales d'Artigat), et que selon la coutume bien enracinée chez les Basques, les *couples mariés* ne vivaient sous le même toit que lorsque les deux maris ou parfois les deux femmes étaient sur les rangs en tant qu'héritiers. Ainsi Martin Guerre et Bertrande avaient vécu chez l'aîné Sanxi Guerre et Pierre Guerre vivrait avec son héritière désignée, le mari de celle-ci et avec ses autres filles célibataires. Le nouveau Martin devait s'installer dans l'ancienne rési-dence du vieux Sanxi, passée maintenant à l'héritier.

Il est toujours possible, naturellement, que ces coutumes n'aient pas été respectées et que le nouveau Martin Guerre et Pierre Guerre aient habité ensemble de 1556 à 1559. (C'est le parti pris adopté par le film, *Le Retour de Martin Guerre.*) On peut imaginer, à travers ces querelles, l'atmosphère qui y régnait.

Des anecdotes de ce genre parvenaient aux oreilles de Pierre Guerre qui, désormais, pouvait mettre
un nom sur le traître qui s'était introduit chez eux :
Arnaud du Tilh, dit Pansette, un homme de mauvaise vie de Sajas. Pour attraper un menteur, il faut
mentir soi-même. Il se présenta devant le juge de
Rieux, comme étant le représentant de Bertrande
de Rols (il était peut-être muni d'une procuration
notariée; lorsque Me Jean Pegulha venait du Fossat
pour établir des contrats, il usait souvent de la
maison de Pierre comme bureau). Il obtint au nom
de Bertrande l'autorisation d'ouvrir une enquête
sur l'homme qui se faisait appeler Martin Guerre et
de le faire emprisonner sur-le-champ par le recours
à la force, comme la loi le permettait dans des cas
spéciaux où l'accusé était « fort mal famé et diffamé
de plusieurs grands et enormes delictz » (13).

Lorsque le nouveau Martin sortit de prison à
Toulouse en janvier 1560, Pierre était fin prêt.
Bertrande, nous l'avons vu, l'accueillit avec tendresse, lui lava les pieds et lui ouvrit son lit. Le
lendemain matin, à l'aube, Pierre et ses gendres,
tous armés, s'emparèrent de lui au nom de Bertrande et le firent conduire à la prison de
Rieux (14).

Arrêtons-nous un instant pour nous demander si
un tel dénouement était inévitable ou, en d'autres
termes, est-ce que, si le vrai Martin n'était jamais
revenu, Arnaud du Tilh aurait pu s'en tirer? Certains de mes collègues américains à l'esprit pragma-
tique sont d'avis que si l'imposteur n'avait pas
réclamé des comptes, s'il avait été un peu plus
respectueux des idées de son oncle concernant la
propriété familiale, il aurait pu continuer à jouer le
rôle de Martin Guerre pendant des années sans être
inquiété. D'autre part, lorsque j'ai parlé à des gens
d'Artigat, qui connaissaient fort bien l'histoire de

Bertrande et d'Arnaud, ils ont souri et haussé les épaules en disant : « Tout ça, c'est très bien, mais ce joli voyou, il a menti. »

Je crois que les gens d'Artigat avaient une vision plus juste des choses, c'est-à-dire que la question n'était pas de savoir si avec plus de prudence et de prévoyance Arnaud du Tilh aurait pu apporter quelques retouches à son rôle, mais de savoir si un gros mensonge, une mystification de cette taille – notamment imposés à d'autres par une seule personne – a des incidences troublantes sur les consciences et sur les relations sociales (15).

Des villageois qui, dans une certaine mesure, cautionnaient son mensonge, Arnaud réclamait une complicité constante. Ce n'était pas un Iago rural, une incarnation de l'esprit du mal cherchant à dresser les gens les uns contre les autres. Mais à partir du moment où il devenait un honorable chef de famille sous un nom usurpé, il ne pouvait plus avouer son mensonge ni attendre d'eux son pardon. De cette manière, un malaise et une défiance profonde s'étaient insinués dans les relations sociales. Quand les gens commencèrent à se poser des questions à haute voix sur son identité, il fut aussi soupçonné de nouveau de magie. Et à présent, derrière cette accusation se cachait une crainte autrement plus sérieuse que du temps de sa jeunesse.

Le mensonge d'Arnaud crée toujours une distance intérieure troublante entre lui et les autres villageois. J'incline à croire qu'il n'était pas un vulgaire imposteur qui en aurait voulu à l'argent de Martin Guerre pour prendre ensuite la fuite. Nombre de ses actes, comme la vente des propres ou la demande de la reddition de comptes que lui reprochait Pierre Guerre, peuvent recevoir une tout autre interprétation – on peut y lire le comportement typique, fût-ce sous une forme novatrice, du paysan languedocien. Ce que le nouveau Martin désirait, c'était de s'implanter, de revenir, après chaque déplacement, comme il le faisait, vers le lit de Bertrande. Mais dans sa tête il y a toujours un retrait, non ce retrait créateur, cet éloignement momentané de ses camarades qui permet la réintégration (« je suis chrétien et je suis au-dessus de tout cela ») ou du moins la lucidité et la survie (« Je suis basque et ce n'est pas réellement mon pays ») mais un retrait honteux (« je n'ai pas de véritables obligations envers ces gens »).

Pour Bertrande qui connaît la vérité, le mensonge entraîne encore d'autres conséquences. Elle a cherché à façonner sa vie au mieux, usant de tous ses détours et de son imagination de femme. Mais elle est aussi jalouse de son honneur et de sa vertu, et, en outre, comme elle le dira plus tard devant les juges, elle craint Dieu. Elle aspire à vivre au sein de la société du village, en bonne épouse et mère de famille. Elle désire que son fils hérite. Dieu va-t-il la punir pour son mensonge ? Et si leur mariage n'est qu'une invention, elle est aux yeux de sa mère et de toutes les femmes du pays une épouse adultère, objet de scandale. Et sa fille Bernarde est-elle irrémédiablement souillée puisqu'il est dit qu'un enfant conçu dans l'adultère porte le poids du péché de ses parents (16) ? Elle aime le nouveau Martin, mais il l'a trompée une fois ; qui dit, après tout, qu'il ne recommencera pas ? Et qu'adviendrait-il si l'autre Martin Guerre revenait ?

Après que le nouveau Martin eut été jeté en prison à Rieux, Bertrande dut subir toute la journée de la part de sa mère et de son beau-père de terribles pressions. Ils allèrent jusqu'à la menacer de la chasser de la maison si elle n'approuvait pas

191

formellement l'action de Pierre. La femme obstinée calculait et échafaudait des pians. Elle porterait plainte contre l'imposteur en *espérant qu'elle perdrait son procès*. Elle suivrait la stratégie qu'elle avait élaborée en accord avec le nouveau Martin au sujet de leurs témoignages et elle souhaiterait que le juge déclare qu'il était son mari. Mais étant donné son déchirement intérieur et les dangereux événements des mois passés, elle devait aussi *se préparer à gagner son procès*, quelque terribles en fussent les conséquences pour le nouveau Martin. Au cours de la journée, elle envoya des vêtements et de l'argent au prisonnier à Rieux. Tard dans la soirée, elle donna son accord à l'action que Pierre Guerre avait intentée en son nom et « se rendit plaintive » auprès du juge de Rieux contre l'homme qui avait pris la place de Martin Guerre, son vrai mari (17).

7

LE PROCÈS DE RIEUX*

La jugerie de Rieux n'était pas inconnue des familles d'Artigat. Certains litiges ne pouvaient se régler sur place et finissaient devant ce tribunal : Jehanard Loze poursuivit en justice l'évêque de Rieux absent pour non-paiement d'une pension annuelle due à la paroisse; deux laboureurs se faisaient un procès pour la possession d'un lopin de terre; Jeanne de Banquels s'y était rendue pour une contestation avec une autre héritière (1). Lorsque l'affaire Martin Guerre vint devant les juges, un grand nombre de témoins avaient donc une idée approximative à la fois des frais et des dangers de la justice royale et des avantages qu'ils pourraient en tirer.

Le juge lui-même ne percevait qu'un médiocre traitement en regard des sommes que touchaient les magistrats dépendant du Parlement de Toulouse, mais dans le monde de Rieux il était un personnage, l'emportant même, pour le prestige et le pouvoir, sur les seigneurs locaux. Il était assisté par son lieutenant général, Firmin Vayssière, licencié en droit, dont le catholicisme intransigeant allait lui valoir plus tard la charge d'enquêter sur les atteintes

* Je suis reconnaissante au Dr Alfred Soman du concours qu'il m'a apporté sur un grand nombre de questions juridiques dans ce chapitre et dans les deux chapitres suivants. Je suis seule responsable d'éventuelles erreurs d'interprétation.

des huguenots contre les biens de l'Eglise dans le diocèse (2). Avec le procureur du roi à Rieux et les avocats de la Cour, le juge et le lieutenant affrontaient un des cas les plus épineux de leur carrière.

Le faux par supposition de personne avec intention de léser était considéré dans la France du XVIᵉ siècle comme un crime grave. Il n'était pas passible d'une peine fixée, comme nous allons le voir, mais quand le procureur du roi avait fait sienne la plainte de la partie civile – c'est ainsi qu'on désignait Bertrande – l'accusé risquait plus qu'une simple amende. S'il était déclaré coupable, il pouvait être condamné à des châtiments corporels, voire à la mort. Dans cette affaire, où l'honneur et la vie d'un homme étaient en jeu, les preuves devaient être « certaines, indubitables et plus claires que le jour » (3). Mais à une époque où la photographie n'existait pas, où les portraits étaient rares, sans empreintes digitales ni cartes d'identité, avec des registres de paroisses encore irrégulièrement tenus – quand ils l'étaient – comment établir l'identité d'une personne d'une manière indubitable ? On pouvait sonder la mémoire de l'inculpé, encore qu'on pouvait toujours lui avoir soufflé sa leçon ; demander à des témoins de le reconnaître en comptant sur leur discernement et sur leur sincérité. On pouvait examiner les signes distinctifs sur son visage et sur son corps, encore fallait-il pour que cette épreuve ait quelque signification que les témoins aient gardé un souvenir précis de la personne. On pouvait voir s'il ressemblait aux autres membres de la famille. On pouvait examiner son écriture, à condition toutefois que lui et son double sachent écrire et qu'on fût en possession d'échantillons de l'écriture de ce dernier. A la lumière de pareilles preuves, la Cour de Rieux devait reconstruire la vérité et c'est à cet objectif que visait l'audition des villageois sur Martin Guerre.

La première démarche consistait à recueillir des informations auprès des témoins cités par la partie civile, une liste sans nul doute dressée par Bertrande et Pierre (4). Pour diminuer les frais, tous à la charge de la partie civile, la plupart des dépositions étaient probablement enregistrées à Artigat ou dans le voisinage plutôt qu'à Rieux. Qu'on se figure l'émoi général lorsque le juge ou son représentant apparut sur la scène et que les opinions antagonistes fusaient de droite et de gauche, proférées par la bouche des notaires locaux et de Me Dominique Boëri du Fossat, bachelier ès droits. Les témoins devaient jurer de dire toute la vérité, et lorsqu'ils avaient terminé leur déposition, l'examinateur relisait leur déclaration mot pour mot (du moins en principe) afin qu'ils pussent y ajouter ou retrancher ce que bon leur semblait. Ensuite ceux qui savaient écrire signaient leurs noms, les autres parafaient.

Après un délai raisonnable laissant au procureur du roi la possibilité d'étudier la masse des témoignages et de donner son avis, le juge ouvrit les audiences à Rieux. Il interpella le prisonnier et l'interrogea sur les accusations dont il était l'objet et sur la vie de Martin Guerre et il écouta ce qu'il avait à dire pour sa défense. Ensuite il questionna Bertrande de Rols, après quoi il redonna la parole à l'accusé pour lui permettre de répondre. A ce point, le juge prit au sérieux la déclaration du prisonnier, corroborée par des témoignages du village, à savoir que Pierre Guerre avait contraint Bertrande à porter plainte contre son gré; il décida qu'elle devait quitter la maison de Pierre pour être relogée ailleurs *.

* Coras dit que le défendeur demanda que Bertrande fût placée « en quelque maison de gens de bien », ce qui fut fait (p. 37-45). Il ajoute que

195

Ensuite vinrent les « récolements » des témoins et leur confrontation avec le prisonnier (c'est toujours la partie civile qui paie les frais!). Le juge s'assure que le témoin confirme sa déposition, en ce cas on appelle le défendeur. Ce dernier commence par adresser ses « reproches » aux témoins ou les accepter comme fiables, avant même de connaître le contenu de leur déposition. C'est sa seule chance de semer le doute quant à la moralité de ses accusateurs et il doit s'y efforcer de son mieux. Puis la déposition du témoin est lue à haute voix et l'homme qui se prétend Martin Guerre la récuse chaque fois que besoin en est, en fournissant des alibis et en posant des questions.

Nombre de procès prennent fin après ces confrontations, tant à ce point la culpabilité ou l'innocence du prévenu éclate aux yeux du procureur du roi et du juge. Mais pas dans le cas de Martin Guerre. Le défendeur avait cité des témoins pour confirmer les déclarations qu'il avait faites au cours des interrogatoires et des confrontations. Bertrande n'avait pas encore retiré sa plainte contre lui et il était convaincu de pouvoir fournir la preuve qu'elle avait été subornée. Le juge lui-même n'était pas satisfait des témoignages; il aurait aimé en savoir plus long sur cette énigmatique paysanne d'Artigat, sur la réputation des autres témoins et sur l'identité du défendeur. Le procureur du roi fut chargé de rassembler les témoins pour le défendeur (c'était maintenant son tour de payer l'addition; on se

« jadis » les femmes pouvaient être conduites dans un couvent (p. 38). Une liste d'institutions ecclésiastiques cite dans le diocèse une abbaye et trois prieurés de femmes, tous aristocratiques et assez loin d'Artigat et de Rieux (J.M. Vidal, « Pour le pouillé des anciens diocèses de Pamiers, Mirepoix et Rieux », *Bulletin historique du diocèse de Pamiers, Couserans et Mirepoix*, t.V [1931-1932], p. 254-260). Bertrande fut probablement logée chez une famille de confiance près d'Artigat et au cours de sa déposition à Rieux chez une famille de cette ville.

demande comment la cour de Rieux réussissait à s'y retrouver dans cet embrouillamini). Un monitoire fut lu solennellement dans les églises d'Artigat, de Sajas et des alentours enjoignant à tous ceux qui connaissaient la vérité en la matière de la révéler au juge sous peine d'excommunication. Même les protestants, en dépit de leur scepticisme quant aux pouvoirs du prêtre, ont dû le prendre au sérieux (5).

Pendant le procès, cent cinquante personnes défilèrent à Rieux. Dans deux diocèses, dans tous les villages, les gens se demandaient comment faire pour dire qui était un homme – un homme arraché au contexte quotidien des champs et de la famille et qu'on exhibait dans les salles de la jugerie de Rieux. Tous les témoins d'Artigat ou quasiment tous s'accordaient sur un point et un seul : quand le prisonnier était apparu parmi eux, il avait salué chacun par son nom et leur avait rappelé des choses précises qu'ils avaient faites ensemble, dans des circonstances précises, des années auparavant. En dehors de cela, leurs opinions divergeaient, comme divergeaient celles des témoins venus d'ailleurs. Quarante-cinq personnes ou plus déclarèrent que le prisonnier était Arnaud du Tilh, dit Pansette, ou du moins qu'il n'était pas Martin Guerre, ils avaient mangé et bu avec l'un ou l'autre depuis leur enfance. Parmi ces derniers se trouvait Carbon Barrau, l'oncle maternel d'Arnaud du Tilh, du Pin; des gens avec lesquels Pansette avait conclu des contrats auparavant; trois hommes qui avaient reconnu le prisonnier comme étant du Tilh, même pendant qu'il vivait avec Bertrande de Rols. Trente à quarante personnes affirmèrent qu'il était Martin Guerre, ils le connaissaient depuis le berceau. Ce groupe incluait les quatre sœurs de Martin, ses deux beaux-frères et Catherine Boëri, qui appartenait à une des familles les plus réputées de la localité.

Ces témoins qui avaient connu Martin avant son départ d'Artigat fouillaient leur mémoire à la recherche de ses traits. On s'attendrait à ce que des paysans aient une bonne mémoire visuelle – ils doivent en effet emmagasiner tant de paysages, de formes et de couleurs au cours de leurs travaux – pourtant ici encore il y avait des divergences. Certains soutenaient que Martin était plus grand, plus mince, plus brun que l'accusé, qu'il avait un nez camus et la lèvre inférieure différente, ainsi qu'une cicatrice au sourcil qu'on ne relevait pas chez cet imposteur. Le cordonnier débita son histoire à propos des différences de pointure, Martin chausse douze « points », le prévenu neuf. D'autres témoins, au contraire, soulignèrent que Martin Guerre avait dans la mâchoire des dents en trop, une cicatrice au front, trois verrues sur la main droite; or, le prisonnier présentait tous ces signes particuliers.

Enfin un groupe important de témoins, une soixantaine environ, se refusaient à se prononcer sur l'identité du prisonnier. Peut-être, en prenant position, craignaient-ils quelque conséquence fâcheuse, des poursuites pour propos calomnieux de la part de l'accusé s'il était reconnu innocent ou des ennuis avec Pierre Guerre. Mais ce qu'ils disaient était moins tortueux : en dépit de tous les témoignages concernant sa bouche, ses sourcils et son nez, le prévenu ressemblait vraiment à Martin Guerre. Ils n'étaient pas certains de son identité et dans une affaire d'une pareille gravité, comment auraient-ils eu l'audace de trancher (6)?

Ces semaines qui précédèrent la sentence furent pour la femme du prisonnier une épreuve doulou-reuse et solitaire. Elle vivait dans un milieu étranger, loin du nouveau Martin, lequel avait des raisons de douter de sa loyauté. Sa mère et son beau-père souhaitaient obtenir la mort de l'imposteur ou du moins sa condamnation aux galères; ses belles-sœurs la blâmaient sans doute d'avoir porté plainte contre lui. La réputation de Bertrande de Rols se jouait sur un monitoire lu du haut de la chaire dans la vallée de la Lèze et au delà. Il fallait qu'elle soit sur ses gardes : dans sa déposition elle devait, pour fortifier sa cause à lui, se borner à révéler ce que le prévenu savait du passé de Martin Guerre mais ne rien dire qui pût la faire accuser d'adultère. Elle devait présenter au tribunal l'image d'une femme crédule, un rôle que les femmes, comme l'a montré Nicole Castan, ont joué devant les fonctionnaires de la justice chaque fois qu'elles y trouvaient leur compte (7).

Bertrande a vraisemblablement eu l'occasion de consulter un procureur avant les audiences de Rieux, mais en présence du juge, du greffier, du procureur du roi, elle était livrée à elle-même. Même pour une femme qui dans son village marchait la tête haute et ne mâchait pas ses mots, c'était un tourment que d'affronter ce monde d'hommes. Mais elle répondit aux questions du juge sur la vie de Martin Guerre depuis son mariage trop précoce jusqu'à la fuite du jeune homme et fournit même de sa propre initiative certains détails inédits. Ainsi le juge entendit le récit de l'impuissance de Martin Guerre et de sa guérison auquel elle ajouta un épisode plus intime. Ils s'étaient rendus, il y a longtemps de cela, à des noces et comme les lits conjugaux manquaient, Bertrande fut contrainte de passer la nuit avec sa cousine; avec son accord, Martin se glissa dans leur lit après que l'autre jeune femme se fut endormie [Le Sueur arrête ici son récit, mais Bertrande, probablement, continua le sien, révélant les « propos qu'ils avoyent tenus avant, après et en l'acte secrete de mariage » (8)].

Bertrande joua son double rôle à la perfection

jusqu'à sa confrontation avec le prisonnier. Il a dû « reprocher » son témoignage avec beaucoup de précautions : elle était « une femme de bien et honneste » qui disait la vérité sauf lorsqu'elle affirmait qu'il était un imposteur; sur ce point elle avait été incitée à mentir par son oncle Pierre Guerre. Ensuite il mit à l'épreuve son amour et exprima le sien (comme nous l'avons vu) en déclarant au juge que si elle jurait qu'il n'était pas son mari, Martin Guerre, il accepterait la mort que le tribunal déciderait de lui infliger. Et Bertrande garda le silence (9).

Si la femme de Martin Guerre était déchirée, le nouveau Martin ne sembla jamais aussi sûr de lui qu'au cours de ce procès. Sous les feux de la rampe, tous ses esprits mobilisés pour prouver son identité, il ne commit pas la moindre bévue, que ce fût en décrivant les habits que chaque convive portait au mariage de Martin Guerre ou en racontant comment, au profond de la nuit, il s'était faufilé dans le lit où Bertrande couchait avec sa cousine. Il ne tarissait pas de détails sur ses activités en France et en Espagne après son départ d'Artigat. Il donna des noms de personnes susceptibles de confirmer son récit (et en effet la Cour vérifia ses dires). Lors des confrontations son appréciation des témoins dut être exceptionnellement pénétrante – « vivement et vallablement reprochez », dira Coras plus tard en jugeant la manière dont il avait récusé Carbon Barrau et d'autres témoins « qui particularisent de si près les faicts contre le dict prisonnier » (10). Pour les propos qu'il a tenus nous sommes réduits à les imaginer. A Carbon Barrau : « Je n'ai jamais vu cet homme avant ce jour. Et s'il est vraiment mon oncle, comment se fait-il qu'il ne peut produire d'autre membre de la famille pour appuyer son assertion? » Au cordonnier : « Cet homme est compère de Pierre Guerre. Qu'il nous montre ses livres

200

de comptes sur la taille de mes pieds. Qui d'autre peut-il trouver pour corroborer ses mensonges? »

Le prévenu semble avoir mené sa défense seul sans bénéficier des avis d'un homme de loi. L'ordonnance de Villers-Cotterêts de 1539 déniait formellement à l'accusé, dans un procès criminel, le droit à l'assistance d'un avocat, encore que des travaux récents montrent que la loi était souvent tournée (11). Dans l'affaire du nouveau Martin un avocat se serait trouvé dans son élément; la procédure offrait des irrégularités qu'il aurait pu faire valoir pour se pourvoir en appel; à commencer par son arrestation par des hommes armés avant le petit jour. Mais en dépit des monitoires et du défilé des témoins le procès ne dura que quelques mois. On est en droit de supposer qu'avec le flair qui le caractérisait, le prévenu saisit rapidement les arguments les mieux faits pour toucher des juristes. L'accusé axa sa défense sur un point : Pierre Guerre le haïssait parce qu'il l'avait traîné en justice. Leur tentative d'assassinat ayant échoué, lui et ses gendres avaient monté ce complot, forgeant une nouvelle charge contre lui, celle d'imposture : « Si jamais mari fut mal traité de ses proches parents, il estoit certes iniustement (12). » On devait le relâcher et condamner Pierre Guerre pour diffamation avec la même sévérité que Martin l'eût été pour faux *.

Après audition du dernier groupe de témoins, le procureur pressa le juge de rendre son verdict.

* Coras justifiait cette loi du talion dans son annotation (p. 35) mais le lieutenant criminel Jean Imbert dans son traité contemporain de pratique judiciaire déclare qu'elle n'était plus en vigueur. Les individus convaincus de calomnie étaient condamnés à faire amende honorable et à verser une somme d'argent. Considérant la légèreté avec laquelle les gens calomniaient leur prochain, Imbert souhaitait parfois que cette loi fût rétablie. Jean Imbert, *Institutions Forenses, ou practique iudiciaire* (Poitiers : Enguilbert de Marnef, 1563), p. 446-498.

L'affaire était délicate à trancher et la requête du juge pour qu'on examinât la ressemblance de l'accusé avec ses sœurs et le fils de Martin Guerre ne clarifiait pas les choses. Le prisonnier ne ressemblait pas à son fils Sanxi mais il ressemblait à ses sœurs. On ne pouvait lui faire subir d'examen graphologique parce que, si par hasard le défendeur savait à présent écrire son nom (et les marchands ruraux étaient les seules gens du village en dehors des notaires et des prêtres capables de signer des contrats), ni Pansette ni Martin Guerre ne l'avaient fait auparavant. La Cour a pu songer à le soumettre à la question pour arracher des aveux : une telle décision supposait de graves présomptions de culpabilité à la suite de la déposition d'un témoin irréprochable ou de preuves circonstanciées apportées par deux témoins (13). Mais le juge de Rieux n'avait aucune envie de mettre le doigt dans cet engrenage. Il lui est sans doute apparu que même sans confession, il disposait d'éléments solides et que l'inculpé aurait certainement fait appel devant le Parlement de Toulouse.

Quoi qu'il en soit, le juge déclara le défendeur coupable d'usurpation du nom et de la personne de Martin Guerre et d'abus de confiance à l'égard de Bertrande de Rols. La partie civile avait demandé qu'il fît amende honorable et qu'il payât une somme de deux mille livres tournois ainsi que les frais du procès. Le procureur du roi, lui, requit la peine de mort, ce qui rendait caduque la peine réclamée par Bertrande. Rien là de surprenant, même sans la charge supplémentaire d'adultère : en 1557 la Sénéchaussée de Lyon avait condamné à la pendaison deux hommes, pour avoir établi de faux contrats pendant quelques mois au nom d'un autre. Le juge de Rieux condamna le prisonnier à être décapité et écartelé, un curieux hommage, si l'on songe que la décapitation était réservée aux nobles (14).

Le condamné fit immédiatement appel de la sentence auprès du Parlement de Toulouse en protestant de son innocence. Peu après, il fut conduit sous escorte dans cette ville à ses frais. L'accumulation de dossiers et de paperasses engendrés par l'affaire l'y accompagnaient, payés par Bertrande. Dès le 30 avril 1560 la Chambre criminelle du Parlement avait à juger l'affaire de « Martin Guerre prisonnier en la Conciergerie » qui avait fait appel du verdict rendu par le juge de Rieux (15).

8

LE PROCÈS DE TOULOUSE

Fondé cent dix-sept ans auparavant, le Parlement de Toulouse est maintenant un corps qui jouit dans le Languedoc d'un immense pouvoir : ses édifices viennent d'être restaurés, ses conseillers accrus. En 1560 on y juge non seulement des procès civils et criminels en appel et parfois même en première instance, mais on y statue sur le sort des iconoclastes de Toulouse; de là on dépêche des commissaires chargés d'enquêter sur les réunions illégales, les détenteurs d'armes, les hérésies et les meurtres dans le diocèse de Lombez. Ses présidents et ses conseillers constituaient une élite riche et cultivée, possédant de beaux hôtels à Toulouse et des domaines à la campagne. Enfin, tous s'arrangeaient pour acquérir des titres nobiliaires. Leurs robes devenaient chaque jour plus fastueuses. On s'adressait à eux en des termes marquant le respect et la considération : « Integerrimus, amplissimus, meritissimus », disait Jean de Coras à l'un d'eux dans une dédicace écrite avant qu'il ne prît place dans leurs rangs; ou encore à un autre : « Eruditissimus, æquissimus », et, à tout le Parlement, « gravissimus sanctissimusque Senatus (1) ».

La Chambre criminelle, une des cinq chambres du Parlement, la Tournelle comme on l'appelait, était composée d'un groupe de dix à onze conseillers désignés à tour de rôle et de deux ou trois présidents. Parmi les magistrats qui siégeaient au procès en appel de Martin Guerre se trouvaient certaines des sommités de la cour. Il y avait là l'érudit Jean de Coras, auteur de tant d'ouvrages de droit. Il y avait aussi Michel Du Faur, ancien juge-mage de Toulouse et l'un des présidents du Parlement; issu d'une dynastie de juristes distingués, il avait épousé une Bernuy dont la dot provenait des bénéfices réalisés dans le commerce des coques de pastel. Jean de Mansencal, premier président du Parlement, vint en personne de la Grand'Chambre pour assister aux derniers jours du procès. Propriétaire dans la ville d'un somptueux palais Renaissance, il possédait en outre une propriété de famille dans le diocèse de Lombez, non loin du village natal d'Arnaud du Tilh.

Unis par leur profession, parfois même par des mariages (la fille du conseiller Etienne de Bonald était sur le point d'épouser le fils de Mansencal), les hommes qui en 1560 constituaient la Chambre criminelle commençaient à prendre conscience des profondes divergences qui les séparaient. Trois des conseillers, Jean de Coras, François de Ferrières et Pierre Robert, allaient bientôt devenir des chefs de file du protestantisme, et quelques autres nourrissaient du moins des sympathies pour la cause Réformée. A l'opposé, le président Jean Daffis, Etienne de Bonald et Jean de Mansencal étaient résolus à employer tous les moyens pour extirper la nouvelle hérésie (2).

Mais l'étrange affaire qui leur venait de la jugerie de Rieux leur pemettait d'oublier un instant le fossé qui se creusait. Ils avaient tous des années d'expérience dans le métier. Simon Reynier jugeait des affaires depuis près de quarante ans, et Jean de Coras, le moins ancien dans la carrière, était conseiller depuis 1553 – mais l'un d'entre eux s'était-il jamais trouvé devant le cas d'une femme qui prétendait que pendant plus de trois ans elle avait pris un autre homme pour son mari? L'adultère, le concubinage, la bigamie, cela les connaissait, mais avait-on jamais entendu parler d'un mari « supposé »? Jean de Coras fut désigné par la Chambre comme rapporteur : il était chargé, après examen minutieux des éléments du procès, de rédiger un rapport sur l'ensemble de l'affaire et de recommander une sentence. François de Ferrières avait pour tâche de l'assister dans ses investigations et dans ses interrogatoires. Avant tout, la Cour voulut entendre Bertrande de Rols qui avait demandé à comparaître ainsi que Pierre Guerre (3).

Pendant que ces deux derniers étaient en route vers Toulouse, l'homme qui s'obstinait à affirmer qu'il était Martin Guerre gisait, les chaînes aux pieds, à la Conciergerie. Il n'était pas victime d'une mesure d'exception; le taux des évasions était si élevé qu'on avait enchaîné tous les hommes hormis les grands malades. Il était libre de parler à tous ceux qui se trouvaient à portée de voix et sa verve intarissable a dû réjouir ses camarades d'infortune; le « rapteur » présumé de Carcassonne; le notaire, le prêtre et l'éperonnier de Pamiers, tous accusés d'hérésie; et les deux hommes mystérieux qui se prétendaient originaires « d'Astaraps en petite Egypte » (4).

Au début de mai, les juges entendirent Bertrande et Pierre; ensuite en pleine Chambre, ils furent à tour de rôle confrontés avec le défendeur. Il semble qu'il n'y ait pas eu de problème de langue; la plupart des membres du tribunal étaient de la région. Bertrande commença par une déclaration visant à convaincre les juges qu'elle n'avait jamais été la complice du détenu; son honneur, elle le savait, était souillé, mais elle avait été la victime d'une affreuse machination. Elle parlait avec trépidation, les yeux fixés sur le sol (« defixis in terram occulis satis trepide »). Le détenu alors s'adressa à elle d'un air animé (« alacriori vultu ») et avec affection, disant qu'il ne lui voulait aucun mal, qu'il savait que toute l'affaire avait été manigancée par son oncle. Il montrait une face « si asseurée » commente Coras et « beaucoup plus que ladite de Rols tellement qu'il y avoit peu de iuges assistants qui ne se persuadassent le prisonnier estre le vray mari, et l'imposture proceder du costé de la femme et de l'oncle ». Après la confrontation entre le défendeur et Pierre Guerre la Chambre ordonna que Pierre et Bertrande fussent tous deux emprisonnés, Pierre, on présume, à bonne distance de « Martin Guerre » et Bertrande dans la section de la Conciergerie réservée aux femmes (5).

Recommencèrent les récits interminables de la vie de Martin Guerre. Coras et Ferrières interrogèrent Bertrande qui donna la version qu'ils avaient mise au point ensemble. Ensuite, ils harcelèrent le défendeur, cherchant en vain à le prendre en défaut :

« Ces propos ici longuement discourus [dit Coras] et la numerosité de tant et tant d'enseignes si veritables, donnoient grande occasion aux Iuges se persuader de l'innocence dudit [prévenu], et en outre d'admirer l'heur et la felicité de sa mémoire, qui avoit sceu reciter innombrables choses faictes et passees plus de vingt ans y a : en quoy les commissaires, qui par tous moyens à eux possibles, taschoyent de le surprendre en quelque mensonge, ne purent toutesfois rien gagner sur luy, ni faire qu'il ne respondit veritablement à toutes choses... (6) »

Bien entendu, on procéda à l'audition des témoins, les commissaires en interrogèrent de vingt-cinq à trente dont certains avaient déjà déposé. Il y eut de nouveau des confrontations avec le défendeur. Carbon Barrau pleura lorsqu'il vit le prisonnier enchaîné, mais Martin Guerre le récusa tout comme la première fois. Quelque sept témoins furent convoqués à Toulouse à la fin du mois de mai en vue d'une confrontation avec Bertrande de Rols. Placée elle-même dans la situation infamante de prisonnière, elle eut à affronter sa belle-sœur Jeanne Guerre et des notables de la vallée de la Lèze, tels Jean Loze et Jean Banquels, qui probablement eurent à se prononcer sur la question des pressions dont elle aurait été l'objet (7).

Au cours de l'été 1560, Jean de Coras passa au crible toutes ces données et décida de ce qu'il ferait figurer dans son rapport. Ce dut être pour lui un délassement que de s'occuper de Martin Guerre. Il venait d'achever son grand traité, *De iuris Arte*, et n'avait pas de nouvel ouvrage en train. Entre-temps, en France, les passions politiques réveillées par la conjuration protestante avortée d'Amboise s'exacerbaient, et à Toulouse même, les affrontements entre partisans de la nouvelle religion et de l'ancienne se multipliaient. Chaque fois que la Chambre criminelle jugeait des hérétiques, il se contentait de se tenir à l'écart (8). Il savait de quel côté se trouvait la vérité mais n'était pas encore prêt à se jeter dans la mêlée. Il lui était plus facile pour l'instant de découvrir la vérité sur l'identité d'un homme.

Les témoignages supplémentaires apportèrent peu de clarté. Neuf ou dix personnes étaient convaincues que l'inculpé était Martin Guerre, sept ou huit juraient qu'il était Arnaud du Tilh, le reste s'abstenait. Coras s'attela à une analyse systématique des témoins et de leurs dépositions. C'était là, pensait-il, ce qui avait manqué lors du précédent jugement. Aux deux procès le poids du nombre parlait contre le défendeur. Toutefois, s'agissant de l'identité d'un homme, ce qui comptait ce n'était pas le nombre mais la qualité des témoins – étaient-ils gens intègres, épris de vérité, ou au contraire parlaient-ils sous l'empire de la passion, la crainte ou l'intérêt? Enfin, point essentiel, la vraisemblance de leurs témoignages. Dans cette affaire insolite, Coras pensait que le témoignage des proches parents était de la plus haute importance* : ils sont mieux en mesure de reconnaître un homme « pour la proximité du sang » et parce qu'ils ont été élevés ensemble. Mais ici on se trouvait en présence de parents en désaccord formel sur son identité.

Pour condamner un inculpé, un tribunal doit posséder la preuve qu'un crime a été réellement commis et que l'accusé en est l'auteur. Même une confession à elle *seule* ne suffisait pas à établir ces deux faits, car un accusé pouvait ne pas dire la vérité, avec ou sans torture. De toute manière, dans ce cas précis il n'y avait pas eu confession. Pouvait-on conclure à la culpabilité en s'appuyant sur la règle traditionnelle qui reconnaissait valeur de preuve à la déposition concordante de deux témoins dignes de foi? Coras avait en sa possession des faits précis qui chargeaient le prisonnier, mais il se heurtait à chaque fois à des difficultés. Par exemple, Pelegrin de Liberos avait déclaré que le défendeur avait répondu au nom d'Arnaud du Tilh et lui avait remis deux mouchoirs pour son frère Jean, mais il était le seul témoin à faire pareille déposition et il fut démenti par le défendeur. Deux personnes avaient témoigné avoir entendu de la bouche d'un soldat de Rochefort que Martin Guerre avait perdu une jambe à la bataille de Saint-Quentin. Mais comme

* Voir p. 217 sur la question générale des témoignages des parents dans un procès criminel et sur les frères d'Arnaud du Tilh.

ce n'était qu'un ouï-dire, on ne pouvait lui attacher trop de poids.

La preuve matérielle, une forme de preuve de plus en plus fréquemment retenue au XVIᵉ siècle dans les procès criminels, n'apportait pas non plus une réponse décisive. Elle reposait en grande partie sur le témoignage de gens qui se souvenaient des traits de Martin Guerre. Et s'ils mentaient ou si simplement leur mémoire les trahissait ? Ceux qui clamaient que le prisonnier présentait les mêmes signes distinctifs et cicatrices que Martin Guerre ne s'accordaient ni sur ses verrues ni sur les particularités de ses ongles. Il n'y avait pas deux témoignages qui concordaient. D'autre part s'il était vrai que Martin Guerre jeune avait des jambes plus minces que celles du défendeur, l'expérience prouve que les adolescents élancés s'alourdissent en prenant de l'âge. Que le prévenu ne sût pratiquement pas parler le basque pouvait signifier qu'il n'était pas Martin Guerre, parce qu'il est peu vraisemblable « qu'un Bascouz naturel ne sçache parler sa langue », ou tout bonnement qu'ayant quitté le Labourd à un âge tendre, il n'avait jamais vraiment appris la langue de ses parents (9).

Coras était en « perplexité grande ». Mais le rapporteur devait faire une recommandation. Plus il réfléchissait sur les faits, plus il lui apparaissait que le défendeur était celui qu'il prétendait être et qu'il fallait renverser la sentence du juge de Rieux.

Il commençait par réfléchir sur le cas de Bertrande. C'était une femme qui avait vécu « vertueusement et honorablement », les renseignements obtenus par les monitoires le confirmaient. Elle avait partagé sa couche avec le prisonnier pendant plus de trois ans « dans lequel intervalle si long n'est vraysemblable que ladite de Rols ne l'eust recognu pour estranger, si le prisonnier n'eust été veritablement Martin Guerre ». Elle l'avait soutenu pendant des mois contre son beau-père et sa mère, allant jusqu'à le protéger de son corps, pour qu'il ne lui arrivât rien de mal; elle l'avait reçu dans son lit, peu d'heures avant d'avoir déposé sa plainte. Ensuite devant le juge de Rieux, elle avait refusé de jurer qu'il n'était pas Martin Guerre. D'un point de vue juridique, ce fait n'aidait en rien à la découverte de la vérité, parce que dans les affaires criminelles, « la preuve par serment n'est pas légitime », mais il était révélateur de son état d'esprit et cette impression était fortifiée par son attitude hésitante et sa nervosité au cours de sa confrontation avec le défendeur au mois de mai devant la Chambre criminelle. Il semblait probable, comme Bertrande l'avait du reste dit dans un premier temps, qu'on l'avait contrainte à faire une fausse déclaration (10).

Il observait Pierre Guerre. On aimerait savoir ce qui s'est passé au juste lors des interrogatoires entre le juriste de Réalmont et le vieux fabricant de tuiles d'Artigat avec son fort accent basque. En quels termes l'oncle a-t-il exprimé sa colère et son ressentiment à l'égard de l'imposteur, pour pousser Coras (aux yeux de qui, on le sait, le comportement des témoins était un critère essentiel de leur bonne foi) à demander qu'il soit mis dans les chaînes? De toute façon, les preuves qu'il avait sous les yeux ne présentaient guère l'homme sous un jour favorable. Le litige à propos de la reddition des comptes et de la remise des bénéfices figurait au dossier et fournissait un motif plausible. Pierre lui-même confessait s'être présenté abusivement au nom de Bertrande devant le juge de Rieux. Sa « conjuration » avec sa femme et ses gendres pour tenter de tuer l'accusé avait été décrite par « plusieurs témoins » dont l'estimable consul Jean Loze. C'était là une preuve suffisante pour motiver l'ordre de torturer

Pierre Guerre afin qu'il avoue avoir lancé une accusation calomnieuse et suborné le témoin Bertrande de Rols.

A dire vrai, Le Sueur prétend que la Chambre Criminelle avait envisagé de prendre une telle mesure, bien que l'arrêt n'en ait jamais été rendu. Quoi qu'il en soit, Coras considérait la calomnie comme un crime grave et trop répandu qui, visant à nuire à son prochain, violait le huitième Commandement (11).

Enfin il y avait l'accusé. Bien des faits plaidaient en sa faveur. Coras regardait les quatre sœurs de Martin comme d'exceptionnellement bons témoins, « femmes de bien et honnestes s'il y en a en la Gascogne, lesquelles ont tousjours constamment soustenu que le prisonnier estoit certainement Martin Guerre leur frère ». Leur ressemblance avec le défendeur était plus probante que son absence de ressemblance avec Sanxi, dit Coras, car il était plus proche d'elles par l'âge, alors que Sanxi n'était qu'un gamin de treize ans. Il y avait aussi le fait indéniable que le prisonnier se rappelait avec certitude tout ce qui concernait la vie de Martin Guerre, y compris les détails intimes fournis par la plaignante elle-même. Les récits sur la conduite dissolue d'Arnaud du Tilh « adonné à toute espece de meschancetez » ne nuisait pas à la cause de l'accusé, au contraire, car il semblait n'avoir rien à faire avec ce genre de personne.

En outre, une décision innocentant l'inculpé ferait jouer une disposition du droit civil, prise très au sérieux par les tribunaux du XVIe siècle, qui favorisait le mariage et les enfants issus du couple. « Es choses qui ont quelque doute », dit Coras, « la faveur ou du mariage ou des enfans... font tomber la balance. » Bertrande aurait un mari; Sanxi et Bernarde un père (12).

La Tournelle était sur le point de rendre sa sentence finale, les avis étant « plus disposez à l'avantage du prisonnier et contre lesdits Pierre Guerre et de Rols (13) », lorsqu'un homme à la jambe de bois se présenta dans les locaux du Parlement de Toulouse. Il dit que son nom était Martin Guerre et demanda à être entendu.

9

LE RETOUR DE MARTIN GUERRE

Après que Martin eut sa jambe arrachée à la bataille de Saint-Quentin, il eut deux chances dans son malheur. D'abord il ne mourut pas de sa blessure, mais il survécut au traitement du chirurgien et il réussit à clopiner sur une jambe de bois. Ensuite ses maîtres, Pedro de Mendoza ou son frère, le cardinal, demandèrent à Philippe II d'assister Martin dans son état de diminution physique. Le roi le récompensa pour les services rendus en lui octroyant une position à vie comme frère-lai dans un des monastères de l'ordre militaire de Saint-Jean-de-Jérusalem. Cet ordre, le plus sourcilleux du pays, exigeait de ses chevaliers des titres de noblesse; les banquiers de Burgos supplièrent en vain que la règle fût assouplie en leur faveur (1). Martin Guerre poursuivait son chemin comme avant, petite parcelle d'un univers réservé aux hommes, dominé par les aristocrates.

Comment s'est-il décidé après une absence de douze ans à traverser les Pyrénées sur sa jambe de bois et à retourner à son ancienne vie? C'est l'énigme la plus épaisse de l'existence de Martin Guerre. Coras est muet sur ses raisons, encore qu'il suppose qu'il n'a découvert l'imposture qu'après son retour. Le Sueur prétend qu'à son arrivée, il s'est rendu d'abord à Artigat, a appris ce qui s'était passé et a foncé à Toulouse avec Sanxi. Mais le récit de Le Sueur pose un certain nombre de problèmes, il laisse inexpliqués, entre autres, certains événements des derniers jours du procès *.

Il est toutefois possible que Martin Guerre soit rentré par hasard à point nommé. Il a pu se lasser de l'activité réduite d'une institution religieuse et, tout frère-lai qu'il était, préférer, avec son infirmité, rentrer au sein de sa famille où il pourrait exercer une certaine autorité. La paix de Cateau-Cambrésis avait été signée entre l'Espagne, la France et l'Angleterre l'année précédente et le cardinal de Burgos avait été chargé par Philippe II de la mission de rencontrer sa fiancée Elisabeth de Valois à la frontière française en décembre 1559 (2). Martin Guerre a pu espérer que dans cette ère de réconciliation, on lui pardonnerait d'avoir combattu pour l'Espagne.

Plus vraisemblable me paraît l'hypothèse qu'il ait eu vent du procès avant son retour. L'affaire faisait le tour des villages du Languedoc et le juge de Rieux avait envoyé des enquêteurs jusqu'en Espagne pour vérifier les témoignages du nouveau Martin sur son séjour dans le pays. Les bourgeois de Toulouse et les hommes de loi de partout s'intéressaient aussi à l'affaire, même si les délibérations étaient censées rester secrètes et que le public ne fût pas autorisé à assister au procès avant l'arrêt final. La rumeur aurait pu aussi en parvenir jusqu'aux oreilles du vrai Martin par l'intermédiaire de l'ordre de Saint-Jean-de-Jérusalem, qui avait plusieurs maisons dans le Languedoc et le Comté de Foix (3).

---

* En l'occurrence, il vide de sa signification la confrontation décidée par la Chambre criminelle entre le nouveau venu et les sœurs et beaux-frères de Martin Guerre. S'il était déjà passé par Artigat et avait vu ses parents (« a suis ») l'épreuve du tribunal était inutile.

Qui suis-je, donc, avait dû se demander Martin Guerre, puisqu'un autre homme vit la vie que j'ai abandonnée et est sur le point d'être reconnu comme l'héritier de mon père Sanxi, le mari de ma femme et le père de mon fils? Le vrai Martin Guerre a pu revenir pour reconquérir son identité et sa personne avant qu'il ne soit trop tard.

Quand il arriva à Toulouse à la fin de juillet, il fut mis à la disposition du Parlement et les audiences commencèrent. « Nouveau venu », se serait écrié le défendeur au début de sa confrontation avec l'homme qui arrivait d'Espagne, « meschant, belistre! Cet homme a été acheté à deniers contans et instruits par Pierre Guerre. » Il était venu briser les liens sacrés du mariage. S'il ne réussissait pas à démasquer « l'affronteur », il serait pendu. Et chose étrange, l'homme à la jambe de bois se souvenait moins bien des événements concernant Martin Guerre que le prisonnier (4).

La personne qui répondait autrefois au nom de Pansette eut son heure de triomphe. On aurait tort d'interpréter sa conduite, ce jour-là et les semaines qui suivirent, comme un effort désespéré pour sauver sa peau. Vif ou mort, il défendait contre un étranger * l'identité qu'il s'était forgée.

Coras et Ferrières eurent dix ou douze interrogatoires avec les deux hommes séparément, ils posèrent au nouveau venu des questions « secrètes » sur des sujets jusque-là non abordés, vérifièrent les réponses et constatèrent que le défendeur y répondait à peu près aussi bien. De la personne de l'inculpé semblait se dégager quelque chose de magique. Cherchant à le décontenancer, Mansencal lui demanda comment il s'y prenait pour invoquer l'esprit du

* Le lecteur se souviendra que vraisemblablement les deux hommes ne s'étaient jamais rencontrés auparavant.

mal qui lui soufflait tant de renseignements sur les gens d'Artigat. Coras rapporte que l'accusé pâlit et hésita, signe certain de culpabilité aux yeux du Conseiller (5). A mon sens, cette hésitation pourrait être attribuée à la colère de voir ses talents méconnus.

La Chambre criminelle procéda alors aux dernières confrontations. Carbon Barrau fut de nouveau sommé de comparaître ainsi que cette fois les frères d'Arnaud du Tilh en violation (mais la pratique s'en répandait de plus en plus au XVIᵉ siècle) d'une loi médiévale qui stipulait que les frères ne pouvaient porter témoignage les uns contre les autres dans une affaire criminelle. Les du Tilh préférèrent s'enfuir plutôt que de se rendre à Toulouse.

A l'intention de Pierre Guerre, hâve à la suite de ses mois d'emprisonnement, les commissaires imaginèrent une mise en scène théâtrale. Le nouveau venu fut placé au milieu d'un groupe de gens, semblablement habillés. Pierre reconnut son neveu, pleura et se réjouit de ce qu'enfin la chance eût tourné.

Pour les sœurs, introduites l'une après l'autre, les deux Martin furent placés côte à côte. Après avoir examiné avec attention l'unijambiste, Jeanne dit : « Voicy mon frère Martin Guerre. » Elle avait été abusée tout ce temps par le traître qui lui ressemblait. Elle étreignit Martin, frère et sœur versèrent des larmes – et le même scénario se reproduisit avec les trois autres (6).

Le tour de Bertrande de Rols arriva. Qu'était-il advenu d'elle après trois mois passés à la Conciergerie ? Elle avait maigri et était tombée malade, mais du moins quelques-unes de ses compagnes de captivité étant accusées d'hérésie, elle avait eu l'occasion de discuter avec elles de l'Evangile. Il y avait aussi là une propriétaire, une plaignante qui tout comme elle avait été emprisonnée. Enfin une des détenues disparut quelque temps pour accoucher (7). C'était un monde de femmes, qui peut-être rappela à Bertrande les années où elle vivait sans homme. Elle était préparée à tous les dénouements possibles : aussi, lorsqu'elle arriva à la Chambre criminelle, bien qu'elle ignorât le retour de Martin Guerre, elle joua fort bien son rôle.

Après un regard au nouveau venu, elle se mit à trembler, fondit en larmes (cela selon les dires de Coras qui, en bon juge, considérait de son devoir de noter toutes les expressions des témoins) et courut l'embrasser, implorant son pardon pour sa faute commise par imprudence et parce qu'elle avait été entortillée par les ruses et les séductions d'Arnaud du Tilh. Et de dévider toutes les excuses préparées : vos sœurs ne se sont pas méfiées; votre oncle l'a reconnu; je désirais si fort que mon mari fût de retour que je l'ai cru, d'autant qu'il connaissait des choses intimes à mon sujet; quand j'ai compris que c'était un imposteur, j'aurais voulu être morte et je me serais tuée sans la crainte de Dieu; dès que j'ai compris qu'on avait volé mon honneur, j'ai porté plainte contre lui. Martin Guerre ne manifesta pas le moindre signe de douleur devant les larmes de Bertrande de Rols et d'un air farouche et sévère (se souvenant peut-être des prêcheurs espagnols qu'il avait eu l'occasion d'entendre), il lui dit : « Laissez à par ces pleurs... Et ne vous excusez en mes seurs, ni mon oncle : car il n'y a pere, mere, oncle, seurs ni freres qui doivent mieux connaître leur fils, nepveu ou frere que la femme doit connaître le mari. Et du desastre qui est avenu à notre maison, nul a tort que vous. »

Coras et Ferrières lui rappelèrent qu'il portait quelque responsabilité en la matière puisqu'il avait abandonné Bertrande, mais il resta inébranlable (8).

Martin Guerre, à présent, était reconnu. Même sans confession la Cour disposait de preuves suffisantes pour rendre une sentence définitive. Jean de Coras récrivit son rapport et rédigea un arrêt; la Chambre criminelle se mit d'accord sur un texte. Arnaud du Tilh, dit Pansette, était reconnu coupable de « l'imposture et faulce supposition de nom et personne et adultere * ». Les soupçons de recours à la magie et d'invocation du diable qui pesaient sur lui dans les dernières semaines du procès ne furent pas retenus dans la sentence. Du Tilh fut condamné à faire amende honorable à Artigat puis à être mis à mort.

La condamnation à mort a sans doute été l'objet de discussions parmi les juges. Coras ne trouvait dans le droit français pratiquement pas de textes qui puissent le guider, car le crime de « supposition du nom et personne » était peu traité en dehors du cas limité de faux en écriture. Les anciens textes divergeaient, les uns considérant l'imposture comme un jeu qui n'encourait aucune punition, certains prévoyant une peine légère, d'autres le bannissement, fort peu la mort. En 1532, un édit royal avait rendu possible l'application de la peine de mort aux contrefacteurs et faux témoins. Mais la pratique judiciaire n'était pas uniforme. Coras a dû entendre parler de l'arrêt de mort qui avait été rendu en appel en 1557 pour deux imposteurs de Lyon par la Sénéchaussée de Lyon (ceux-là mêmes qui signaient des contrats au nom de Michel Mure) : le Parlement de Paris avait mué la peine en neuf ans de galères (9).

Le crime de du Tilh était, il est vrai, plus grave. Il impliquait la captation d'un héritage, délit assimila-

* Ce sont les mots mêmes du registre du Parlement (ADHG, B. La Tournelle, 76, 12 septembre 1560). Pour ce que Coras a publié comme ses crimes, voir p. 242.

219

ble à celui d'une femme faisant passer aux yeux de son mari un enfant illégitime pour le sien, afin qu'il puisse hériter. Plus encore, il avait commis l'adultère, un crime qui, d'après Coras, devait être puni sévèrement et plus uniformément par ses contemporains. Le Parlement de Toulouse ne rendait des arrêts de mort pour adultère que lorsque l'ordre social était transgressé, comme en 1553 où le clerc d'un conseiller fut condamné à la pendaison pour avoir séduit la femme de son patron et en 1556 où la femme d'un propriétaire terrien fut convaincue d'adultère avec son métayer (tous deux furent pendus) (10).

C'est de telles considérations qui déterminèrent le choix de l'arrêt de mort pour Arnaud du Tilh, un choix dont nous savons, par un exemple au moins, qu'il a choqué certains juristes. Il ne fut pas non plus décapité, comme l'avait ordonné le juge de Rieux, mais pendu comme il convenait à un vulgaire roturier convaincu de paillardise et de forfaiture. La Cour n'alla pas jusqu'à le brûler vif, mais à cause de son crime détestable, brûla sa dépouille « afin que la mémoire de personne si malheureuse et abominable s'anéantisse du tout et se perde ».

D'une certaine manière, La Tournelle a pris en considération les intérêts d'Arnaud du Tilh. Cette attitude, certes, arrangeait les affaires de Martin Guerre et de Bertrande de Rols, mais traduit également un respect inavoué pour l'homme dont le système de défense les avait subjugués. Sa fille Bernarde fut trouvée légitime. Le tribunal fonda sa décision sur la reconnaissance de la bonne foi de Bertrande : il accepta sa déclaration qu'elle pensait vivre avec Martin Guerre lorsque l'enfant fut conçu. Ici l'on disposait de nombreux précédents. Pour qu'un enfant fût bâtard, il fallait que les deux parents soient au fait de la situation; les enfants d'une femme qui ignorait être mariée à un prêtre étaient déclarés légitimes.

Décision plus étonnante, la Cour ne confisqua pas les biens et les propriétés d'Arnaud du Tilh dans le diocèse de Lombez pour les donner au roi (comme cela se passait ordinairement pour un criminel condamné à mort). Au lieu de cela, après que Bertrande serait dédommagée des frais de procès, les possessions devaient passer à sa fille Bernarde pour la doter et aider quelque peu à son entretien (11).

En outre, « la question préalable », la torture à laquelle on soumettait le condamné avant son exécution afin qu'il livrât ses complices, lui fut épargnée. Coras en recommandait l'usage, en certains cas, puisqu'en 1560, lui et le président Daffis avaient signé un arrêt ordonnant qu'un certain Jean Thomas, dit le Provincial, « sera mis à la question pour de sa bouche scavoir la vérité des exces, crimes et malefices a luy imposez ». Mais comme il ressort de travaux récents sur le Parlement de Paris, souvent la torture ne réussit pas à arracher les aveux (12). La Chambre criminelle a pu songer qu'il était peu vraisemblable qu'un criminel d'une telle envergure cédât à la question – et dans le cas contraire les juges ne souhaitaient certainement pas l'entendre dénoncer au dernier moment Bertrande de Rols comme sa complice.

La Tournelle avait maintenant à décider du sort de la femme prisonnière à la Conciergerie. Que pouvait-on dire de la belle épouse si facile à tromper et si obstinée dans son erreur? Après de longs débats, les conseillers lui laissèrent le bénéfice du doute; après tout, le sexe féminin était fragile. Elle ne fut pas poursuivie pour faux ou adultère (cette dernière faute aurait pu lui valoir d'être cloîtrée dans un couvent jusqu'à ce que son mari décidât de la reprendre) et nous venons de dire que sa fille avait été déclarée enfant légitime.

Il en alla de même pour Martin Guerre. La Cour passa beaucoup de temps à examiner quelles charges on pouvait retenir contre lui pour avoir abandonné sa famille pendant des années et avoir combattu dans les rangs des ennemis de la France. Finalement elle conclut que son départ pouvait être mis sur le compte de la jeunesse, « la chaleur et legerté de jeunesse qui lors bouillonoit en luy »; quant à son engagement au service de Philippe II, il fallait l'attribuer à l'obéissance qu'en tant que laquais il devait à ses maîtres plutôt qu'au désir « d'offenser son naturel prince ». La perte de sa jambe, ce qui était arrivé à ses biens et à sa femme étaient un châtiment suffisant (13).

Tout dans la sentence finale tendait à satisfaire aux critères qui avaient poussé Coras à rendre un premier jugement en faveur du nouveau Martin : elle protégeait le mariage et les enfants qui en étaient issus. Le 11 septembre, le président de Mansencal convoqua Bertrande de Rols, Martin Guerre et Arnaud du Tilh devant toute la Chambre. Ce dernier persista à affirmer qu'il était Martin Guerre, sans tenir compte de ce que disait le Président. Mansencal tenta ensuite de réconcilier Bertrande et Martin, les réprimandant pour leurs fautes et les pressant d'oublier le passé. Le défendeur l'interrompit à plusieurs reprises, réfutant chacune de ses paroles.

Ce fut la plus lamentable représentation du nouveau Martin, ou si l'on veut la plus sincère. Il avait perdu la partie et c'était à son tour d'être le mari jaloux. Le tribunal le trouva effronté et irascible et ce comportement entraîna une modification de dernière minute de la sentence; il ne ferait pas amende honorable devant eux : Dieu sait ce qu'il aurait pu faire (14) !

Le 12 septembre, le Parlement ouvrit ses portes au public pour qu'il entendît l'arrêt. Une foule immense se précipita dans la salle du tribunal ; au milieu d'elle semble s'être trouvé le jeune Michel de Montaigne, depuis peu conseiller au Parlement de Bordeaux (15). Mansencal lut l'arrêt : la justice déclarait Martin Guerre, Bertrande de Rols, Pierre Guerre libres de toute poursuite et rejetait l'appel d'Arnaud du Tilh, dit Pansette, « soy-disant Martin Guerre ». Il devait commencer son amende honorable devant l'église d'Artigat, puis être promené à travers le village pour être exécuté devant la maison de Martin Guerre. Le juge de Rieux était chargé de l'affaire. Coras n'a pas noté l'expression des visages de Bertrande de Rols et d'Arnaud du Tilh.

Quatre jours plus tard la potence était dressée face à la maison où avait été préparé le lit conjugal de Bertrande de Rols vingt-deux ans auparavant. La famille était rentrée au complet de Toulouse, et les gens étaient venus de plusieurs lieues à la ronde pour voir l'imposteur et assister à son exécution. Le village n'était plus divisé comme il l'avait été pendant plus d'un an. Le menteur avait été démasqué et on allait assister au rituel de son humiliation, de son repentir et de son rejet.

Pansette fit de son mieux pour en faire une occasion. Il commença la journée en reprenant son ancien nom. Il se confessa spontanément au juge de Rieux, racontant comment il avait été salué du nom de Martin Guerre par deux hommes à Mane. Tout s'était produit par des moyens naturels, les siens et ceux de ses complices qu'il désigna *. La magie

---

* Coras dit seulement qu'il confessa « que quelques-uns luy avoyent donné certaines intelligences et avisemens » (p. 83). Le Sueur dit qu'il

n'entrait pas dans l'affaire. Selon Coras (mais non selon Le Sueur), il confessa aussi plusieurs autres méfaits.

Ensuite, comme tout bon paysan père de famille, il fit son testament. Il dressa la liste de tous ses débiteurs et créanciers en argent, laine, blé, vin et millet et demanda que ces derniers soient payés sur les propriétés qu'il avait héritées d'Arnaud Guilhem du Tilh et de ses autres parents; elles étaient actuellement occupées par Carbon Barrau. Pour être certain que son oncle payerait, il entama des poursuites civiles contre lui, poursuites que sans doute ses exécuteurs testamentaires mèneraient à bien. Il fit de sa fille Bernarde son héritière universelle, son frère Jean du Tilh au Pin et un certain Dominique Rebendaire de Toulouse étaient ses tuteurs et ses exécuteurs testamentaires.

Pour faire amende honorable, il se mit à genoux devant l'église, dans la tenue traditionnelle des pénitents – en chemise blanche, tête et pieds nus, une torche à la main. Il demanda pardon à Dieu, au roi, à la justice, à Martin Guerre et Bertrande de Rols, mari et femme, et à Pierre Guerre. Mené à travers le village, la corde au cou, le paysan à la bouche d'or s'adressa aux foules : il était Arnaud du Tilh qui avait par infamie et ruse pris les biens d'un autre et l'honneur de sa femme. Il loua les juges de Toulouse pour la manière dont ils avaient conduit l'enquête et émit le vœu que les honorables Jean de Coras et François de Ferrières fussent présents pour l'entendre. Sur l'échelle qui menait à la potence, il parlait encore, recommandant à l'homme qui allait prendre sa place de ne pas se montrer rude avec Bertrande. C'était une femme d'honneur, de

« nomma deux personnes qui l'avaient aidé » (*Historia*, p. 22). Peut-être s'agit-il des deux amis du fugitif qui l'avaient pris d'abord pour Martin Guerre.

vertu et de constance, il pouvait en témoigner. Dès qu'elle avait eu des soupçons, elle l'avait repoussé. Ce faisant elle avait manifesté courage et élévation d'esprit peu communs. A Bertrande il demanda seulement de lui pardonner. Il mourut en implorant la miséricorde de Dieu au nom de son fils Jésus-Christ (16).

10

LE CONTEUR

Peu après le procès d'Arnaud du Tilh, le Parlement se sépara en septembre, comme chaque année, pour ses vacances. Jean de Coras, au lieu de partir tout de suite pour sa résidence familiale à Réalmont, se rendit à son étude de Toulouse, où il se mit à écrire l'histoire de l'homme qu'on avait brûlé pour en effacer la mémoire. Le 1er octobre il avait presque terminé sa première rédaction (1). De son côté, un jeune homme surnommé Guillaume Le Sueur couchait sur le papier sa version des mêmes événements. Quelque chose de stupéfiant, de troublant dans cette histoire trouvait un écho dans leur propre vie; et ce quelque chose devait être dit.

Dans le cas de Guillaume Le Sueur il est difficile de découvrir la corde que cette affaire faisait vibrer en lui, car c'est une figure peu connue. Fils d'un riche marchand de Boulogne-sur-Mer, il fut envoyé à l'Université pour étudier le droit. On sait qu'en 1566 il était déjà avocat à la Sénéchaussée du Boulonnais; plusieurs années plus tard il en devint le lieutenant des eaux et forêts. En 1596 il écrivit la première histoire de sa ville natale, ouvrage de quelque mérite. La Croix du Maine avait entendu parler de lui et dans sa *Bibliothèque* de 1584 il le définit comme « poëte latin et françois ». Il connaissait également le grec et publia en 1566 une traduction en vers latins d'une version grecque du livre des Macchabées.

A son crédit figure encore l'*Admirable Histoire du faux Martin de Toulouse*, composée en latin et qui circulait manuscrite dans la ville. Il la dédia à Michel Du Faur, quatrième président du Parlement et membre de la Tournelle pendant le procès de Martin Guerre. Tenait-il ses informations de la bouche et des dossiers de Du Faur (Le Sueur se présente comme ayant recueilli – « colligebat » – l'histoire) ou participa-t-il au procès dans quelque fonction subalterne? J'inclinerais à penser qu'il se perfectionnait en droit à l'université de Toulouse et qu'il était lié au président Du Faur. Peut-être était-il son secrétaire personnel? Toujours est-il qu'en 1560 Guillaume Le Sueur évoluait dans un monde du droit et de la rhétorique et qu'il avait en outre un penchant pour la littérature classique (2).

Sur Jean de Coras on possède une foule de renseignements. Il était « illustre », « clarissimus », ainsi que ses éditeurs l'annonçaient dans ses pages de titres. Et ce n'était pas une célébrité de fraîche date. Au moment du procès de Martin Guerre sa propre « Vita » venait de paraître, racontée par un de ses anciens disciples, Antoine Usillis, en préface de l'ouvrage de Coras, *De iuris Arte*. Il était né dans l'Albigeois et grandit à Toulouse où son père Jean Coras était avocat au Parlement. A treize ans il interprétait déjà le droit civil en chaire (du moins à ce que dit la légende), et les années suivantes, alors qu'il était lui-même étudiant en droit canon et civil à Angers, Orléans et Paris, on lui proposait souvent d'enseigner. Il se rendit ensuite à Padoue où il proposa cent sujets de dissertation à ses examinateurs et fut acclamé pour ses heureuses réponses. En 1536, à l'âge de vingt et un ans, il devait passer son doctorat à Sienne avec Philippe Decius, « une grande lumière du droit ». (Coras a dit plus tard que Decius était alors tellement sénile qu'il ne se souvenait plus d'un mot de droit et qu'il lui fallait un quart d'heure pour prononcer la première phrase de sa péroraison. Finalement c'est avec un autre qu'il le passa. Cette anecdote montre que Coras ne prenait pas tellement au sérieux sa réputation de jeune prodige.)

De retour à Toulouse, Coras fut engagé en qualité de régent à l'Université et ses cours de droit civil connurent un immense succès. Usillis rapporte qu'il ne se souvient pas d'un autre professeur capable d'attirer de telles foules. Lui-même était présent lorsque Coras déversait les flots de son éloquence envoûtante sur un auditoire de deux mille personnes, de « sa voix onctueuse, coulante, claire, mélodieuse ». Cet engouement est d'autant plus impressionnant lorsqu'on sait que les leçons de droit à Toulouse avaient souvent lieu entre 5 heures et 10 heures du matin (3).

Durant ces années d'une gloire précoce, Coras entretenait avec le droit des rapports d'un autre ordre, non mentionné par Usillis : il devint plaideur. Sa mère Jeanne de Termes mourut à Réalmont, lui léguant par un testament de 1542 tous ses biens et propriétés. Jean Coras père fit opposition au testament et maître Jean de Coras fils l'attaqua en justice. La cause fut finalement jugée en 1544 par le Parlement de Toulouse. Le droit du fils sur l'héritage fut confirmé et le père sommé de lui permettre de dresser un inventaire en temps voulu. Coras senior recevait l'usufruit des biens et propriétés, sa vie durant. Les deux hommes se réconcilièrent en fin de compte (Coras devait lui dédier un ouvrage en 1549), mais tout comme le récit cocasse de la cérémonie doctorale, le procès contre son père révèle une attitude pour le moins ambiguë à l'égard de l'ordre et de l'autorité (4).

Entre-temps Coras s'était marié et avait eu des enfants, pour ses délices. « Un mariage comblé », nous dit-il, dans son ouvrage de droit, *De ritu nuptiarum*, et il n'hésite pas à insérer au beau milieu de son commentaire un morceau sur sa femme Catherine Boysonné. Née d'une vieille famille toulousaine de capitouls, elle était parente du juriste humaniste Jean Boysonné, un grand ami de Coras. Le couple eut d'abord une fille, Jeanne, puis un fils, Jacques, qui lui aussi fait l'objet d'une notice au milieu d'un développement juridique. « Hier treize avril quinze cent quarante six, j'ai été ému d'une joie incroyable car je suis devenu par notre florissante Catherine le père d'un filio-lus (5). »

Nommé à une chaire de professeur, Coras emménage avec sa famille à Valence où il enseigne le droit civil de 1545 à 1549; ensuite pendant deux ans il donne des cours à Ferrare. Pendant toutes ces années il n'a cessé d'écrire et de publier des commentaires en latin du droit romain, sur des sujets allant du mariage et des contrats aux actions judiciaires et à la constitution de l'Etat. A partir de 1541 au moins, il envoyait ses manuscrits à des éditeurs surtout à Lyon, grand centre des publications juridiques. Et les étudiants en droit aimaient ses livres. « Corasissima » écrivait l'un d'entre eux en marge d'une phrase particulièrement bien venue sur l'héritage des mineurs.

Les éditions révèlent aussi deux aspects intéressants de Coras. D'abord une volonté de développer, de repenser, de réinterpréter. Il dit souvent à ses lecteurs : « J'ai commencé à travailler sur ce sujet à Toulouse en telle année, je le revois à présent à Ferrare. » Ensuite, de l'entregent qui lui permit d'avancer dans sa carrière. Ses publications de jeunesse sont déjà dédiées au premier président du Parlement de Paris et à Mansencal, premier président du Parlement de Toulouse. Les cardinaux de Châtillon et de Lorraine se voient adresser quand il faut les ouvrages qu'il faut (6).

Cette tactique porta ses fruits en janvier 1553, lorsqu'il y eut un siège vacant au Parlement de Toulouse. Il était revenu de Ferrare dans cette ville à une triste occasion : sa femme Catherine Boysonné mourut et il rentra pour une période de deuil. Henri II profita de sa présence en France pour le consulter sur ses négociations avec le duc et le cardinal de Ferrare, puis lui octroya la charge qu'il convoitait. En février 1553 Jean de Coras prêta serment en qualité de conseiller, au Parlement, où son père avait été longtemps (et était peut-être toujours) avocat (7).

Au cours des sept années qui séparent l'entrée en fonction de Coras comme juge et l'affaire Martin Guerre sa vie prit de nouveaux virages. Il se remaria, s'intéressa de plus en plus à la cause protestante; ses ouvrages s'ouvrirent à des visées nouvelles. Il avait épousé en secondes noces Jacquette de Bussi, une veuve qui était aussi sa cousine ainsi que la nièce d'un conseiller du Parlement. Restée sans enfants de son premier mariage, elle n'en eut pas non plus du second, mais elle servit de mère à Jacques de Coras qu'elle appelle toujours « mon fils ». Nous connaissons les relations du couple par des lettres échangées plusieurs années après le procès, mais qui néanmoins permettent de se faire une idée de leur expérience à une période antérieure (8).

Coras est ouvertement, profondément, presque follement épris de Jacquette de Bussi : « Jamais femme presente ny absente ne feust tant cherie ne aimée de mary que vous estez et serez. » « Je vous prie croire que jours et nuicts a toutes heures et moments je vous songe, je vous attends, je vous désire et vous ayme tellement que sans vous je n'ay subsistence aulcune. » Il lui envoie de la lecture, « une meschante robe » et « deux plumes bien taillées et fendues à mon gre comme vous estez ». Et quand il fait froid à Réalmont il lui recommande : « Ne couchez pas seule, pourveu que ce ne soit avec un moyne. » Il lui fait des exposés politiques et lui donne des nouvelles de la cause Réformée; il lui enseigne à recevoir les visiteurs importants et à délivrer les messages. Il s'inquiète de sa santé et de savoir si son affection est payée de retour. Lorsqu'il reste sans nouvelles il écrit : « Cela me faict entrer malgré moy en opinion que ne suis si avant gravé aux entrailles de vostre mémoire que j'ay tousjours desiré. »

En fait, Jacquette est quelque peu réservée avec son mari. Il la poursuit et elle se dérobe; telles sont les règles de leur manège amoureux. Il signe ses lettres « vostre vostre vostre et cent mille fois vostre Jean de Coras »; elle signe les siennes « vostre très humble et très obéissante femme ». Il la presse ardemment de lui dire s'il doit ou non accepter un poste important. Elle lui répond « ta volonté soit faicte », ce qui lui vaut en retour une lettre blessée avec une signature impersonnelle, comme un arrêt. Pendant ce temps, malgré une santé fragile elle administre leurs biens avec compétence, louant des terres, faisant réparer des clôtures, vérifiant les livres de la taille et donnant des ordres pour que les champs soient semés en millet et en avoine. Elle lui envoie des nouvelles et les livres qu'elle a lus, des jarretières qu'elle lui a confectionnées, des chapons et de l'eau médicinale pour ses yeux. Elle espère qu'il est « content et joyeulx (9) ».

Mari et femme étaient particulièrement unis par leur engagement à la nouvelle religion. Jean de Coras a pu être instruit au protestantisme par des voies diverses, notamment par son ami Jean de Boysonné, qui nourrissait des sentiments hérétiques bien après les avoir abjurés à Toulouse, et par les gens de Ferrare, centre des exilés. Quand son ouvrage majeur sur le droit canon, *In Universam sacerdotiorum materiam Paraphrasis*, paraît en 1548, il n'était pas encore vraiment converti; il acceptait la légitimité du pape, se bornant à remarquer que le souverain pontife devait toujours être un pasteur fidèle, non un tyran. Vers 1557, son traité sur les mariages clandestins est en tout cas en accord avec la sensibilité protestante dans sa critique du droit canon, son pressentiment qu'on allait l'attaquer par « venimeuses calomnies... sous pretexte de religion » et son affirmation que ses arguments étaient « conformes à la parole de Dieu (10) ».

Le petit discours... des mariages clandestinement et irreveremment contractes marque un nouveau tournant dans sa vie. C'était le premier ouvrage qu'il publiait en langue vernaculaire. Son but n'était pas d'enrichir la langue française, « laquelle je confesse bien peu favorie de mon naturel et espineux ramage ». Il cherchait plutôt à mobiliser l'opinion publique : le consentement des parents pour le mariage de leurs enfants est un sujet qui « n'appartient pas moins à ceux qui n'ont intelligence des lettres qu'aux experimentez, doctes et sçavans ». Il dédia son livre à Henri II, dont il défendait l'édit récent sur les mariages clandestins et qui, peu après, devait lui consentir un privilège de neuf ans pour tout ouvrage qu'il désirait publier ou réimprimer. Ce cadeau inhabituel permit à Coras de contrôler l'impression et les bénéfices de la vente de ses livres mieux que ne le pouvaient la plupart des auteurs de son temps. Il l'utilisa en 1558 pour la traduction en français d'un dialogue entre l'empereur Hadrien et le philosophe Epictète dédié au Dauphin, puis en 1560 pour sa vaste synthèse sur la structure de la loi, *De iuris Arte*, dédié au Chancelier de France (11).

En 1560, lorsque Jean de Coras entra en charge à la Tournelle, il avait quarante-cinq ans et était à l'apogée de son succès. Mais comme les faits que nous venons de rapporter le laissent deviner, c'était un homme ambivalent aux aspirations contradictoires. Il s'était, il est vrai, façonné une brillante carrière, mais ses engagements envers le protestantisme qui, en plus de sa carrière, pouvaient lui coûter la vie, passaient avant. Eminent spécialiste du droit romain, il croyait en l'autorité de la famille et dans le pouvoir du souverain; néanmoins il était en passe de devenir une des grandes figures impliquées dans les soulèvements protestants de Toulouse. Il mettait en garde les familles contre les « temeraires passions d'amour », mais à la seule pensée qu'il pouvait enlever sa femme de là-bas dans un mois, il courait quérir la malle et commençait à emballer ses cotillons de taffetas (12).

Quand Jean de Coras entra en contact avec « Martin Guerre », il trouva en lui certaines de ses propres qualités. Bien qu'il ne fût qu'un simple paysan, le prisonnier était pondéré, intelligent et, par-dessus tout, éloquent. « Il ne semblait pas qu'il racontât les choses aux juges, dit Le Sueur, il les faisait revivre devant leurs yeux. » « Il ne me souvient point avoir leu qu'aucun homme eust la memoire si heureuse », dit Coras (13). Il avait aussi l'apparence d'un homme honorable, attaché à la famille, son amour pour sa belle épouse était patent. Qu'il ait poursuivi en justice son oncle pour une histoire de reddition de comptes ne pouvait scandaliser outre mesure un homme qui avait intenté un procès à son père pour un inventaire de biens. Si mon hypothèse que « Martin Guerre » avait des sympathies pour la cause protestante est exacte, Coras avait une nouvelle raison de penser qu'il était une personne digne de foi.

C'est alors qu'apparut devant le tribunal l'homme à la jambe de bois « comme un miracle », un acte de la Providence, une grâce de Dieu pour protéger Pierre Guerre et démontrer à Jean de Coras qu'il se trompait (14).

Coras avait réfléchi sur les dangers du mensonge deux années auparavant, à l'occasion de sa traduction du dialogue entre Hadrien et Epictète.

« *Hadrien* : Qu'est-ce que l'homme ne peut voir?
Epictète : Le cœur et la pensée d'autrui. »

Le juge commente : « Et à la vérité il n'i a rien entre les hommes plus detestable que faindre et dissimuler, bien que notre siècle soit si malheureux qu'en tous états, celui qui sçait mieux affiner ses menteries, simulacions et hipocrisies souvent soit le plus reveré... (15) »

Coras avait-il songé qu'un jour il serait ainsi floué et par quelqu'un dont la supercherie forcerait son admiration? Quelle œuvre profonde et achevée que cette imposture – « les mille necessaires mensonges » d'Arnaud du Tilh! Les avocats, les officiers royaux et, pourquoi pas, les juges connaissaient tout de l'art de se façonner soi-même (du « self-fashioning », pour reprendre le terme de Stephen Greenblatt), à propos du modelage du discours, des manières, des gestes et de la conversation, comme le savait au XVIe siècle toute personne qui se hissait à une position élevée (16). Où s'arrêtait le façonnement et où commençait le mensonge? L'inventivité de Pansette posait le problème de manière aiguë.

La première réponse de Coras fut de nier qu'il s'agît là d'inventivité humaine. Du Tilh devait être un magicien, assisté par un démon. C'était un traître et Coras n'avait aucunement à regretter sa mort, pas plus d'un point de vue juridique que d'un point de vue moral.

La deuxième réaction de Coras fut de reconnaître que le personnage avait quelque chose de fascinant, qui traduisait la situation des gens de sa classe; et que dans le mariage inventé du nouveau Martin et de Bertrande de Rols, il y avait quelque chose de profondément faux, mais aussi de profondément juste.

Aussi se mit-il à sa table de travail et aiguisa-t-il ses plumes. Encore un nouveau tournant dans son œuvre, une nouvelle édition en français. Mais surtout, ce livre lui permettait de juger à nouveau l'homme qu'il venait d'exécuter; de le condamner une deuxième fois, mais également de lui donner, ou du moins à son histoire, une deuxième chance.

11

HISTOIRE PRODIGIEUSE
HISTOIRE TRAGIQUE

L'*Arrest Memorable* est un livre neuf tant par la pluralité des points de vue que par le mélange des genres. Bien que l'on y puisse trouver quelques traits originaux, l'*Admiranda Historia de Pseudomartino Tholosae* de Le Sueur s'inscrit dans la longue tradition des « récits véridiques » qui jouèrent un rôle si important avant l'apparition de la presse périodique. Ce n'était qu'un mince ouvrage, relatant l'histoire depuis l'arrivée des Guerre à Artigat jusqu'à l'exécution d'Arnaud du Tilh et s'achevant par un petit couplet moral. Un « ami » de Toulouse envoya le manuscrit à Jean de Tournes, le célèbre humaniste libraire-imprimeur de Lyon, qui faisait parfois paraître des récits véridiques. Sans même attendre l'obtention d'un privilège pour l'ouvrage il en assura l'impression sur-le-champ. Un autre manuscrit tomba entre les mains du libraire Vincent Sertenas, à Paris, et, dès la fin janvier 1561, Sertenas en avait une traduction en français ainsi qu'un privilège royal de six ans en bonne et due forme. Il le fit paraître sans nom d'auteur sous le titre : *Histoire admirable d'un faux et supposé mary, advenue en Languedoc, l'an mil cinq cens soixante.* C'est ainsi que des nouvelles de l'imposture commencèrent à circuler, venant grossir la déjà volumineuse littérature des « terribles » ou « merveilleu-

236

ses » histoires de meurtres, d'adultères et cataclysmes de toute nature (1).

Entre-temps, le 2 février 1561, Jean de Coras signait la dédicace de son manuscrit et l'expédiait au marchand-libraire Antoine Vincent, de Lyon, lui transférant ses droits, couverts par le privilège général de neuf ans. Jusqu'à cette année-là l'éditeur lyonnais avait publié fort peu de livres en langue vernaculaire; sa fortune s'était édifiée sur la publication d'œuvres en latin, dont le *De actionibus* de Coras, paru en 1555, et son *De iuris Arte* de 1560 (2). Le nouveau titre était déjà lui-même fort alléchant et plein de fraîcheur pour un lecteur de 1561 :

Arrest Memorable, du Parlement de Tolose, Contenant une histoire prodigieuse, de notre temps, avec cent belles et doctes Annotations, de monsieur maistre jean de Coras, Conseiller en ladite Cour, et rapporteur du proces. Prononcé es Arrestz Generaulx le XII Septembre MDLX.

Des comptes rendus d'arrêts criminels avaient été sporadiquement publiés en France, comme le procès de cet Italien condamné pour avoir empoisonné le Dauphin de France en 1536. Et déjà des recueils de jugements, tant criminels que civils, avaient commencé à voir le jour (3). Mais dans l'œuvre de Coras, l'arrêt proprement dit n'occupait que deux pages – sur un total de 117. Et le juge, plutôt que de réserver ses commentaires pour quelque savant traité de droit criminel, avait préféré les développer amplement et à fond dans ce divertissement *.

---

* Pour les procès civils depuis 1539, toutes les plaidoiries devaient être en français; celles-ci étaient parfois publiées et étaient devenues à la fin du XVIᵉ siècle un genre littéraire très prisé (Catherine E. Holmes, l'*Eloquence judiciaire de 1620 à 1660* [Paris, 1967]). Ici nous sommes en présence d'une affaire criminelle et il fallait faire quelque chose qui allât bien au delà de l'arrêt ou du rapport. Coras est peut-être le premier homme de loi en France à avoir écrit un tel livre en langue vernaculaire.

Il y avait aussi dans le titre ces mots : « une histoire prodigieuse », on ne peut plus dans le vent. Les collections de « prodiges » – plantes ou animaux fabuleux, visions étranges dans les cieux et naissances monstrueuses – s'enlevaient comme des petits pains sitôt imprimées. Une année auparavant Vincent Sertenas avait publié les *Histoires prodigieuses* de Pierre Boaistuau, et lorsqu'il avait sorti l'opuscule de Le Sueur, l'expression s'était glissée dans le sonnet introductoire au récit du faux Martin : « Les histoires qu'on lit les plus prodigieuses/Ou du temps des chrestiens ou celui des Ethniques... Si tu lis cest escrit, ne te sembleront riens/Apres le faux mary... » Coras, lui, n'avait pas hésité à le mettre dans le titre, en lui donnant le même sens que Boaistuau, qui avait d'ailleurs été son élève à Valence. Certes, un prodige est quelque chose de bizarre et de merveilleux, mais il n'est pas pour autant unique. Les prodiges constituent les cas les plus extrêmes, et partant les plus rares, d'une série de choses ou d'événements de même nature. Ainsi dans le cas qui nous occupe l'imposture dépassait tout ce qu'on avait ouï jusqu'alors (4).

A première vue, le livre de Coras semble être un commentaire juridique, avec le jeu constant des rappels entre Texte et Annotations. En réalité la majeure partie du texte n'est pas constituée de documents officiels mais de ce que l'auteur appelle « le texte de la toile du procès » (5) – la « trame » tissée par Coras lui-même – et les annotations n'ont souvent que peu de rapport avec la loi. On pourrait peut-être le définir tout à la fois comme un ouvrage juridique questionnant le fonctionnement de la loi, un récit historique qui doute de sa propre véracité et une narration se déployant entre les frontières du conte moral, de la comédie et de la tragédie.

Il est évident que cette forme hétérogène a laissé

à Coras une liberté comme il n'en avait jamais eu auparavant, même si ses ouvrages en latin embrassaient des sujets assez vastes. Tout d'abord, ce fut pour lui l'occasion de se livrer à une réflexion sur les questions essentielles de la pratique judiciaire de son temps : témoignages, faits, torture, nature de la preuve, etc. L'affaire Martin Guerre lui fournissait un exemple où les « meilleurs » témoignages se révélaient faux et où la vérité se trouvait dans des rumeurs. En second lieu, il pouvait discuter du mariage et des problèmes qui lui étaient attachés : fiançailles d'enfants impubères, impuissance, abandon du lit conjugal et adultère (6). Il y trouvait aussi matière à des commentaires religieux, sur le blasphème notamment; il se fit sans doute un malin plaisir de lancer quelques piques discrètes contre le catholicisme. L'eau bénite et les fouaces, loin d'être des moyens efficaces pour délivrer du maléfice un homme frappé d'impuissance, n'étaient que de « vaines superstitions »; mieux valait prier et jeûner. Et ses remarques sur la sorcellerie laissent transparaître sa sensibilité protestante : rachetés par la passion du Christ nous devons le supplier « qu'il veuille dresser nos cueurs et nous acheminer en ses voyes, à ce que nous puissions par la lumière de sa parole chasser de nous toutes illusions, prestiges et impostures, desquelles le diable qui cherche tousiours de nous attraper fait incessament nouvelles embusches contre les enfants de Dieu et son Eglise (7) ».

Mais n'était-ce pas de façon bien plus fondamentale que Coras voyait dans cette histoire la confirmation des thèses protestantes? Certaines des circonstances qui accompagnèrent sa publication inclineraient à le croire. L'éditeur, Antoine Vincent, était l'une des figures de proue du calvinisme français. Il devait acquérir, un peu plus tard dans la même année 1561, le privilège royal pour le psautier calviniste, un best-seller de la langue vulgaire qui allait dépasser l'*Arrest Memorable*. Coras avait dédié son livre à Jean de Monluc, évêque de Valence – l'un de ceux qui, dans le clergé français, furent convaincus d'hérésie par le pape deux années plus tard. Coras s'est sans doute demandé si les malheurs des Guerre auraient pu se produire dans la ville Réformée de Genève, où les nouvelles lois sur le mariage et un Consistoire vigilant n'auraient pas permis un mariage entre si jeunes gens, ou bien auraient contraint Bertrande à divorcer à temps, et en tout cas découvert rapidement l'adultère. N'était-ce pas un dieu protestant qui avait imaginé le retour de l'homme à la jambe de bois, au moment opportun, afin de rabattre la suffisance des conseillers du Parlement de Toulouse (8)? Mais si telles étaient les idées de Coras et de Vincent, il nous faut ajouter que le texte ne les imposait pas. L'*Arrest Memorable* recrutait des lecteurs dans les deux confessions, catholique et protestante. Il devait d'ailleurs être imprimé par la suite par des maisons catholiques. En réalité, la dédicace de Coras à Jean de Monluc ne mettait en avant que le propos accessoire : il y avait là « un argument si beau si delectable et si monstrueusement estrange » qu'il pourrait apporter à l'évêque « recreation et relâche » au milieu de ses soucis (9).

La construction de l'*Arrest Memorable* est en réalité assez complexe; l'auteur conduit son récit de telle façon que les héros semblent des méchants et les méchants des héros, si bien que le lecteur pleure et rit tout ensemble. La matrice juridique n'est qu'un moyen de parvenir à ses fins. Le texte de Coras s'inspirait du document qu'il avait rédigé comme rapporteur de la cour de Toulouse et dans lequel il mettait en balance les arguments en faveur de l'accusation et ceux qui plaidaient pour la défense, et il joue constamment sur l'écart entre le style administratif de celui-ci où il est question du « prévenu », du « ledit du Tilh » et les Annotations où le même homme se voit qualifié de « ce rustre », « ce paillard » ou encore « ce prodigieux affronteur ».

En outre, il choisit le parti pris délibéré de grossir certains traits et d'en gommer d'autres. On peut même dire qu'il s'est permis quelques entorses à la vérité pour enjoliver son récit. La mémoire d'Arnaud devient encore plus prodigieuse que ce qu'elle était en réalité. D'après ce que nous rapporte Le Sueur, il aurait tout de même oublié le nom d'un des parrains qui avaient assisté à la confirmation de Martin Guerre. Mais chez Coras, elle ne souffre d'aucune défaillance. En outre, il s'efforce de se présenter lui-même et toute la cour infiniment moins convaincus de l'innocence d'Arnaud qu'ils ne l'étaient : nulle part il n'est fait mention de l'emprisonnement de Bertrande et de Pierre – il dura pourtant des mois. Le fait est rapporté par Le Sueur, et mieux encore, noté à deux reprises dans les registres du Parlement. L'arrêt du 12 septembre 1560 dit en toutes lettres de Bertrande de Rols et de Pierre Guerre : « Jadiz prisonniers pour raison de la matiere », mais lorsqu'il reproduit le verdict dans son livre Coras se contente de remplacer la phrase par un « etc. ». Et cela non par souci de concision, puisque nous le voyons ajouter à sa version de l'arrêt plusieurs crimes dont il ne chargeait pas Arnaud du Tilh : « rapt, sacrilège, larrecin et autres cas par ledit du Tilh prisonnier commis ». Les Annotations de Coras nous montrent qu'il considérait que c'étaient là des implications des crimes d'adultère et de supposition du nom et personne; sans doute aussi lui permettaient-ils de rendre plus acceptable la sentence de mort (10).

241

Toutes ces modifications tendaient à faire de l'*Arrest Memorable* un apologue. Les qualités exceptionnelles d'Arnaud étaient mises en relief par des comparaisons avec les grands imposteurs des temps bibliques, de l'antiquité classique et des époques plus récentes. Pareille ressemblance physique entre deux individus que n'unissait aucun lien de parenté était déjà peu banale en elle-même, mais aussi loin que Coras avait pu conduire ses recherches, jamais on n'avait eu d'exemple où la ressemblance de figure et de mœurs – « mille fraudes et mensonges » – avait permis une si totale méprise et pour un laps de temps si long. Le faux comte Baudouin de Flandre, au XIIIᵉ siècle, n'avait pas trompé la fille du comte, Jeanne, en dépit de toutes les preuves qu'il avait pu faire valoir. Mais ici, non seulement les parents avaient été abusés, mais même, ce « qui doit tirer chacun en plus grande admiration », sa propre femme, qui avait vécu avec lui dans l'intimité durant trois ans « sans jamais s'appercevoir, non pas seulement soupconner de la fraude ». Cette version explique la méprise par l'étourdissant pouvoir de tromper d'Arnaud du Tilh – ce qui rendait plausible l'accusation de sorcellerie et faisait accepter du même coup sans rechigner son exécution exemplaire. Bertrande, elle, n'est que la dupe, ce qui est compréhensible étant donné « la foiblesse de son sexe, facile a estre deceu, par l'astuce callidité et finesse des hommes (11) ».

Il y avait toutefois quelque chose d'inquiétant à présenter ainsi les faits, tant pour les maris que pour les amants. Dans les histoires drôles, si courantes à l'époque, où un personnage se substitue à un autre pour faire l'amour à sa place à la faveur de l'obscurité nocturne, la victime n'y voit que du feu, la plupart du temps (je ne connais qu'un seul contre-exemple : le vieux chevalier des *Cent Nouvel-*

les Nouvelles remarque la différence entre la gorge ferme de la jeune servante et les formes molles de son épouse (12). Mais dans le cas de Bertrande, il s'agissait d'une histoire vraie et non d'un stéréotype de la littérature galante d'autant que la supercherie dura bien plus d'une nuit. La « foiblesse du sexe » était-elle si grande que les épouses ne pouvaient faire la distinction entre l'amour conjugal et l'adultère?

Le mari cocu, Martin Guerre, était convaincu du contraire comme le prouvent les paroles qu'il aurait prononcées devant le tribunal, au dire de Coras comme de Le Sueur. Et il est difficile de croire que Coras, dont nous connaissons les relations avec Jacquette de Bussi, ait pu croire vraiment que les femmes étaient si faciles à tromper *.

Mais dans le conte édifiant lui-même, le juge avait laissé des failles. Où donc était son héros? Un conte est censé s'ouvrir sur le départ du héros et se clore par son retour, sa victoire sur le faux héros et son mariage. Mais le départ de Martin Guerre est condamné, son retour, pour providentiel qu'il soit, nous le montre implacable et impénitent; il ne remporte pas la joute de la mémoire contre Pansette. Coras ne nous dit pas si le couple fut heureux après les nouvelles retrouvailles. Le Sueur, qui ne manifeste pas beaucoup de sympathie pour Martin, ne se fait tout de même pas faute de reproduire la scène où le président Mansencal cherche à réconcilier les deux époux; rien de tel chez Coras (13).

Plus surprenante encore est la pauvreté de détails

* Les relations avec sa fille Jeanne de Coras laissent aussi supposer qu'il nourrissait pour elle une grande estime. En septembre 1559, il traduisit les *Douze Règles* de Jean Pic de la Mirandole du latin en français, afin que cela lui servît de rempart contre la tentation. Le livre parut sous forme imprimée en 1565 à Lyon, en même temps qu'une nouvelle édition de l'*Arrest Memorable*.

de la première édition de l'*Arrest Memorable* sur la confession et l'exécution d'Arnaud du Tilh. La confession est mentionnée deux fois, en passant (14) – le fait échappera totalement à un lecteur pressé – et le livre se termine sur le renvoi du condamné devant le tribunal de Rieux.

Ce n'est que dans son édition de 1565 que Coras pallie cette lacune en nous fournissant la confession d'Arnaud du Tilh à Artigat, mais pour nous laisser devant une nouvelle ambiguïté, lorsque dans une de ses belles Annotations, il nous confie que toute l'histoire est une « tragédie ».

« Texte : Quoy voyant et considerant, que puisque les plus privez et peculiers amis dudit Martin Guerre, estoyant deceuz en luy il... s'advise de iouer la tragédie que avez ci devant entendue.

Annotation CIV : C'estoit veritablement tragedie pour ce gentil rustre : d'autant que l'issue en fut fort funeste et miserable pour luy. Surquoy nul ne sçait la difference entre tragedie et comedie... »

L'imprimeur parisien de l'édition de 1572 y ajoute son grain de sel en parlant de « tragi-comédie », laquelle faisait petit à petit son chemin tant dans la pratique que dans la théorie littéraires françaises du XVIᵉ siècle : « Car la Protase, ou entrée d'icelle est fort ioyeuse, plaisante et recreative, contenant les ruzes, finesses et tromperies d'un faux et supposé mary. » (Le lecteur pourrait penser qu'il a entre les mains un exemplaire du *Décaméron* de Boccace ou l'*Heptaméron* de Marguerite de Navarre ou encore le roman picaresque *Lazarillo de Tormes*!) « L'Epitase, ou entresuitte, incertaine et doubteuse, pour les debats et differents survenuz pendant le procès. La Catastrophe et issuë de la Moralité triste, piteuse et miserable... » Le Sueur donne lui aussi à son conte plus simple une autre coloration en parlant à plusieurs reprises de tragédie (15).

Mais l'originalité de la vision de Coras mérite d'être soulignée. La tragi-comédie, en France, avait un heureux dénouement et mettait en scène des nobles – pour les personnages principaux tout au moins. Si les *Histoires tragiques* de l'Italien Bandello, traduites, adaptées et publiées par Pierre Boaistuau en 1559, combinaient bien ressort tragique et passion « prodigieuse », aucun des protagonistes n'était villageois. Que Coras ait pu se faire une idée de « jeux de tragedie entre personnes viles et abiectes » tenait sans doute (ainsi que je l'ai souligné dans le précédent chapitre) à son caractère qui le rendait capable de s'identifier, d'une certaine façon, avec un homme rustique qui, comme lui, avait su se reconstruire (16).

Dans la version comi-tragique, Arnaud du Tilh possède encore des dons peu communs; il est comparé à Jupiter cherchant à séduire la femme d'Amphytrion * et peut être avantageusement comparé aux plus prodigieux Mémoires de l'Antiquité, tel Portius Latro, l'ami de Sénèque. Mais il a des complices parmi lesquels Bertrande de Rols, qui loin d'être sa dupe, décide en toute connaissance de cause de vivre conjugalement avec lui. (Il faut beaucoup gratter pour retrouver cette Bertrande dans le texte de Coras et elle a totalement été évacuée de la version de Le Sueur. L'image d'une femme honorable disposant de son corps comme elle l'entendait n'était-elle pas plus troublante que celle du faux Martin? Elle fournissait matière à mauvais rêves. Coras fait allusion, dans sa corres-

* Il est intéressant de remarquer que le terme de tragi-comédie est utilisé pour la première fois dans le prologue à *l'Amphytrion* de Plaute, dont il existait des éditions tant en latin qu'en français dès le début du XVIe siècle.

pondance avec Jacquette, à « un estrange songe, que je fis part-hier, qu'en ma barbe vous estiez remariée à un aultre et que, quand je vous remonstrois le tort que me faisiez, pour le payement me monstriez le doz » (17).) Là on peut applaudir au cocufiage d'un mari d'abord impuissant, puis absent. Arnaud du Tilh devient une sorte de héros, un Martin Guerre plus réel que l'homme au cœur sec et à la jambe de bois; la tragédie est moins dans l'imposture que dans sa découverte.

12

DES BOYTEUX

« Je vous envoye... un de mes arrestz de Martin Guerre nouvellement et pour la cinquiesme foys reimprimé » écrivait Jean de Coras à sa femme en décembre 1567. Il pouvait être fier de la façon dont son livre marchait, même peut-être dans des éditions publiées à Paris et à Bruxelles en 1565 en violation de son privilège. Au début de 1572 des éditeurs parisiens le publiaient sous leur propre octroi royal.

Mais après cette lettre, Coras eut rarement l'occasion de se préoccuper de la destinée de son *Arrest Memorable*. Il s'affronta violemment avec ses collègues catholiques du Parlement en 1568, quand ceux-ci obtinrent l'exclusion, pour un temps, des conseillers protestants; puis il s'était mis au service de la reine huguenote de Navarre, Jeanne d'Albret, en tant que chancelier. De retour à Toulouse en 1572, il fut emprisonné avec François de Ferrières dans la foulée de la Saint-Barthélemy, et pendu par une foule de catholiques fanatiques, en face du Parlement (1).

Cependant son livre n'en continuait pas moins son cheminement : une autre édition de l'*Arrest Memorable* en 1579, traductions latines de la première édition imprimées à Francfort en 1576 et 1588 (l'une se fraya son chemin jusqu'en Angleterre). Et enfin, dans les dernières années du siècle, à Lyon, Barthélemy Vincent reprit l'auteur édité par son père (2).

Le livre fut surtout acheté par des hommes de loi et des conseillers. Nous pouvons voir encore leur signature sur la page de titre et leurs notes dans les marges. Souvent ils le faisaient relier avec la *Paraphraze sur l'Edict des Mariages clandestinement contractez* du même auteur, ou avec quelque autre traité de droit matrimonial. Dans les premières années du XVIIᵉ siècle, l'*Arrest de Martin Guerre* était cité parmi les ouvrages fondamentaux pour toute personne faisant des études de droit. Mais on l'appréciait aussi pour ses qualités littéraires; un lecteur qui le goûtait pour cette raison le fit relier avec l'*Historia admiranda* de Le Sueur (3).

L'ouvrage de celui-ci achevait sa carrière en se transformant, comme pour certains récits véridiques, en légende populaire. Déjà avec la première édition en français les comparaisons avec Jupiter, Mercure, Amphytrion et Sosie disparaissent. Artigat devient Artigue et du Tilh, Tylie – ces erreurs ne seront jamais corrigées par la suite. Dans la réimpression de 1615, Bertrande devient une « femme notable », dans le titre. La trame temporelle se dissout : « En ces derniers troubles » remplaçant toute référence à Saint-Quentin et à Philippe II (4).

Nous savons comment le livre du juge fut reçu par les lecteurs, par ceux d'entre eux qui le réécrivirent ou le commentèrent. Jean Papon, conseiller du roi dans le Forez, l'inclut dans son *Recueil d'arrestz notables*, rédigé en 1566, sous la rubrique des adultères. Il avait été particulièrement frappé par « la multiplication des crimes » d'Arnaud du Tilh (multiplication, rappelons-le, qui fut l'œuvre de Coras, pour l'édition imprimée) et considérait que chacun d'eux pourrait mériter à son auteur la peine capitale. Chez Géraud Mainard, étudiant de Coras qui devait devenir par la suite conseiller du Parlement de Toulouse, c'était la question de la légitimité de Bernarde du Tilh et ses droits sur l'héritage de son père convaincu d'imposture qui constituait la matière des *Notables... questions du droict.* Etienne Pasquier, historien et membre du Parlement de Paris, pensait quant à lui que Martin aurait dû être puni pour avoir abandonné sa femme (5).

Mais les commentateurs que le droit laissait indifférents étaient surtout attirés par le caractère merveilleux, « prodigieux » de l'aventure. L'érudit imprimeur Henri Estienne s'en servit pour démontrer que l'histoire d'Hérodote d'une imposture réussie n'était pas aussi incroyable que ça. Gilbert Cousin et Antoine du Verdier la glissèrent au milieu de récits de jacqueries, d'apparitions de comètes, d'inondations, de transformations de femmes en hommes et de conspirations politiques. François de Belleforest la fit figurer dans un chapitre consacré aux ressemblances physiques remarquables dans sa suite aux *Histoires Prodigieuses* de Boaistuau. (Il se trouvait apparemment dans la foule qui entendit l'arrêt à Toulouse.) On peut se demander si Belleforest ne songeait pas que Pansette était un compatriote lorsqu'il affirme que les maris du Comminges traitaient leurs femmes « doulcement et non avec cette rudesse qu'on impute aux Gascons (6) ».

Qu'ils s'intéressassent à l'histoire pour des raisons professionnelles ou littéraires, tous ces auteurs s'accordaient pour faire d'Arnaud du Tilh le personnage marquant, celui que l'on redoute tout en l'admirant, que l'on envie mais que l'on rejette. Quelques-uns suspectent des diableries, mais n'en parlent pas beaucoup, sans doute parce que les procès de sorcellerie étaient axés sur un tout autre genre de préjudices (7). Bertrande et son rôle de composition ont totalement disparu, aussi bien que toute hésitation sur le bien-fondé du verdict. Il nous faut toutefois ajouter que nous ne possédons aucun commentaire féminin de l'histoire avant le XXᵉ siècle. La réponse de Jacquette de Bussi au présent de son mari ne nous est pas parvenue. Je doute cependant qu'elle ait pu croire que Bertrande de Rols se soit laissé berner pendant plus de trois ans.

Deux voix discordantes viennent troubler l'unanimité de ce concert de voix masculines. La première est celle du poète occitan Auger Gaillard, soldat albigeois aussi bien que protestant. Dans ses *Amours prodigieuses* de 1592 il s'identifiait non avec le « trompeur aguerri » mais avec l'épouse abusée :

> En Béarn et en France
> Maintes filles j'ay veu d'une mesme semblance
> Tellement que changer se porroit aisément
> De sorte que l'on meust trompé facilement *.

Et il se réjouissait d'être amoureux d'une Maure, sûr qu'il était de la reconnaître, même s'il demeurait absent plus d'un siècle (8)!

La seconde est celle de Montaigne, bien sûr, dans son *Des boyteux*, dont la parution remonte à 1588 (9). Cet essai souligne la difficulté de démêler la vérité et cherche à nous faire saisir à quel point l'humaine raison est un instrument incertain : « La vérité et le mensonge ont leurs visages conformes...

---

* Gaillard publia ce poème en français et en occitan :
En Bear et en Fransso
A prou filhos que sou toutos d'uno semblansso
Que s'ieu ne prenio cap d'aquelos que ne sou
A my m'en pouirio prene aital de la faissou.
Coras donne un exemple d'imposture féminine, une femme qui convoitait un héritage à l'époque d'Auguste (p. 23).

nous les regardons de mesme œil. » Lui-même pouvait se laisser emporter, dans le feu de l'argumentation, à exagérer la « verité nayfve » par la vigueur de ses mots. Nous cherchons à faire prévaloir nos opinions, et à contraindre les autres à les accepter par le fer et par le feu. Ne vaut-il pas mieux toujours hésiter que faire preuve d'outrecuidance? Etre un apprenti à soixante ans plutôt que se prendre pour un docteur à dix?

C'est à ce moment de son développement, qui constitue le pivot central de cet essai, que Montaigne introduit l'arrêt de Martin Guerre :

« Je vy en mon enfance un procés, que Coras, conseiller de Toulouse, fist imprimer, d'un accident estrange : de deux hommes qui se presentoient l'un pour l'autre. Il me souvient (et ne me souvient aussi d'autre chose) qu'il me sembla avoir rendu l'imposture de celuy qu'il jugea coulpable si merveilleuse et excedant de si loing nostre connoissance, et la sienne qui estoit juge, que je trouvay beaucoup de hardiesse en l'arrest qui l'avoit condamné à estre pendu. »

Montaigne aurait réservé son jugement, à l'instar des soixante paysans d'Artigat et de Sajas, qui ne voyaient pas de différences entre Martin Guerre et Arnaud du Tilh.

« Recevons quelque forme d'arrest qui die : " La court n'y entend rien ", plus librement et ingenuement que ne firent les Areopagites, lesquels, se trouvans pressez d'une cause qu'ils ne pouvoient desveloper, ordonnerent que les parties en viendroient à cent ans. »

Quelles méchantes preuves possédons-nous pour des décisions aussi irrévocables que de condamner au bûcher une sorcière : « A tuer les gens, il faut une clarté lumineuse et nette. » Et Montaigne de citer le proverbe italien : « Celuy-là ne cognoit pas Venus en sa parfaicte douceur qui n'a couché avec la boiteuse. » Certains l'appliquent aussi aux hommes, prétendant que ce qui leur manque dans les jambes se retrouve dans leurs organes génitaux. N'est-ce pas là le suprême exemple de la boiterie de nos raisonnements que cette façon dont notre imagination nous emporte ? Cela le conduit à s'interroger sur « la temerité » de celui qui juge. Pour Montaigne « l'homme n'a point d'arrest que celuy de la necessité ».

Des Boyteux est dur pour le pauvre Coras, mort depuis longtemps, trop dur même, car paradoxalement Montaigne y exprime l'un des messages essentiels de l'*Arrest Memorable*. Coras a agi comme un Docteur lorsqu'il avait un peu plus de dix ans, et la devise par laquelle il signa son livre était : « A raison cede »; toutefois, à quarante-cinq ans, il avait reconnu à quel point sa raison l'avait égaré et combien il était difficile pour un juge de démêler le vrai du faux. Coras avait recommandé la peine de mort, quand il aurait dû requérir les galères ou le bannissement. Mais c'était la narration du juge, évoquant l'affaire sous ses multiples facettes qui avait donné à Montaigne des verges pour le battre.

L'*Arrest Memorable* et les *Boyteux* prennent une nouvelle dimension lorsqu'on les met tous deux en regard. Montaigne ne cesse de revenir sur les jambes tout au long de ces pages. La jambe déformée par la goutte du prince prétendument guérie par « la merveilleuse opération » d'un prêtre; les jambes grêles des Français et les jambes épaisses des Allemands qu'explique dans les deux cas la pratique de l'équitation; les jambes contrefaites, enfin, de la sensuelle boiteuse. Mais Montaigne lui-même est difforme, c'est-à-dire, difficile à comprendre : « Je n'ay veu monstre et miracle au monde plus exprès que moy-mesme... plus je me hante et me connois plus ma difformité m'estonne. » Les jambes de Martin Guerre et d'Arnaud du Tilh furent aussi une source de perplexité. Mais l'homme « arrivé des Espagnes ayant une jambe de bois » était-il un indice si convaincant ? Certes, on sait depuis Horace que le châtiment a beau venir en boitillant, il rattrape le criminel le plus rapide. On connaît aussi le proverbe qui veut que lorsque le mensonge arrive à cloche-pied, on se retrouve toujours au même point (10). Au cœur de l'*Arrest Memorable* gît une incertitude aussi troublante que chez Montaigne.

ÉPILOGUE

En 1563, lorsque nous disposons à nouveau d'informations sur Artigat, tout semble avoir retrouvé sa place, et les doutes se dissipent peu à peu. Pierre Guerre et Martin Guerre associent leurs efforts afin d'apaiser une dispute entre deux voisins. Il est décidé que A. Rols figurera parmi ceux qui arbitreront la querelle et tout le monde se pliera à cette décision. Pierre avait encore affaire avec la Cour de Rieux. Il poursuivait en justice un gros marchand rural, James Delhure et sa femme Bernarde. Peut-être faut-il y voir une tentative pour regagner à la famille Guerre quelques-uns des biens vendus par Arnaud du Tilh. Coras pensait que Martin Guerre était en droit d'annuler ces contrats, l'acheteur étant autorisé à garder les bénéfices qu'il avait tirés de la terre dans l'intervalle (1).

Nous ne possédons pas d'informations immédiates sur Martin Guerre et Bertrande de Rols. Mais il est certain qu'il y avait réunies les conditions d'un armistice entre eux. Si elle avait commis le péché d'adultère, lui était un cocu. (En tout cas, il existait une vieille tradition locale, qui réconciliait les adultères avec leurs époux par le paiement d'une amende (2).) Et si elle avait à se faire pardonner la facilité avec laquelle elle avait accepté l'imposteur, lui devait faire oublier la légèreté et l'irresponsabilité qui l'avaient poussé à abandonner son foyer. Maintenant Martin avait de merveilleuses histoires à raconter sur sa vie au milieu des grands dans de lointaines contrées; devenu invalide, il avait besoin d'une femme pour s'occuper de lui. (La terreur populaire d'être invalide se manifeste jusque dans les jurons. Ne dit-on pas en Languedoc : « Le maulubec vous trousque (3) ! ») Elle avait acquis toutes sortes de talents et l'autorité qui lui faisait défaut lors du départ de son mari; elle avait aussi besoin d'un mari, et d'un père pour ses enfants *. La seule question qui aurait pu être entre eux une pomme de discorde était la religion, car Martin, après avoir servi un cardinal espagnol et avoir été frère-lai à Saint-Jean-de-Jérusalem était peut-être revenu fervent catholique, tandis que Bertrande penchait sans doute vers le protestantisme.

Même le lit de mariage de Bertrande eut enfin un regain d'activité, ainsi apprend-on du partage des propriétés parmi les fils de feu Martin Guerre en 1594. Sanxi est mort, mais a donné son nom à un filleul, Sanxi Rols. La tuilerie, trois maisons et de nombreuses terres sont divisées entre Pierre et Gaspard Guerre, les fils de Martin et de Bertrande, et Pierre le jeune, né vers 1575, son fils par sa deuxième femme. En 1651, il y a encore un Martin Guerre dans le village, auquel on sait au moins six parents de sexe masculin, portant le nom de famille, dont un Me Dominique, le notaire; et une certaine Anne de Guerre se trouve bien mariée à un Banquels **. Guerre et Rols sont au mieux. Ils se servent mutuellement de parrains pour leurs

---

* Bernarde du Tilh vivait évidemment avec sa mère. Les biens d'Arnaud du Tilh lui avaient été adjugés « afin que Martin ne fût chargé de la douer » (Le Sueur, *Histoire*, E iiʳ).
** Les Guerre d'Artigat semblent avoir mieux résisté à leurs épreuves que les Aguerre d'Hendaye aux procès pour fait de sorcellerie de 1609. Pierre Daguerre, un vieillard de 73 ans, qualifié de « Maistre des ceremonies et gouverneur du sabbat », fut exécuté (Pierre de Lancre : *Tableau de l'inconstance des mauvais anges et demons* [Paris-1612], p. 125). On trouve des du Tilh à Sajas et au Pin aux XVIIᵉ et XVIIIᵉ siècles. Ils semblent occuper une position assez humble (ADHG,2E2403, 43ᵛ-45ʳ, 4E2016).

enfants, possèdent des champs contigus sur les deux rives de la Lèze, certains en indivis (4).

Cela signifiait-il que l'imposture avait totalement glissé sur le village, que les valeurs représentées par des droits de successions légitimes et un mariage légal avaient entièrement balayé et effacé jusqu'à la trace de l'invention? Je n'en suis pas si sûre. Comment Bertrande aurait-elle pu oublier sa liaison avec Arnaud du Tilh? Le village devait bien avoir trouvé moyen de jaser de l'affaire, en évitant de trop raviver les blessures encore fraîches. Il me paraît certain que des échos de l'histoire leur soient parvenus par le livre de Coras — même les notaires et les marchands qui faisaient la navette entre Rieux et les villages alentour devaient en avoir entendu parler —, mais il est peu probable que les Artigatois aient désiré qu'on fasse lecture de l'*Arrest Memorable* lors des veillées ou fait leur cette version. L'histoire du cru devait être racontée avec les autres potins concernant le dernier des bâtards du village ou tel émigrant de la vallée de la Lèze qui avait pris une concubine et fondé un second foyer tout le temps de son séjour en Espagne (5). Elle avait toujours cours, à la différence des autres anecdotes, traversant les grands bouleversements sociaux, telles les Guerres de Religion.

Il y a quelque vingt-huit ans à Artigat, une jeune maman, émigrée de fraîche date de la Catalogne française, se plaignait à une grand-mère du village, en poussant son landau « qu'il ne se passait jamais rien à Artigat ». « Peut-être maintenant, rétorqua la vieille, mais au XVIᵉ siècle... » Et de raconter l'histoire de Martin Guerre.

Le cas de Martin Guerre nous montre que le merveilleux est parfois possible. Ça s'est déjà passé dans notre propre village, et qui sait si cela ne se reproduira pas encore?

NOTES

ABRÉVIATIONS ET SIGLES
UTILISÉS DANS LES NOTES

ACArt   Archives communales d'Artigat
ADAr   Archives départementales de l'Ariège
ADHG   Archives départementales de la Haute-Garonne
ADGe   Archives départementales du Gers
ADGi   Archives départementales de la Gironde
ADR   Archives départementales du Rhône
AN   Archives Nationales

Les citations des inventaires-sommaires des archives seront indiquées par la lettre I, placée devant le sigle.

Coras, Jean de Coras, *Arrest Memorable du Parlement de Tholose. Contenant Une Histoire prodigieuse d'un supposé mary, advenüe de nostre temps : enrichie de cent et onze belles et doctes annotations*, Paris : Galliot du Pré, 1572.

Le Sueur, *Historia*, Guillaume Le Sueur, *Admiranda historia de Pseudo Martino Tholosae Damnato Idib. Septemb. Anno Domini MDLX*, Lyon : Jean de Tournes, 1561.

Le Sueur, *Histoire* [Guillaume Le Sueur] *Histoire admirable d'un faux et supposé mary, advenue en Languedoc, l'an mil cinq cens soixante*, Paris : Vincent Sertenas, 1561.

INTRODUCTION

1. Gilles de Noyers, « Adagiorum... traductio », in *Thresor de la langue francoyse*, Paris, 1606, p. 2, 6.

2. Thomas Platter, *Autobiographie*, trad. Marie Helmer (*Cahiers des annales*, 22), Paris, 1964, p. 51.

3. Jacques Peletier, *L'Art poétique*, éd. J. Boulanger, Paris, 1930, p. 186-189; Coras, p. 146-147. *Les Cent Nouvelles Nouvelles*, éd. Thomas Wright, Paris, 1858, Conte 43. Noël du Fail, *Les Propos rustiques*, éd. A. de La Borderie, Paris, 1878, p. 43-44.

4. Emmanuel Le Roy Ladurie, *Montaillou, village occitan, de*

1294 à 1324, Paris, 1975; Carlo GINZBURG, *Il Formaggio e i Vermi : Il Cosmo di un mugnaio del '500*, Turin, 1976. Michael M. SHEEHAN, « The Formation and Stability of Marriage in Fourteenth-Century England », *Mediaeval Studies*, XXXIII, 1971, p. 228-263; Jean-Louis FLANDRIN, *Le Sexe et l'Occident*, Paris, 1981, chap. IV.

5. AN, JJ248, f. 80ʳ⁻ᵛ. Alfred SOMAN, « Deviance and Criminal Justice in Western Europe, 1300–1800 : An Essay in Structure », *Criminal Justice History: An International Annual*, I, 1980, p. 1-28; YVES CASTAN, *Honnêteté et relations sociales en Languedoc, 1715-1780*, Paris, 1974.

6. CORAS, p. 146-147. Sur les éditions de l'*Arrest Memorable*, voir Annexe I.

7. Suivant LE SUEUR, les Guerre ont établi une tuilerie à Artigat (*Historia*, p. 3); cette tuilerie se trouve encore au XVIIᵉ siècle sur la propriété de la famille (ACArt, Terrier de 1651, ff. 37ʳ, 317ʳ). Le Sueur constate l'emprisonnement de Bertrande de Rols et Pierre Guerre (p. 11), lequel a été en effet ordonné par le Parlement de Toulouse (ADHG, B, La Tournelle, 74, 20 mai 1560; 76, 12 septembre 1560).

1

1. Pierre DE LANCRE, *Tableau de l'inconstance des mauvais anges et démons*, Bordeaux, 1612, p. 32-38, 44-45. James A. TUCK et Robert GRENIER, « A 16th Century Basque Whaling Station in Labrador », *Scientific American*, 245, novembre 1981, p. 126-136. Jean-Pierre POUSSOU, « Recherches sur l'immigration bayonnaise et basque à Bordeaux au XVIIIᵉ siècle », *De l'Adour au Pays basque. Actes du XXIᵉ congrès d'études régionales tenu à Bayonne, les 4 et 5 mai 1968*, Bayonne, 1971, p. 67-79. Jean-François SOULET, *La Vie quotidienne dans les Pyrénées sous l'Ancien Régime*, Paris, 1974, p. 220-225. William A. DOUGLASS, *Echalar and Murelaga*, London, 1975, chap. III.

2. Philippe VEYRIN, *Les Basques du Labourd, de Soule et de Basse-Navarre* (Bayonne, 1947), p. 39 *et sqq.* L. DASSANCE, « Propriétés collectives et biens communaux dans l'ancien pays de Labourd », *Gure Herria*, XXIX, 1957, p. 129-138. Paul COURTEAULT, « De Hendaye à Bayonne en 1528 », *Gure Herria*, III, 1923, p. 273-277. DE LANCRE, p. 45-46.

3. E. DRAVASA, *Les Privilèges des Basques du Labourd sous l'Ancien Régime*, thèse pour le doctorat, université de Bordeaux, faculté de droit, 1950, p. 28-29. ADGi, 1B10, ff. 21ᵛ-22ʳ. DE LANCRE, p. 33-34, 42.

4. « Coutumes générales gardées et observées au Pays de Labourd », *in* P. HARISTOY, *Recherches historiques sur le Pays*

basque, Bayonne et Paris, 1884, II, p. 458-61. Les Fors du Labourd ont été rédigés en 1513. Jacques POUMAREDE, *Recherches sur les successions dans le sud-ouest de la France au Moyen Age*, thèse pour le doctorat en droit, université de Toulouse, 1968, p. 315-20.

5. En général, sur cette région voir SOULET, *Vie quotidienne*; Philippe WOLFF, *Commerces et marchands de Toulouse (vers 1350-vers 1450)*, Paris, 1954; Gilles CASTER, *Le Commerce du pastel et de l'épicerie à Toulouse, 1450-1561*, Toulouse, 1962; E. LE ROY LADURIE, *Les Paysans du Languedoc*, Paris, 1966; Léon DUTIL, *L'Etat économique du Languedoc à la fin de l'Ancien Régime*, Paris, 1911; Michel CHEVALIER, *La Vie humaine dans les Pyrénées ariégeoises*, Paris, 1956.

6. Jean FROISSART, *Chroniques*, éd. Léon Mirot, Paris, 1931, IIIe livre, par. 6, XII, p. 21-24. ADHG, C1925; 3E15289, f. 328^r. ADAr, G271; 30J^2, reconnaissance de 1679; 5E6653, ff. 188^r-189^r, 200^{r-v}; 5E6655, ff. 14^r-16^r.

7. ADAr, 5E6653, ff. 9^v, 96^r-97^r, 101^v-102^v, 142^{r-v}, 200^{r-v}; 5E6655, ff. 1^v-2^v, 8^{r-v}, 32^{r-v}, 98^r; 5E6656, f. 12^r; 5E6847, 17 déc. 1562. Pour « la gasailhe » et pour toutes les coutumes de cette région, *cf.* Paul CAYLA, *Dictionnaire des institutions, des coutumes, et de la langue en usage dans quelques pays de Languedoc de 1535 à 1648*, Montpellier, 1964. Au sujet du Carla, voir Elisabeth LABROUSSE, *Pierre Bayle*, La Haye, 1963, chap. I.

8. 19 testaments tirés de ADAr, 5E5335, 6219, 6220, 6221, 6223, 6224, 6653, 6655, 6859, 6860; ADHG, 3E15280, 15983. ADAr, 5E6860, ff. 110^v-111^v; ACArt, Terrier de 1651; ADAr, 5E6220, 8 octobre 1542; 5E8169, 12 mars 1541.

9. ADAr, 5E6223, 10 déc. 1528; 5E6653, ff. 95^v-96^r; 5E6860, ff. 12^r-13^v, 74^r-76^r.

10. ADAr, 5E6653, ff. 95^v-97^r, 201^v-202^r; 5E6846, ff. 34^v-36^v; 30J^2, reconnaissance de 1679; ADHG, B50 (arrêts civils), ff. 678^v-679^v.

11. ADAr, 5E6653, ff. 1^{r-v}, 96^r-97^r; 5E6655, ff. 29^r, 35^r, 158^v; 5E6656, ff. 12^r, 26^v; 5E6837, ff. 126^r-127^v; 5E6846, ff. 34^v-36^v; ADHG, 2G134, 2G143; 2G108, p. 263.

12. ADAr, 30J^2, Inventaire pour les consuls... d'Artigat, 1639, reconnaissance de 1679; ADHG, 2G203, n°1; C1925. ADAr, 5E6860, ff. 12^r-13^v. ADHG, 2G108, ff. 127^r, 151^r-152^r. F. PASQUIER, « Coutumes du Fossat dans le comté de Foix d'après une charte de 1274 », *Annales du Midi*, IX, 1897, p. 257-322; ADAr, 5E6654.

13. « Coutumes... observées au pays de Labourd », p. 482. F. PASQUIER, *Donation du fief de Pailhès en 1258 et documents concernant les seigneurs de cette baronnie au XVIe siècle*, Foix, 1890. ADAr, 2G203, n° 8.

14. Pierre BEC, *Les Interférences linguistiques entre Gascon et Languedocien dans les parlers du Comminges et du Couserans*,

Paris, 1968, p. 74-75. Pasquier, *Pailhès*, p. 3. Léon Dutil, *La Haute-Garonne et sa région*, Toulouse, 1928, chap. XIV. ADHG, 2G108, p. 261 et *sqq.* J. Decap, *Le Diocèse de Rieux avant la Révolution*, Foix, 1898.

15. Le Sueur, *Histoire*, f. A ii^r; Coras, p. 150; ACArt, Terrier de 1651, ff. 34^r-41^r, 209^r, 290^r, 310^r.

16. Veyrin, p. 43, 263. De Lancre, p. 42-44.

17. Coras, p. 55-56. G. Brunet, *Poésies basques de Bernard Dechepare... d'après l'édition de Bordeaux, 1545*, Bordeaux, 1847. ADGi, 1B10, lettres royales rédigées en français; Dravasa, p. 125. ADAr, 5E6223 (des contrats en français en 1528); 5E8169 (contrat de mariage en occitan, 12 mars 1541). ADAr, 5E6653, ff. 96^r-102^v. ADHG, 2G207, envoi du premier maître d'école à Artigat, 2 juillet 1687.

18. ADAr, 5E6223, 10 décembre 1528; 5E6653, f. 95^v; 5E6654, ff. 24^{r-v}; 5E6655, f. 29^r; 5E8169, 12 mars 1541. ACArt, registre des mariages de la paroisse d'Artigat, 1632-1649. ADHG, 3E15983, ff. 126^r-127^r.

19. Le Sueur, *Histoire*, p. 3, *Histoire*, f. A ii^v.

20. 17 contrats de mariage et deux legs du dot tirés de ADAr, 5E5335, 6220, 6653, 6655, 6656, 6837, 6838, 8169; ADHG, 3E15280, 15983, Cayla, p. 236-237. ADHG, B, Insinuations, 6 ff. 95^v-97^v.

21. ADHG, 2G108, p. 263. Coras, p. 61. A. Moulis, « Les Fiançailles et le mariage dans les Pyrénées centrales et spécialement dans l'Ariège », *Bulletin annuel de la société ariégeoise des sciences, lettres et arts*, XXII, 1966, p. 74-80.

2

1. Coras, p. 40.

2. ADAr, 5E6654, f. 37^r. « Proverbes francoys », in *Thresor de la langue francoyse*, p. 23; « L'ours " Martin " d'Ariège », *Bulletin annuel de la société ariégoise des sciences, lettres et arts*, XXII, 1966, p. 137-139, 170-172.

3. Coras, p. 2-4, 40-43, 53, 76. ADHG, B, La Tournelle, 74, 20 mai 1560. Hierosme de Monteux, *Commentaire de la conservation de la santé*, Lyon, 1559, p. 202-203. De Lancre, *Tableau de l'inconstance*, p. 38, 41, 47; Soulet, *Les Pyrénées*, p. 228-232, 279. A. Esmein, *Le Mariage en droit canonique*, Paris, 1891, p. 239-47.

4. G. Doublet, « Un diocèse pyrénéen sous Louis XIV. La Vie populaire dans la vallée de l'Ariège sous l'épiscopat de F.-E. de Caulet (1645-1680) », *Revue des Pyrénées*, VII, 1895, p. 379-380; Xavier Ravier, « Le Charivari en Languedoc occidental », in *Le Charivari. Actes de La Table Ronde organisée à Paris (25-27 avril 1977) par l'Ecole des hautes études en sciences sociales et le Centre*

national de la recherche scientifique, éd. Jacques Le Goff et Jean-Claude Schmitt, Paris, 1981, p. 411-428.

5. Le Sueur, *Historia*, p. 12. Coras, p. 40, 44.

6. Le Sueur, *Historia*, p. 17. Coras, p. 145-146.

7. Le Roy Ladurie, *Montaillou*, chap. vii.

8. ADAr, 5E6220; 5E6653, ff. 1ᵛ, 95ᵛ-96ʳ; 5E6656, ff. 11ʳ, 50ʳ; 5E6847, 12 décembre 1562; 5E6860, ff. 110ᵛ-111ᵛ. Roger Doucet, *Les Institutions de la France au xviᵉ siècle*, Paris, 1948, p. 632-641. Veyrin, *Les Basques*, p. 138. J. Nadal et E. Giralt, *La Population catalane de 1553 à 1717 : L'Immigration française*, Paris, 1960, p. 67-74, 315.

9. Coras, p. 5. Le Sueur, *Historia*, p. 4. De Lancre, p. 41.

10. Coras, p. 137.

11. Paul Jacob Hiltpold, *Burgos in the Reign of Philip II : The Ayuntamiento, Economic Crisis and Social Control, 1550-1600*, thèse de doctorat, université de Texas, 1981, chap. ii. Henrique Florez, *España Sagrada*, Madrid, 1771, tome XXVI, p. 427-32. Nicolás López Martínez, « El Cardenal Mendoza y la Reforma Tridentina en Burgos », *Hispania Sacra*, XVI, 1963, p. 61-121.

12. Le Sueur, *Historia*, P. 4. Coras, p. 137. E. Lemaire, H. Courteault *et al.*, *La Guerre de 1557 en Picardie*, Saint-Quentin, 1896, I, p. ccxxi-ccxxv, II, p. 48, 295.

3

1. ADAr, 5E6653, ff. 95ᵛ-98ʳ; 5E6655, ff. 110ᵛ-111ᵛ.

2. ADHG, 2G108, f. 127ʳ. Doublet, « Un diocèse pyrénéen », p. 369-371. Coras, p. 44. Henry Institoris et Jacques Sprenger, *Le Marteau des sorcières*, trad. A. Danet, Paris, 1973, p. 225.

3. Coras, p. 40-41.

4. ADAr, 5E6654, f. 29ʳ; 5E6655, f. 79ʳ; 5E6838, f. 104ᵛ.

5. ADAr, 5E5335, ff. 92ʳ-ᵛ, 135ʳ, 282ᵛ-283ʳ; 5E6653, f. 6ʳ; 5E6654, f. 29ʳ; 5E6655, ff. 6ʳ-ᵛ, 106ᵛ-107ʳ, 137ᵛ-138ʳ; 5E6656, f. 58ʳ. ADHG, 3E15280, 14 janvier 1547/48. Jacques Beauroy, *Vin et société à Bergerac du Moyen Age aux temps modernes*, Stanford French and Italian Studies, 4, Saratoga, Ca., 1976, p. 125.

6. Cayla, *Dictionnaire*, p. 54-58, 236. ADAr, 5E6219, 31 juillet 1540; 5E6653, ff. 3ʳ-ᵛ, 54ᵛ; 5E6655, f. 117ᵛ. ADHG, 3E15280, 31 janvier 1547/48; 3E15983, ff. 126ʳ-127ʳ, 322ʳ-334ᵛ.

7. ADAr, 5E6846, ff. 34ᵛ-36ᵛ; ADHG, B50 (arrêts civils), ff. 678ᵛ-679ᵛ. Le Roy Ladurie, *Montaillou*, p. 286-287. ADAr, 5E6837, ff. 236ʳ-237ʳ; 5E6655, ff. 110ᵛ-111ᵛ; 5E6847, 23 septembre 1562. Pasquier, « Coutumes du Fossat », p. 298-299. Cayla, p. 63.

8. De Lancre, *Tableau de l'inconstance*, p. 42-44.

9. Le Sueur, *Historia*, p. 9. ADAr, 5E6223, 5 juillet 1542; 5E6224, 6 janvier 1547/48.

10. Coras, p. 5-7, 25; Jean De Coras, *Opera omnia*, Wittenberg, 1603, I, p. 730-731. Jean Dauvillier, *Le Mariage dans le droit classique de l'Eglise*, Paris, 1933, p. 304-307. Bernard de La Roche-Flavin, *Arrests Notables du Parlement de Tolose*, Lyon, 1619, p. 601-602.

11. Coras, p. 46.

12. ADHG, B38 (arrêts civils), ff. 60r-61r; B47 (arrêts civils), f. 487r; 2G41.

13. Coras, p. 1, 5, 7.

4

1. Coras, p. 8, 151. François de Belleforest, *La Cosmographie universelle de tout le monde... Auteur en partie Munster... augmentée... par François de Belle-forest Comingeois*, Paris : Michel Sonnius, 1575, p. 368-72.

2. ADHG, B78 (arrêts civils), ff. 3r-4r; IADHG, BB58, ff. 214, 220. Charles Higounet, *Le Comté de Comminges de ses origines à son annexion à la couronne*, Toulouse, 1949, I, p. 277, 292. ADGe, 3E1570, 10 juillet 1557; 3E1569, 27 juillet 1552.

3. Higounet, p. 512 *et sqq.*; Wolff, *Commerces et Marchands de Toulouse*, carte 12. ADGe, 3E1569, 19 décembre 1551; 3E1570, 7 avril et 4 juillet 1557. ADHG, 4E2016, 4E1568, 2E2403. Georges Couarraze, *Au pays du Savès. Lombez évêché rural, 1317-1801*, Lombez, 1973.

4. ADGe, G332, ff. 47r-48r; 3E1570, 21 avril 1557. Coras, p. 97, 151.

5. Coras, p. 52, 54. ADGe, G332, f. 47 *bis*r-v.

6. Coras, p. 56-57, 77, 97. Leah Otis, « Une contribution à l'étude du blasphème au bas Moyen Age », *in Diritto comune e diritti locali nella storia dell' Europa. Atti del Convegno di Varenna (12-15 giugno 1979)*, 1980, p. 213-223.

7. Raymond de Beccarie de Pavie, *Sieur de Fourquevaux, The Instructions sur le Faict de la Guerre*, éd. G. Dickinson, London, 1954, p. xxix-xxxii. ADGe, 3E1571, 16 avril 1558 et *passim*. Coras, p. 53, 57, 144.

8. Coras, p. 8-11, 38-39, 144.

9. *Le grand Calendrier et compost des Bergers avec leur astrologie*, Troyes : Jean Lecoq, 154 [1] ff. M ir-M iiir.

10. Coras, p. 53.

11. Le Sueur, *Historia*, p. 13, *Histoire*, f. C ivv; Coras, p. 144-146. François de Rabutin, *Commentaires des dernières guerres en la Gaule Belgique, entre Henry second du nom, très-chrestien Roy de France et Charles Cinquiesme, Empereur, et Philippe son fils, Roy d'Espaigne* (1574), in *Nouvelle collection des Mémoires pour servir*

à l'histoire de France, éd. Michaud et Poujoulat, Paris, 1838, VII, livres IV-V.

12. CORAS, p. 145-147. LE SUEUR, Historia, p. 22.
13. ADGe, 3E1569, 19 décembre 1551.
14. ADR, BP443, ff. 37ʳ-39ᵛ, 294ᵛ-296ʳ.

5

1. LE SUEUR, Historia, p. 5-7, Histoire, ff. B iᵛ-B iiᵛ. CORAS, p. 63.
2. Mark SNYDER et Seymour URANOWITZ, « Reconstructing the Past : Some Cognitive Consequences of Person Perception », Journal of Personality and Social Psychology, 36, 1978, p. 941-50. Mark SNYDER et Nancy CANTOR, « Testing Hypotheses about Other People : The Use of Historical Knowledge », Journal of Experimental Social Psychology, 15, 1979, p. 330-342.
3. Etienne PASQUIER, Les recherches de la France, Paris, 1621, p. 571-72.
4. CORAS, p. 25. LE SUEUR, Historia, p. 7.
5. CORAS, p. 68, 34, 65-66. LE SUEUR, Histoire, ff. C iᵛ, C iiiʳ.
6. CORAS, p. 149. LE ROY LADURIE, Montaillou, p. 275, n. 1.
7. SHEEHAN, « The Formation and Stability of Marriage », p. 228-263. J.-M. TURLAN, « Recherches sur le mariage dans la pratique coutumière (XIIᵉ-XVIᵉ s.) », Revue historique de droit français et étranger, XXXV, 1957, p. 503-516. Béatrice GOTTLIEB, « The Meaning of Clandestine Marriage », in Robert WHEATON et Tamara K. HAREVEN, Family and Sexuality in French History, Philadelphia, 1980, p. 49-83.
8. Jean-Jacques DE LESCAZES, Le Memorial historique, contenant la narration des troubles et ce qui est arrivé diversement de plus remarquable dans le Païs de Foix et Diocese de Pamies, Toulouse, 1644, chap. XII-XVI. Jean CRESPIN, Histoire des Martyrs persecutez et mis à mort pour la Verité de l'Evangile, Toulouse, 1885-1889, I, p. 457, III, p. 646-649. J. LESTRADE, Les Huguenots dans le diocèse de Rieux, Paris, 1904, p. 4, 10, 29, 30. J.-M. VIDAL, Schisme et hérésie au diocèse de Pamiers (1467-1626), Paris, 1931, p. 147-169. LABROUSSE, Pierre Bayle, p. 6-8. Alice WEMYSS, Les Protestants du Mas-d'Azil, Toulouse, 1961, p. 17-25. Paul-F. GEISENDORF, Livre des habitants de Genève, 1549-1560, Genève, 1957-1963, I, p. 9, 13. ADAr, 5E6654, ff. 5ʳ, 16ᵛ, 29ʳ. ADHG, 2G108, ff. 127ʳ-130ᵛ; B422 (arrêts civils), 22 octobre 1620.
9. ADHG, B33 (arrêts civils), ff. 156ᵛ-157ʳ; B38 (arrêts civils), ff. 60ʳ-61ʳ; B47 (arrêts civils), f. 487ʳ. ADAr, 5E6655, ff. 14ʳ-16ʳ.
10. ACArt, Terrier de 1651, ff. 137ʳ-139ᵛ. « Mémoire des personnes decedées en la ville du Carla en Foix ou en sa Jurisdiction

commance le vingt et deusiesme octobre 1642 », ff. 10ʳ, 12ᵛ, 13ʳ, 13ᵛ (photocopie en la possession d'Elisabeth Labrousse).

11. COUARRAZE, *Lombez*, p. 122.

12. LE SUEUR, *Histoire*, p. 16, 21-22. CORAS, p. 160.

13. « Projet d'ordonnance sur les mariages, 10 novembre 1545 », *in* Jean CALVIN, *Opera quae supersunt omnia*, éd. G. Baum. E. Cunitz et E. Reuss (Brunswick, 1863-1880), XXXVIII, p. 41-44.

6

1. CORAS, p. 61. ADHG, B, La Tournelle, 74, 20 mai 1560.

2. LE ROY LADURIE, *Les Paysans de Languedoc*, I, p. 302-309. ADAr, 5E6655, ff. 8ʳ⁻ᵛ, 98ʳ; 5E6656, ff. 12ʳ, 26ᵛ, 29ʳ, 58ʳ; 5E6653, ff. 79ᵛ, 200ʳ⁻ᵛ. ADHG, 2G143, 2G134, Arrentements des benefices du diocèse de Rieux. CORAS, p. 150-152.

3. LE SUEUR, *Historia*, p. 7; *Histoire*, f. B iiiʳ. CORAS, p. 22-23.

4. CORAS, p. 33-34, « Coutumes... observées au Pays de Labourd », p. 467-468. ADAr, 5E6653, ff. 3ʳ⁻ᵛ, 112ʳ⁻ᵛ; 5E6656, f. 11ʳ.

5. CORAS, p. 12, 47, 53. DE LANCRE, *Tableau de l'inconstance*, p. 41.

6. CORAS, p. 53, 62, 66-67.

7. LE SUEUR, *Historia*, p. 7. CORAS, p. 46, 53, 61-62. LE ROY LADURIE, *Montaillou*, chap. III.

8. CORAS, p. 54. LE SUEUR, *Historia*, p. 8.

9. CORAS, p. 21.

10. LE SUEUR, *Historia*, p. 8. CORAS, p. 68. ADAr, 5E6860, ff. 12ʳ-13ᵛ; 5E6837, ff. 188ᵛ-189ᵛ. ADHG, 2G143, 1550; B37 (arrêts civils), f. 68ʳ.

11. LE SUEUR, *Historia*, p. 8; *Histoire*, ff. B iiiʳ⁻ᵛ. CORAS, p. 68, 86.

12. CORAS, p. 53-54.

13. CORAS, p. 69-70. ADAr, 5E6653, ff. 96ʳ-97ʳ. Jean IMBERT, *Institutions Forenses, ou practique iudiciaire... par M. Ian Imbert Lieutenant criminel du siege royal de Fontenai Lecomte*, Poitiers : Enguilbert de Marnef, 1563, p. 439.

14. CORAS, p. 68-69.

15. Voir, sur le mensonge, le numéro spécial de la revue *Daedalus* intitulé « Hypocrisy, Illusion and Evasion » (*Daedalus*, 108, nº 3, summer 1979) et « Special Issue on Lying and Deception », *Berkshire Review*, 15, 1980.

16. CORAS, p. 19. Jean BENEDICTI, *La Somme des Pechez*, Paris, 1595, p. 151-152.

17. CORAS, p. 69-70.

7

1. ADHG, 3E15289, ff. 46^r-47^r. ADAr 5E6653, ff. 96^r-98^r; 5E6655, ff. 29^r, 79^r.

2. André VIALA, *Le Parlement de Toulouse et l'administration royale laïque, 1420-1525 environ*, Albi, 1953, I, p. 143. IADHG, B47, f. 805; B58, f. 638; B66, ff. 290, 294; LASTRADE, *Les Huguenots*, p. 1.

3. CORAS, p. 28-29, 85. IMBERT, *Practique iudiciaire*, p. 420-21.

4. Sur la justice criminelle en France au XVIe siècle, voir IMBERT, *Practique iudiciaire*, basée sur l'expérience d'un lieutenant criminel; Pierre LIZET, *Brieve et succincte maniere de proceder tant à l'institution et decision des causes criminelles que civiles et forme d'informer en icelles*, Paris, Vincent Sertenas, 1555; Bernard SCHNAPPER, « La Justice criminelle rendue par le Parlement de Paris sous le règne de François Ier », *Revue historique de droit français et étranger*, LII, 1974, p. 252-284; John H. LANGBEIN, *Prosecuting Crime in the Renaissance*, Cambridge, Mass., 1974, p. 223-251; Alfred SOMAN, « Deviance and Criminal Justice »; SOMAN, « Criminal Jurisprudence in Ancien Régime France : The Parlement of Paris in the Sixteenth and Seventeenth Centuries », in *Crime and Criminal Justice in Europe and Canada*, éd. Louis A. Knafla, Waterloo, Ontario, 1981, p. 43-74.

5. CORAS, p. 38-46. IMBERT, p. 439-74; LIZET, ff. 2^v-26^v.

6. CORAS, p. 46-47, 50-53, 58-61, 63.

7. Nicole CASTAN, « La Criminalité familiale dans le ressort du Parlement de Toulouse, 1690-1730 », *in* A. ABBIATECI *et al.*, *Crimes et Criminalité en France, XVIIe-XVIIIe siècles* (*Cahiers des annales*, 33), Paris, 1971, p. 91-107.

8. CORAS, p. 21, 40, 44. LE SUEUR, *Historia*, p. 12-13, *Histoire*, ff. C iii^v - C iv^r.

9. CORAS, p. 37, 65-66. LE SUEUR, *Historia*, p. 10; *Histoire*, f. C iv^v.

10. CORAS, p. 38-39, 73.

11. *Recueil général des anciennes lois françaises*, éd. F.A. ISAMBERT *et al.*, Paris, 1822-1833, XII, « Ordonnance sur le fait de la justice », août 1539, n° 162, p. 633. LANGBEIN, p. 236. SOMAN, « Criminal Jurisprudence », p. 60-61.

12. CORAS, p. 29.

13. IMBERT, p. 478. CORAS, p. 54. SOMAN, « Criminal Jurisprudence », p. 54-56. Jean IMBERT et Georges LEVASSEUR, *Le Pouvoir, les Juges et les Bourreaux*, Paris, 1972, p. 172-175.

14. CORAS, p. 28, 47-48. ADR, BP443, ff. 37^r-39^r.

15. CORAS, p. 47. IMBERT, *Practique iudiciaire*, p. 504-506. ADHG, B, La Tournelle, 74, 30 avril 1560.

8

1. Sur le Parlement de Toulouse, voir Viala, *Parlement de Toulouse;* Nicole Castan, *Justice et Répression en Languedoc à l'époque des Lumières* (Paris, 1980) et B. Bennassar et B. Tollon, « Le Parlement », in *Histoire de Toulouse,* éd. Philippe Wolff, Toulouse, 1974, p. 236-245. ADHG, B, La Tournelle, 74, 27 avril 1560, 20 mai 1560. Jean de Coras, *De acqui. possessione Paraphrasis,* Lyon : Michel Parmentier, 1542 f. A ii^r; *De Servitutibus Commentarii,* Lyon : Dominique de Portunariis, 1548, p. 206 (dédicace pour *De ritu nuptiarum*); *De verborum obligationibus Scholia,* Lyon : Guillaume Rouillé, 1550, titre.

2. Bernard de La Roche-Flavin, *Treize livres des Parlemens de France,* Genève, 1621, p. 34-35, 54. IADHG, B43, f. 707; B51, f. 2; B32, f. 219; B57, f. 466; B55, f. 415; B57, ff. 70, 73; B56, ff. 556-557, 561; B67, ff. 478-479. Le château de Mansencal se trouvait près de Rieumes et de Sajas.

3. IADHG, B19, f. 8. Coras, p. 1. Le Sueur, *Historia,* p. 16. La Roche-Flavin, *Parlemens de France,* p. 753-755. ADHG, B, La Tournelle, 74, 30 avril 1560.

4. Viala, p. 381-385. ADHG, B, La Tournelle, 72, 29 janvier 1559/60; 73, 15 mars 1559/60; 74, 1er février 1559/60, 31 mai 1560, 23 août 1560.

5. Le Sueur, *Historia,* p. 11-12; *Histoire,* ff. C ii^r - C iii^r. Coras, p. 47. ADHG, B, La Tournelle, 74, 20 mai 1560. La Roche-Flavin, *Parlemens de France,* p. 250.

6. Coras, p. 39.

7. Coras, p. 48, 51, 73. ADHG, B, La Tournelle, 74, 20 mai 1560.

8. Par exemple, Coras n'assista pas aux arrêts des hérétiques le 29 janvier 1559/60 (B, La Tournelle, 72), le 1er février 1559/60, et le 1er mars 1559/60 (73), bien qu'il fût présent aux sentences les jours précédents et suivants.

9. Coras, p. 48-56, 72-74, 76-77. Imbert et Levasseur, p. 163-69, 176-179. Soman, « Criminal Jurisprudence », p. 55-56.

10. Coras, p. 34-35, 47, 59, 68-70, 85.

11. Coras, p. 33-36, 62, 69-70. Le Sueur, *Historia,* p. 14.

12. Coras, p. 59-60, 71-72, 75-79.

13. Coras, p. 87.

9

1. Le Sueur, *Historia,* p. 4; *Histoire,* f. A iii^r. L. P. Wright, « The Military Orders in Sixteenth and Seventeenth-Century Spanish Society », *Past and Present,* 43, may 1969, p. 66.

2. Le Sueur, *Historia*, p. 15. Martin Fernandez Navarrete et *al.*, *Colección de Documentos Inéditos para la historia de España*, Madrid, 1843, III, p. 418-447.

3. Viala, *Parlement*, p. 409. M.A. Du Bourg, *Histoire du grand prieuré de Toulouse et des diverses possessions de l'ordre de Saint-Jean-de-Jérusalem dans le sud-ouest de la France*, Toulouse, 1883, chap. v.

4. Coras, p. 88-89. Le Sueur, *Historia*, p. 15; *Histoire*, f. D ii[r].

5. Coras, p. 89-90, 149. Le Sueur, *Historia*, p. 17; *Histoire*, ff. D-iii[v]-D iv[r].

6. Coras, p. 97-99. Le Sueur, *Historia*, p. 15-16; Histoire, f. D ii[r-v]. Imbert et Levasseur, *Le Pouvoir*, p. 166-167.

7. ADHG, B, La Tournelle, 73, 2 mars, 5 mars 1559-60; 76, 6 septembre 1560. Le Sueur, *Historia*, p. 16.

8. Coras, p. 98-107. Le Sueur, *Historia*, p. 16-17; *Histoire*, ff. D ii[v]-D iii[r].

9. Coras, p. 111-112. A. Carpentier et G. Frerejouan de Saint, *Répertoire général alphabétique du droit français*, Paris, 1901, XXII, « Faux. » AN, X[2a]119, 15 juin 1557; X[2a]914, 15 juin 1557. Isambert, *Recueil général*, XII, p. 357-358.

10. Coras, p. 111, 118-123. La Roche-Flavin, *Arrests notables du Parlement de Tolose*, p. 14.

11. Coras, p. 24, 26-27, 109, 132-134. Imbert, *Practique iudiciaire*, p. 488-490.

12. ADHG, B, La Tournelle, 72, 29 janvier 1559/60. Soman, « Criminal Jurisprudence », p. 54.

13. Coras, p. 135-141.

14. Le Sueur, *Historia*, p. 18; *Histoire*, ff. D iv[v] - E i[r]. Coras, p. 128.

15. Le Sueur, *Historia*, p. 19; *Histoire*, f. E i[v]. E. Telle, « Montaigne et le procès Martin Guerre », *Bibliothèque d'humanisme et renaissance*, XXXVII, 1975, p. 387-419.

16. Coras, p. 144-160. Le Sueur, *Historia*, p. 20-22; *Histoire*, f. E ii[r-v].

10

1. Coras, p. 78.

2. Le Sueur, *Historia*, titre, p. 22. Louis-Eugène de La Gorgue-Rosny, *Recherches généalogiques sur les comtés de Ponthieu, de Boulogne, de Guines et pays circonvoisins*, Paris, 1874-77, III, p. 1399-1400. *Les Bibliothèques françoises de La Croix-du-Maine et Du Verdier*, Paris, 1772, I, p. 349. La traduction du *Livre des Macchabées* fut publiée par Robert II Estienne. *Antiquitez de Boulongne-sur-mer par Guillaume Le Sueur, 1596*, éd. E. Deseille,

in *Mémoires de la société académique de l'arrondissement Boulogne-sur-mer*, IX, 1878-1879, p. 1-212.

3. *Ioannis Corasii Tolosatis Iurisconsulti Clarissimi... de Verbor. Obligationibus, Scholia*, Lyon : Guillaume Rouillé, 1550. *Ioannis Corasii... vita : per Antonium Usilium... in schola Monspeliensi iuris civilis professorem, edita. 1559, in Jean* DE CORAS, *De iuris Arte libellus*, Lyon : Antoine Vincent, 1560. Usillis était toujours ami de Jean de Coras et de sa famille en 1567 (*Lettres de Coras, celles de sa femme, de son fils et de ses amis*, éd. Charles Pradel, Albi, 1880, p. 7). CORAS, p. 56.

4. ADHG, B37 (arrêts civils), 12 juillet 1544. Jean DE CORAS, *In Titulum Codicis Iustiniani, De Iure Emphyteutico*, Lyon : Guillaume Rouillé, 1550, titre[v] : *Domino Ioanni Corasio patri suo observandissimo, Ioannes Corasius filius S.D.*, Lyon, septembre 1549.

5. Jean DE CORAS, *Opera quae haberi possunt omnia*, Wittemberg, 1603, I, p. 549, 690. *De Ritu nuptiarum* fut dédié à Jean de Boysonné. Richard C. CHRISTIE, *Etienne Dolet*, Londres, 1899, p. 80-89.

6. Marcel FOURNIER, « Cujas, Corras, Pacius, Trois Conduites de professeurs de droit par les villes de Montpellier et Valence au XVIe siècle », *Revue des Pyrénées*, II, 1890, p. 328-334. Jean DE CORAS, *De Imperbum* [sic]... *Commentarii*, Toulouse : Guy Boudeville, 1541, p. 168 dans l'exemplaire de la bibliothèque municipale de Toulouse, « Corrassium » en marge. Cet ouvrage est dédié à Jean Bertrand, président du Parlement de Paris. *De acqui. possessione* est dédié à Mansencal en 1542. La dédicace au cardinal de Châtillon date de 1548, au cardinal de Lorraine de 1549. CORAS, *Opera omnia*, I, p. 22, 162, 191, 225.

7. Usillis, « Vita ». IADHG, B46, f. 172.

8. ADHG, E916. Ces lettres ont été publiées en partie par PRADEL et étudiées par F. NEUBERT, « Zur Problematik französicher Renaissancebriefe », *Bibliothèque d'humanisme et renaissance*, XXVI, 1964, p. 28-54.

9. *Lettres de Coras*, p. 10, 12-13, 15, 20-21, 26-28, 35-36. ADHG, E916, Lettres des 10 avril, 12 juillet et 8 décembre 1567.

10. Jean DE CORAS, *In Universam sacerdotiorum materiam... paraphrasis*, Paris : Arnaud l'Angelier, 1549, chapitre sur le pape. CORAS, *Des Mariages clandestinement et irreveremment contractes par les enfans de famille au deceu ou contre le gré, vouloir et consentement de leurs Peres et Meres, petit discours... A trêcretien... prince Henri deuxieme... Roy de France*, Toulouse : Pierre du Puis, 1557, p. 92.

11. *Des Mariages clandestinement... contractes*, dédicace à Henri II. *Altercacion en forme de Dialogue de l'Empereur Adrian et du Philosophe Epictéte... rendu de Latin en François par monsieur*

maître Iean de Coras, Toulouse : Antoine André, 1558; le privilège pour neuf ans, 4 avril 1557/58. *De iuris Arte libellus*, Lyon : Antoine Vincent, 1560. Cet ouvrage et la pensée légale de Jean de Coras sont le sujet d'un ouvrage à paraître par A. London Fell, Jr. *Origins of Legislative Sovereignty and the Legislative State*, Athenäum Press, 1982.

12. G. BOSQUET, *Histoire sur les troubles Advenus en la ville de Tolose l'an 1562*, Toulouse, 1595, p. 157. ADHG, B56 (arrêts civils), ff. 557^v-558^r. *Lettres de Coras*, p. 13.

13. LE SUEUR, *Historia*, p. 12. CORAS, p. 64.

14. CORAS, p. 87. LE SUEUR, *Historia*, p. 14.

15. CORAS, *Altercacion*, p. 59-63.

16. Stephen GREENBLATT, *Renaissance Self-Fashioning. From More to Shakespeare*, Chicago, 1980. Voir aussi Norbert ELIAS, *La Civilisation des mœurs*, Paris, 1971.

11

1. *Admiranda historia*, titre^v. *Histoire admirable d'un faux et supposé mary*, f. E iii^v, le privilège à Sertenas pour six ans, daté 25 janvier 1560/61. Jean-Pierre SEGUIN, *L'Information en France avant le périodique. 517 Canards imprimés entre 1529 et 1631*, Paris, s.d.; *L'Information en France de Louis XII à Henri II*, Genève, 1961.

2. E. DROZ, « Antoine Vincent, la propagande protestante par le Psautier », in *Aspects de la propagande religieuse, études publiées par G. Berthoud et al.*, Genève, 1957, p. 276-293.

3. SEGUIN, *L'Information... de Louis XII à Henri II*, Règne François Ier: n° 55, n° 142; règne Henri II : n° 29. Jean PAPON, *Recueil d'arrestz notables des courts souveraines de France*, Lyon : Jean de Tournes, 1557.

4. Jean CÉARD, *La Nature et les prodiges. L'Insolite au XVIe siècle en France*, Genève, 1977, p. 252-265. Michel SIMONIN, « Notes sur Pierre Boaistuau », *Bibliothèque d'humanisme et renaissance*, XXXVIII, 1976, p. 323-333. SEGUIN, *L'Information... de Louis XII à Henri II*, Règne de Henri II : n° 22. Pierre BOAISTUAU, *Histoires prodigieuses les plus memorables qui ayent esté observées depuis la Nativité de Iesus Christ iusques à nostre siecle*, Paris : Vincent Sertenas, 1560. Jean DE TOURNES avait publié *Des prodiges* de Iules Obsequent en 1555, cinq ans avant son édition de l'*Admiranda historia* de Guillaume Le Sueur. LE SUEUR, *Histoire*, titre^v. CORAS, p. 11-12.

5. CORAS, p. 1.

6. CORAS, p. 2-7, 40-45, 118-123.

7. CORAS, p. 44-45, 96.

8. Le privilège d'Antoine Vincent pour le Psautier porte la date 19 octobre 1561. L'imprimeur Jean de Tournes fut aussi protestant. VIDAL, *Schisme et hérésie*, p. 165-166. « Projet d'ordonnance sur les mariages », *in* Calvin, *Opera Omnia*, XXXVIII, p. 35-44. Les imprimeurs parisiens de l'*Arrest Memorable* étaient catholiques.

9. CORAS, *Arrest Memorable*, 1561, f. * 2ʳ⁻ᵛ.

10. LE SUEUR, *Historia*, p. 11, 18. CORAS, p. 90, 108-109, 123-128. ADHG, B, La Tournelle, 74, 20 mai 1560; 76, 12 septembre 1560.

11. CORAS, p. 11-22, 139.

12. *Cent Nouvelles Nouvelles*, conte 35. Voir au contraire l'*Heptaméron* de Marguerite DE NAVARRE, Deuxième Jour, 14ᵉ Nouvelle, Cinquième Jour, 48ᵉ Nouvelle; *All's Well that Ends Well* et *Measure for Measure* de William SHAKESPEARE. Stith Thompson ne fait aucune référence à un conte avec le même type d'imposture; le plus proche est le cas d'un jumeau qui trompe la femme de son frère (*Motif-Index of Folk Literature*, Bloomington, Ind., 1955-1958), K 1915-1917, K 1311.

13. Vladimir PROPP, *Morphologie du conte*, trad. Marguerite Derrida, Paris, 1970.

14. CORAS, *Arrest Memorable*, 1561, f. ** 3ʳ⁻ᵛ, p. 70-71.

15. CORAS, *Arrest Memorable*, Lyon : Antoine Vincent, 1565, p. 158-178. Annotation CIIII. CORAS (1572), f. *iiʳ⁻ᵛ. LE SUEUR, *Historia*, p. 4, 11, 22; *Histoire*, ff. A. iiiʳ, Ciiiⁱᵛ. Henry C. LANCASTER, *The French Tragi-Comedy. Its Origin and Development from 1552 to 1628*, Baltimore, 1907; Marvin T. HERRICK, *Tragicomedy. Its Origin and Development in Italy, France and England*, Urbana, Ill., 1955; Susan SNYDER, *The Comic Matrix of Shakespeare's Tragedies*, Princeton, N.J., 1979.

16. *Histoires tragiques, Extraictes des œuvres Italiennes de Bandel, et mises en langue Françoise : Les six premieres, par Pierre Boaistuau... Et les suivantes par François de Belleforest*, Paris, 1580. Richard A. CARR, *Pierre Boaistuau's « Histoires Tragiques ». A Study of Narrative Form and Tragic Vision*, Chapel Hill, N.C., 1979. CORAS, p. 147.

17. CORAS, p. 107, 138. *Lettres de Coras*, p. 16.

12

1. ADHG, E916, 8 décembre 1567, B56 (arrêts civils) ff. 557ᵛ-558ʳ; B57, ff. 65ʳ, 70ʳ-73ᵛ; B67, ff. 478ᵛ-479ʳ. IADHG, B64, f. 69; B62, f. 73; B68, f. 449. Le troisième conseiller massacré fut Antoine Lacger, parent du mari de Jeanne de Coras, la fille de Jean de Coras. *Lettres de Coras*, p. 23-28. Telle, « Montaigne », p. 388, nᵒ 2.

2. Voir Annexe I.

3. Des exemplaires de l'*Arrest Memorable* en la possession d'un avocat : 1561, bibliothèque municipale de Lille; Lyon, 1565,

bibliothèque municipale de Poitiers. Des exemplaires reliés avec *Paraphraze sur l'Edict des mariages clandestinement contractez,* 1572, Bibliothèque nationale (F32604), bibliothèque municipale de Lyon (337624); 1579, faculté de droit, université de Californie, Berkeley. Un exemplaire relié avec d'autres ouvrages sur les questions de mariage, 1605, Sainte-Geneviève. Edition en latin, Francfort, 1576, avec la signature de l'Anglais Kenelme Digby, Bibliothèque nationale (F32609). L'édition de 1561, reliée avec l'*Admiranda historia* de Guillaume LE SUEUR, Bibliothèque nationale (F13876), avec la signature du bibliophile Claude Dupuy.

4. Voir Annexe I.

5. Jean PAPON, *Recueil d'arrest notables des courtz souveraines de France,* Paris : Jacques Macé, 1566, ff. 490v-494r. Géraud MAINARD, *Notables et singulieres questions du droict escrit,* Paris, 1623, p. 500-507; C. DROUHET, *Le Poète François Mainard (1583 ?-1646),* E. PASQUIER, Paris, s.d., p. 7-8. *Recherches,* p. 571-572.

6. Hérodote, *Historiae libri IX et de vita Homeri libellus... Apologia Henr. Stephani pro Herodoto* [Genève] : Henri Estienne, 1566, f.****iir. Henri ESTIENNE, *L'introduction au traité de la conformité des merveilles anciennes avec les modernes* (1566), éd. P. Ristelhuber, Paris, 1879, p. 25. Gilbert COUSIN, *Narrationum sylva qua Magna Rerum... Libri VIII,* Bâle, 1567, livre VIII. Antoine DU VERDIER, *Les diverses leçons,* Lyon : Barthélemy Honorat, 1577, livre IV, chap. XXI-XXVII. *Histoires prodigieuses extraictes de plusieurs fameux autheurs... Le troisiesme tome des histoires prodigieuses, recueillies par François de Belleforest Comingeois,* Paris : la veuve Guillaume Cavellat, 1597-98, p. 6-27. *Cosmographie universelle... enrichie par François de Belleforest,* p. 372. CÉARD, *Les Prodiges,* p. 326-335.

7. PAPON, f. 494r; DU VERDIER, p. 300-301; PASQUIER, p. 570-571. Alfred SOMAN, « La sorcellerie vue du Parlement de Paris au début du XVIIe siècle », in *La Gironde de 1610 à nos jours. Questions diverses. Actes du 104e Congrès national des sociétés savantes,* Bordeaux 1979, Paris, 1981, p. 393-405.

8. Auger GAILLARD, *Œuvres complètes,* publiées et traduites par Ernest Nègre, Paris, 1970, p. 514, 525-526.

9. MONTAIGNE, *Œuvres complètes,* éd. Albert Thibaudet et Maurice Rat, Bibliothèque de la Pléiade, Paris, 1962, livre III, chap. II, p. 1002-1013.

10. CORAS, p. 52, 74, 88. *Quinti Horatii Flacci Emblemata,* Anvers : Philippe Lisaert, 1612, p. 180-181 : « Rarò antecedentem scelestum/Deseruit pede poena claudo. » Cesare RIPA, *Baroque and Rococo Pictorial Imagery. The 1758-60 Hertel Edition of Ripa's « Iconologia »,* trad. E.-A. Maser, New York : Dover Publications, s.d., no 95 : le Mensonge a une jambe de bois. L'*Iconologia* date de 1593.

ÉPILOGUE

1. ADAr, 5E6653, ff. 63ʳ, 97ʳ-98ʳ. Coras, p. 23-24.

2. Pasquier, « Coutumes du Fossat », p. 278, 320. Philippe Wolff, *Regards sur le Midi médiéval*, Toulouse, 1978, p. 412-414.

3. François Rabelais, *Œuvres*, éd. J. Boulanger, Bibliothèque de la Pléiade, Paris, 1955, prologue de l'auteur, *Pantagruel*, p. 169.

4. ADHG, B, Insinuations, 6, ff. 95ᵛ-97ᵛ. ACArt, Registres des mariages et des baptêmes de la paroisse d'Artigat, 1632-1642. Terrier de 1651 : Dominique Guerre; Gaspard Guerre, dit Bonnelle; Ramond Guerre; Jean Guerre; Jammes Guerre, François et Martin Guerre, frères; héritiers de Marie Guerre; Pierre Rols possède des champs indivis avec les héritiers de Marie Guerre.

5. ACArt, Registre des Baptêmes, 1634 : « nay un bastard... Jean filz a Ramond Guerre ». Un certain nombre de travailleurs étrangers en Espagne prenaient une deuxième famille là-bas pour retourner plus tard à leur femme dans le Languedoc (communication orale de Jean-Pierre Poussou).

ANNEXE I

Bibliographie sélective des écrits sur Martin Guerre

JEAN DE CORAS, *Arrest Memorable, du Parlement de Tolose, Contenant une histoire prodigieuse, de nostre temps, avec cent belles, et doctes Annotations, de monsieur maistre Jean de Coras, Conseiller en ladite Cour, et rapporteur du proces. Prononcé es Arrestz Generaulx le xii Septembre MDLX*. Lyon : Antoine Vincent, 1561. Avec Privilege du Roy. Réimprimé à Paris, 1565, sans privilège, sans nom d'imprimeur. Réimprimé à Bruges : Hubert Goltz, 1565.

Arrest Memorable... avec cent et onze belles, et doctes annotations... Item, Les Douze Reigles du Seigneur Iean Pic de la Mirandole... traduites de Latin en François par ledit de Coras. Lyon : Antoine Vincent, 1565. Avec privilege du Roy, Paris, édition partagée par Galliot du Pré et Vincent Norment, 1572. Paris, édition partagée par Jean Borel et Gabriel Buon, 1579. Lyon : Barthélemy Vincent, 1596, 1605, 1618.

Arrestum sive placitum Parlamenti Tholosani, Continens Historiam (in casu matrimoniali) admodum memorabilem adeoque prodigiosam : unà cum centum elegantissimis atque doctissimis Annotationibus Clariss. I.C. Dn. Ioan. Corasii... Doctiss. Viro Hugone Suraeo Gallo interprete. Francfort : Andreas Wechel, 1576. Francfort : Héritiers Wechel, Claude Marnius et Jean Aubry, 1588.

GUILLAUME LE SUEUR, *Admiranda historia de Pseudo Martino Tholosae Damnato Idib. Septemb. Anno Domini MDLX Ad Michaelum Fabrum ampliss. in supremo Tholosae Senatu Praesidem.* Lyon : Jean de Tournes, 1561.

Histoire admirable d'un faux et supposé mary, advenue en Languedoc, l'an mil cinq cens soixante. Paris : Vincent Sertenas, 1561. Avec privilege du Roy.

Histoire admirable d'Arnaud Tilye, lequel emprunta faussement le nom de Martin Guerre, afin de jouir de sa femme. Lyon : Benoît Rigaud, 1580.

Histoire admirable d'un faux et supposé mary, arrivée à une femme notable, au pays de Languedoc en ces derniers troubles. Paris : Jean Mestais, s.d. [vers 1615].

275

HENRI ESTIENNE, *Herodoti Halicarnassei historiae lib. ix... Apologia Henr. Stephani pro Herodotu.* [Genève]: Henri Estienne pour Ulrich Fugger, 1566, f.**** ii^r.
L'Introduction au traité de la conformité des merveilles anciennes avec les modernes. Ou traité preparatif à l'Apologie pour Herodote. [Genève]: Henri Estienne, 1566, Au lecteur.

JEAN PAPON, *Recueil d'arrestz notables des courtz souveraines de France... Nouvellement reveuz et augmentez oultre les precedentes impressions.* Paris: Jacques Macé, 1566, ff. 490^v-494^r.

GILBERT COUSIN, *Narrationum sylva qua Magna Rerum, partim à casu fortunaque, partim à divina humanaque mente evenientium, Lib. VIII.* Bâle: Henricpetrina, 1567, pp. 610-611.

FRANÇOIS DE BELLEFOREST, *Histoires prodigieuses extraictes de plusieurs fameux autheurs... divisees en six tomes. Le premier par P. Boaistuau... Le troisieme par F. de Belleforest.* Paris: la veuve Guillaume Cavellat, 1597-98. Troisiesme tome, chapitre premier. Les additions de François de Belleforest aux *Histoires* de Boaistuau ont paru pour la première fois en 1571.

ANTOINE DU VERDIER, *Les diverses lecons... Contenans plusieurs histoires, discours et faicts memorables.* Lyon: Barthélemy Honorat, 1577. Livre IV, chapitre XXVI.

PIERRE GRÉGOIRE, *Syntagma Iuris Universi... Authore Petro Gregorio Tholosano I.V. Doctore et professore publico in Academia Tholosana.* Lyon: Antoine Gryphius, 1582, III, livre XXXVI, chap. VI, *De crimine adulterii*, p. 669.

MICHEL DE MONTAIGNE, *Essais*, Paris, 1588, livre III, chap. XI, « Des boyteux ».

AUGER GAILLARD, *Les Amours prodigieuses d'Auger Gaillard, rodier de Rabastens en Albigeois, mises en vers françois et en langue albigeoise... Imprimé nouvellement* [à Béarn] 1592. Réédition par Ernest Nègre, Paris, 1970, p. 514, 525-26.

GÉRAUD MAINARD, *Notables et singulieres questions du droict escrit: Decidees et iugees par Arrests Memorables de la Cour souveraine du Parlement de Tholose.* Paris, 1628 (première édition 1603), p. 500-507.

JACQUES-AUGUSTE DE THOU, *Historiam sui temporis... Libri CXXXVIII.* Orléans, Pierre de la Roviere, 1620, I, p. 788.

ESTIENNE PASQUIER, *Les recherches de la France,* Paris, L. Sonnius, 1621, livre VI, chap. XXXV.

JACOB CATS, *S'weerelts Begin, Midden, Eynde, Besloten in den Trou-ringh* in *Alle de Wercken,* Amsterdam, 1658, p. 162-171. L'histoire de Martin Guerre en couplets rimés.

JEAN-BAPTISTE DE ROCOLES, *Les imposteurs insignes ou Histoires de plusieurs hommes de néant, de toutes Nations qui ont usurpé la qualité d'Empereurs, Roys et Princes... Par Jean-Baptiste de Rocoles, Historiographe de France et de Brande-*

276

bourg. Amsterdam : Abraham Wolfgang, 1683, chap. XVIII :
« L'Imposteur Mary, Arnaud du Thil, Archi-fourbe. » Traduction allemande, Halle, 1761.

GERMAIN LAFAILLE, *Annales de la ville de Toulouse*, Toulouse,
1687-1701, seconde partie, p. 198-199.

F. GAYOT DE PITAVAL, *Causes célèbres et intéressantes*, Paris, 1734,
I, chap. I. Nouvelle édition revue par M. Richer, Amsterdam,
1772, I, p. 1-42.

CHARLES HUBERT, *Le Faux Martinguerre ou La Famille d'Artigues
par M. Hubert. Representé pour la première fois sur le théâtre de
la Gaîté, le 23 août 1808*. Paris : la veuve Dabo, 1824. Très
romancé. « Martinguerre » devient un comte, sa femme s'appelle Adèle, etc.

PIERRE LAROUSSE, *Grand Dictionnaire universel*, Paris, 1865-90,
VIII, p. 1603, « Guerre, Martin, gentilhomme gascon... ».

L'ABBÉ P. HARISTOY, *Galerie Basque de Personnages de Renom* in
Recherches historiques sur le Pays basque, Bayonne, 1884, II,
chap. XXIV : Martin Aguerre de Hendaye.

JANET LEWIS, *The Wife of Martin Guerre*, San Francisco, Ca., 1941.
Traduction française, Paris, Laffont, 1947.

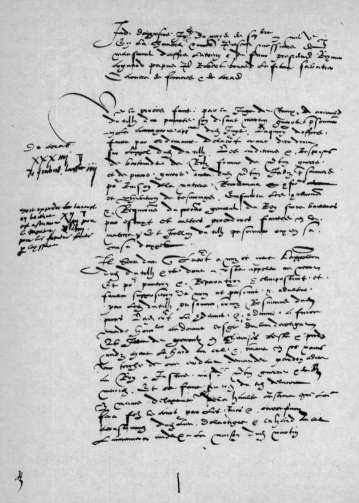

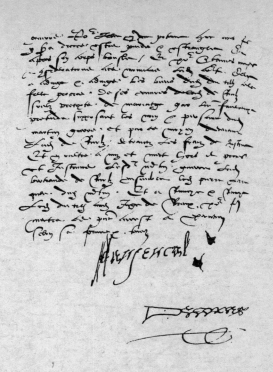

Fac-similé de l'arrêt de Martin Guerre, 12 septembre 1560, avec les signatures du président Mansencal et de Jean de Coras. (ADHG, B, La Tournelle, 76.)

ARREST ME-
MORABLE, DV PAR-
LEMENT DE
TOLOSE,

Contenant vne histoire prodigieuse, de
nostre temps, auec cent belles, & doctes Annotations, de monsieur maistre IEAN DE CORAS, Conseiller
en ladite Cour, & rapporteur du
proces.

Prononcé es Arrestz Generaulx le xii.
Septembre M. D. LX.

A Raison cede.

VINCEN
TI

A LYON,
PAR ANTOINE VINCENT,
M. D. LXI.
Auec Priuilege du Roy.

Fac-similé de la page de l'édition de Coras,
Arrest Memorable, 1561 (bibliothèque Mazarine).

ARREST DV PARLEMENT
de Tolose, contenant vne histoire memorable,
& prodigieuse, auec cent belles & doctes
Annotations, de monsieur maistre
IEAN DE CORAS, rap-
porteur du proces.

Texte de la toile du proces
& de l'arrest.

V mois de Ianuier, mil
cinq cens cinquante neuf,
Bertrande de Rolz, du lieu
d'Artigat, au diocese de
Rieux, se rend suppliant,
& plaintiue, deuant le Iuge
de Rieux : disant, que
vingt ans peuuét estre pas-
sez, ou enuiron, qu'elle estant ieune fille, de neuf à
dix ans, fut mariee, auec Martin Guerre, pour lors
aussi fort ieune, & presque de mesmes aage, que
la suppliant.

Annotation I.

Les mariages ainsi contractez auant l'aage legitime, ordonné
de nature, ou par les loix politiques, ne peuuent estre (s'il est loy-
sible de sonder, iusques aux secrets, & inscrutables iugemens de
la diuinité) plaisans, ny aggreables à Dieu, & l'issue, en est le plus
souuent piteuse, & miserable, & (comme on voit iournellement
par exemple) pleine, de mille repentances : par tant qu'en telles
precoces, & deuancees conionctions, ceux qui ont tramé, &
proietté le tout, n'ont aucunement respecté l'honneur, & la
gloire de Dieu: & moins la fin, pour laquelle ce saint, & venera-
ble estat de mariage, ha esté par luy instituè du commencement
du monde. **a** (qui fut deuant l'offence de nostre premier pere,
pour

a c. dernier
au t. e de fri-
gid & malefic.
aux Decreta-
les, & au ch vn.
de vot. & vot.
redemp.au Six
iesme.

Note : Jusqu'en 1564, on date le nouvel an de Pâques. Janvier 1559
correspond donc à janvier 1560.

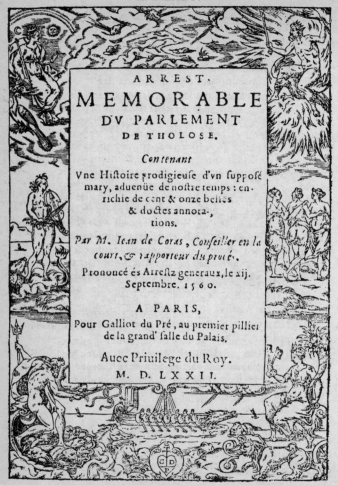

ARREST.
MEMORABLE
DV PARLEMENT
DE THOLOSE.

Contenant
Vne Histoire prodigieuse d'vn supposé
mary, aduenüe de nostre temps : enrichie de cent & onze belles
& doctes annota-,
tions.

*Par M. Iean de Coras, Conseiller en la
court, & rapporteur du procés.*

Prononcé és Arrestz generaux, le xij.
Septembre. 1560.

A PARIS,
Pour Galliot du Pré, au premier pillier
de la grand' salle du Palais.

Auec Priuilege du Roy.
M. D. LXXII.

Arrest Memorable, *fac-similés de quelques pages de l'édition de 1572.*

TEXTE.

En cest erreur, ladite de Rols suppliãt,
fut endormie, & entretenue trois ans, &
d'auantage.

ANNOTAT. X.

Grande fut certeinement l'astuce de ce paillard, d'entretenir ladite de Rols, en cest erreur trois ans, & dauan
tage. qu'elle infalliblement cuidoit estre sa femme.
mais parce qu'où y a erreur nous disons qu'il n'y point
de consentement, ni de volonté *a*: & que melefices ne se
commettẽt point sans propos deliberé, & intention de
malfaire *b* singulieremẽt, vn adultere, ou autre espece de
paillardise *c*. ceste femme ici, comme nous discourrons
amplement en lieu propre, meritoit pour raison de cet
erreur quelque excuse. Ce que le Pape Alexãdre iij. sem
ble auoit formellement deciz & determiné *d* car & les
Papes, & les Empereurs aussi, en pareils termes excu-
sent la femme qui se remarie: pensant auec plusieurs au
tres, qui le cuidẽt aussi, q̃ son espoux soit mort *e* mesme-
mẽt si le mari auoit demeuré quatre ans ou pl⁹ dehors,
& à la guerre *f*. Excuse aussi la vierge, qui epouse vn hõ
me ia marié, si elle pensoit qu'il fust à marier *g*. Et le
mary qui trouue sa belle sœur dans son lict, & participe
auec elle, cuidant que soit sa femme est, aussi excusé *h*.
Et Loth ne fut pas puni d'auoir eu affaire auec ses deux
filles, lesquelles à la desrobbée s'estoiẽt mises dans son
lict: partant qu'il estimoit participer auec sa femme *i*: ni
Iacob aussi, s'approchant de Lea, par ce qu'il cuidoit a-
uoir Rachel pres de soy. *κ*

a l. si per er-
rerem .D. de
Iurisdic. l. sed
hoc ita .D. de
aq. paui.
b l. verũ. D.
de fur.
c l. miles. Pa
rigra. penuls
& l. penuls.
D. de adulte
d chap. 1 .de
eo qui dux in
mæ.
e l. vxor. C.
de repud. C.
cum per bel-
licam.xxxiiij
q.j.
f l. vxor. prea
leguee
g o si virgo.
xxxiij. q.j
h c. j. parag.
quod autem.
xxix. q.j. C.
Infect.xxxiiij.
q.j.
i Genese ch
xix.
lz Genese c.
xxx.

TEXTE.

Durant lesquels, ont demeuré comme vrais mariez, mangeãs, beuuans, &
couchans ordinairement ensemble. Et
de ceste cohabitation ont esté procreez
deux enfans, l'vn desquels est trespassé.

uaiſe inſtruction, que pernicieuſe volonté x.

Tellement que s'il a ſongé ceſte nou-
uelle impudéce, & impoſture, ne s'enfaut
esbahir.

Pamor̄ au e ij.
de maled.

a l.cū Pater.
P rogo .D.de
leg.q̄.dudum.
de prae.
b l.merito. D.
pro ſoe.
a e.ſemel ma
lus, an vi. de
reg.iur.
d l.ſi cui. P.
eiuſdem.D.de
accuſatio. c.
ſtriba.de pte
ſump.c.paruu
li.xxij.q.v.
e l.nō ad ea.
D.de cond.&
di.monſt.
f l.eum qui
D. de Proba
g l ſicut P.ſu
peruacuū .D.
qui mo. pig.
fol.l.ſiue peſti
dens .C. de
proba.
ʄ l.ex perſo-
ſona. C.de pro
ba. c. praeterea
l . ij de tranſa
ctio.l ſiue poſ-
ſidetis.allegn.

Bien que la loy preſume des hommes, que chacun eſt
bon, bien viuant , & d'honneſte conuerſation *a*, & que
nul d'eux ha intention de mal faire *b* : touteſfois en celuy qui vne fois a eſté mauuais & ſurprins en quelque
meſchanceté, la loy à grande raiſon penſe & le preſume
eſtre touſiours tel, en la meſme eſpece de mauuaiſtié *c*.
comme par exemple vn qui aura quelquefois deſrobé,
s'il eſt derechef accuſé de larrecin, pour ſi petite preuue
d'autre coniecture qu'il y aye, facilement ou le preſu-
mera pour le iourd'huy eſtre laron. Et elle qui aura vne
fois paillardé , qu'elle mal verſe encores : & cil qu'il
en la premiere accuſatiō aura eſté calomniateur, l'eſtré
encor en la ſeconde *d*. Deſquels & ſemblables , la raiſō
n'eſt pas mal aiſée à entendre: car il eſt vray. ſemblable
qu'en la volonté de ſait, ou de parole declarée , chacun
continuë & perſeuere *e* : d'autant qu'vn changement
d'accident, ou qualité (qui conſiſte en fait) facilement
ne ſe preſume point *f*. Ains pluſtoſt on tire argument
& coniecture du paſſé, au temps preſent & a l'aduenir *g*:
comme celuy qu'on a cognu vne fois riche, on le preſume encor pour le iourd'huy riche , ou pauure : encor
pauure. vn qui a eſté ſeigeur d'vn lieu, l'eſtré par apres:
vn ſuiet, l'eſtre encores *ʄ*. & ainſi des ſemblables *h*.

Au contraire, que le priſonnier fuſt veritablement Martin Guerre, y auoit trente
ou quarante teſmoins . entre leſquels
eſtoyent les quatre ſeurs dudit Martin,
qui l'aſſeuroient, & en rendoyent raiſons

bonnes, & grandes, comme de l'auoir cõ
gnu, hanté, & frequenté depuis ses premiers ans : mangé, & beu souuentesfois
auec luy:& les seurs, pour auoir esté nour
ries tousiours ensemble.

Ces tesmoins, encor qu'ils n'esgalassent le nombre
des autres, neantmoins sembloit estre plus croiable
par plusieurs considerations. La premiere, car ils affer
moyen que le prisonnier estoit Martin Guerre, & les
autres le nioyēt. Or est il certain, qu'à deux seuls tesmoins qui afferment quelque chose, est donné plus de
foy, qu'a mille qui niēt *a*. La secõde, car les principaux
de ces tesmoins sont les propres, & plus prochains parens: & mesme quatre seurs, qui obstineement affer-
moyēt le prisonnier estre leur frere.Et chacun sçait biē
que les parens, singulierement les seurs, ont sans com
paraison meillieure & plus parfaite cognoissance de
ceux qui leur appartiennent de si prochain degré de parenté, que toutes autres personnes *b*.La troisieme, car
les tesmoins qui deposent pour le prisonnier, tesmoi-
gnent de choses plus approchantes de verisimilitude.
Partant qu'il auroit esté receu pour Martin Guerre de
tous ceux de la ville:& mesme de sesdites seurs, & plus
prochains parens. Voire de la femme dudit Martin,
auec laquelle auroit cohabité troys ans, & eu deulx
enfans : dans lequel interualle si long, n'est vray sem
blable que ladite de Rols ne l'eust recognu pour
estranger, si le prisonnier n'eust esté veritablement
Martin Guerre. La quatrieme & derniere, car ces tesmoins deposent pour le deffendeur, & en faueur tant
du mariage, que des enfans qui en sont yssus aus-
quels cas si plusieurs Iuges estoyent en conflicte d'o-
pinions, preuaudroit tousiours l'aduis & la sentence
de ceux qui fauoriseroyent ou le premeu, ou le *c*. ma
riage, & ainsi semble qu'Hermogenien Iurisconsul-
te l'ayt escrit & enseigné, quand il y a contradiction de
tesmoins. *d*

vn faict fort ambìgu , monstrueux, & perplex:esquels
actes , d'autant que la certitude des choses ne se peut
recouurer qu'auec grande difficulté , le bruit & fame
fait suffisante preuue *a*. côme pour monstrer qu'Antoi
ne soit fils de Pierre,ou q̃ Frãçois soit fils de Ieã,ou au
tre filiatiõ. ou bien pour prouuer la mort de quelq'vn.

*a Les Do-
cteurs au e.
veniens . i.&
au e. praterea.
de testibus.
b e. per suas.
de proba.
e Bartole en
la. ij. P. si du-
bitetur. D.
quæ ad.test.
aper,*

TEXT E.

Quatriemement,presque tous les tesmoins qui sont ouys, asseurent que le
prisonnier, quand fut arriué à Artigat,
salüoit de leur nom tous ceux qu'il ren
controit de la cognoissance de Martin
Guerre, sans autrement les auoir onc-
ques veuz ni cognuz : & s'ils faisoyent
quelque difficulté à le cognoistre , leur
ramenteuoit toutes choses passées:& di
soit à chacun particulierement : Ne te
souuient-il pas quand nous estionsà vn
tel lieu, il a dix douze,quinze,ou vingt
ans , que nous faisions vne telle,& telle
chose en la presence de tel,& tel: où tins
mes vn tel,& tel propos:mesmes à ladite de Rols sa pretendue femme discou-
roit,comme a esté dessus remonstré, les
plus priuez & particuliers actes qui peuuent interuenir entre mari & femme:
& de premiere rencontre luy dit, Va-
moy querir les chausses blanches, dou-
bles de taffetas blanc,que ie laissay dans
vn tel coffre quand ie parti : ce que fut

286

accordé par ladite de Rols estre vray, & depuis verifié, que les chausses y estoyēt encores.

ANNOTAT. XLII.

a Dion, &
Spartiã en la
vie d'Adrian.
b Herodote
au liure in
script. Clio.
c Solin en
son Polhist.
c. vij.
d Appian Ale
xandrin. en la
Guerre Mi-
thridatique.
e Plutarque
en la vie de
Pyrrh.
f Seneque au
prologue de
ses declama-
tions.
g Ciceron au
j. des Tuscula
nes.
h Solin an
lieu dessus al
i Pline au lieu
vj. e. xxiiij. ci
ceron au ij. de
Oratore & au
j. des Tuscula.
k En l'anno
tation xxj.

Il ne me souuient point auoir leu qu'aucun homme eust la memoire si heureuse, de se souuenir de tant d'a-ctes particuliers des lieux, & des propos, de si long temps, & à l'endroict de tant de personnes : hors mis d'Adrian l'Empereur *a*. car Cyrus, Roy des Perses, estãt en son exercite grand, & nombreux, sçauoit bien dire tous le noms de ses souldats, & gensdarmes : & faisant la reueuë de son armee, parloit à chascũ par son nom *b*. Ce que fit bien aussi iadis a Rome Luce Scipion *c*. Mithridates se souuenoit bien de vingtdeux langages: d'autant de nations qu'il auoit soubz soy, parlãt à chacune sans interprete *d*. Cyneas ambassadeur de Pyrrhus, dans vn iour qu'il fut à Rome, aprint bien tous les noms des Senateurs & cheualiers Romains *e*, Seneque sçauoit bien comme luy-mesme se vante, reciter deux mille noms, par le mesme ordre qu'on les luy auoit prononcez, & deux cens vers au rebours, commençant au dernier *f*. Ce que deuant luy Theodectes, disciple d'Aristore *g*. & Metrodore Philosophe, (qui fleurissoit au temps de Diogenes Cynique) faisoit bien aussi *h*. On louë de mesme & beaucoup la memoire de Iule Cesar, Scipion, Luculle., Hortense, & de Porcius Latro Romains: de Themistocles, Carneades & Charmides Grecs *i*: mais la memoire de ce du Thil ici, bien qu'il eust gaigné par aut, ou par vsage, surpassoit cõme il semble: n'ayant esté iamais descouuert par les cõmissaires, qu'il eust failli d'vn seul iota. Ce que i'entens auoir escrit, auec la protestation qu'ay ci deuant faite *k*, de ne vouloir entrer en comparaison d'vn si impudent affrõteur auec personnes si nobles, grandes & illustres.

TEXTE.

Or telles choses ne peuuent tomber en instruction qui luy fust donné par autre

Achevé d'imprimer sur les presses de l'imprimerie Brodard et Taupin
7, Bd Romain-Rolland, Montrouge. Usine de La Flèche,
le 15 février 1983
1961-5 Dépôt Légal février 1983. ISBN : 2 - 277 - 21433 - 7
Imprimé en France

Editions J'ai Lu
31, rue de Tournon, 75006 Paris

diffusion
France et étranger : Flammarion, Paris
Suisse : Office du Livre, Fribourg

diffusion exclusive
Canada : Éditions Flammarion Ltée, Montréal

1433
★★★